Elisa Ma~~~~lli

Sempre existe uma razão

Revisão
Katya Laís Ferreira Patella

Capa
Cler Mazalli
Zap design & publicidade

Diagramação
Edmilson Moreira

3ª Edição
Outubro de 2007

Publicação e distribuição
MENSAGEM DE LUZ EDITORA

Av. Brasil, 600 - sala 403
Beatrix Boulevard
Boqueirão - Praia Grande - SP - CEP 11701-090
Telefax: (13) 3592-2794
Site : www.mensagemdeluz.com.br
E-mail : info@mensagemdeluz.com.br

Sumário

Encarnação atual

Solange, nervosa, tocava a campainha e batia com força à porta do apartamento de Maria Clara. Já estava ali há alguns minutos. A cada pancada, seu coração batia mais forte. Estava com medo de que algo de grave houvesse acontecido com a amiga, dentro do apartamento. Chamava, gritando:

— Maria Clara, abra essa porta! Maria Clara, você está aí?

A porta do apartamento ao lado se abriu e surgiu uma senhora que, também parecendo preocupada, perguntou:

— O que está acontecendo, Solange?

— Não sei, dona Hilda, já faz três dias que a Maria Clara não vai ao escritório. Telefonei várias vezes, mas ninguém atende. Estamos preocupados, receio que aconteceu algo com ela!

A senhora saiu de sua porta e caminhou para junto de Solange. Nervosa, disse:

— Também não a tenho visto. Todas as tardes, quando chega do trabalho, costuma vir até o meu apartamento. Eu, sabendo disso, preparo um café, conversamos um pouco, depois ela vai para o seu apartamento. Notei que, há alguns dias, ela não veio. Entretanto, ao mesmo tempo, fiquei tranqüila, pois ela havia me dito que ia tirar férias e que, provavelmente, iria viajar. Estranhei que ela não se despedisse, mas você a conhece melhor do que eu e sabe como é cheia de manias. Além do mais, quando está namorando, também a vejo pouco. Ela se dedica totalmente ao namorado.

— Ela vai tirar férias, dona Hilda, sim, mas isso só vai acontecer na próxima semana. Por isso é que não estou entendendo e fiquei preocupada. Justamente por entrar em férias é que deveria deixar todo o seu trabalho em ordem.

— Agora, estou, também, começando a ficar preocupada, Solange. Será que aconteceu alguma coisa? Será que ela está aí dentro?

— Não sei, dona Hilda, mas, se ela não atender, vou chamar a polícia para que arrombem a porta.

— Acho que devemos fazer isso mesmo, Solange. Não estou vendo outra solução.

Solange, desesperada, bateu mais uma vez, tocou a campainha e chamou:

— Maria Clara! Maria Clara!

Não obtendo resposta, perguntou:

— Dona Hilda, podemos ir até seu apartamento para telefonar para a polícia? Estou muito preocupada. Deve, mesmo, ter acontecido alguma coisa!

Hilda, também preocupada, respondeu, apreensiva:

— Claro que sim! Vamos agora mesmo!

Estavam entrando no apartamento de Hilda, quando a porta se abriu e surgiu uma moça muito bonita. Loura, seus olhos verdes estavam vermelhos de tanto chorar. Ao vê-la, Solange disse, aliviada:

— Maria Clara! Ainda bem que está aí! Por que não atendeu o telefone nem abriu a porta quando toquei a campainha e chamei por você? Pelo tom de minha voz, pode perceber que eu estava desesperada!

— Por que eu não quero falar com ninguém!

— O que aconteceu? Parece que você está chorando há muito tempo, seus olhos estão inchados e vermelhos!

— Nada aconteceu, Solange, só estou cansada de viver! Minha vida não tem sentido... por isso, quero morrer...

— Não diz isso nem de brincadeira ! Está muito nervosa e não sabe o que está falando!

— Diz isso porque é minha amiga, mas sabe que estou dizendo a verdade... não presto para nada e não sei para que foi que eu nasci... quero morrer, Solange... — disse essas palavras, chorando, desesperada.

— Não diga isso nem de brincadeira! Você é linda e muito inteligente! Tem um ótimo emprego e um salário melhor ainda! Tem tudo para ser feliz, Maria Clara...

— Quem não me conhece e me vê, com um bom salário, vivendo bem, pode pensar assim, mas você, não, Solange. Conhece-me desde pequena e sabe como foi a minha vida. Estou cansada... do que adianta tudo isso se não tenho o resto...

— Que resto, Maria Clara?

— Uma família, pai, mãe, irmãos, marido e filhos! Nunca tive alguém... estou cansada. Não vejo um futuro, Solange...

— Como não? Você é ainda muito jovem, tem tempo para construir uma família e garanto que, quando isso acontecer, vai se arrepender do que está falando, porque família dá muito trabalho — Hilda disse, rindo.

— A senhora diz isso, porque teve pais, irmãos, primos, sobrinhos e agora tem marido, filhos... se não tivesse tido alguém, assim como eu, pensaria diferente...

— Por isso mesmo, por ter uma família grande é que estou dizendo que família dá muito trabalho. Cada um deles tem um problema, algumas vezes existem brigas e todos se dividem. Fica um sem conversar com o outro e, quando isso acontece, sou eu quem tem de resolver...

— É exatamente isso que me faz falta, dona Hilda. Queria ter todos esses seus problemas, mas não tenho... minha vida não tem sentido mesmo...

Solange, embora um pouco mais calma e aliviada por ver que Maria Clara estava bem, mas ainda nervosa, disse:

— Até agora não disse o que aconteceu para que ficasse assim, Maria Clara.

— O Claudinei me abandonou...

— O que está dizendo, Maria Clara?

— Assim como aconteceu com todos os outros, ele me abandonou...

Solange respirou fundo, pois já ouvira Maria Clara dizer aquilo muitas vezes. Disse:

— Você está com uma aparência horrível, Maria Clara. Acho que devíamos entrar. Você toma um banho, ajeita esse cabelo e depois vai nos contar o que aconteceu. Está bem assim?

— Não, preferia que fossem embora e que me deixassem sozinha...

— Nada disso! Não sei a Solange, mas eu não saio mais do seu lado, até que fique bem! Embora não tenha família, mora aqui ao meu lado há muito tempo e a considero como se fosse minha filha! Não vou deixar você nesse estado!

— Também não vou sair daqui, dona Hilda! Maria Clara, você vai ter de nos agüentar. — disse rindo e com uma ponta de ironia na voz.

Maria Clara, percebendo que não tinha como se livrar delas, disse:

— Está bem, vamos entrar. Vou tomar um banho, me arrumar e depois conversaremos. Acho que não é necessário, pois a história se repetiu, deviam estar acostumadas...

— A história pode ter se repetido, mas não é motivo para que fique assim. Vamos entrar e você vai nos contar tudo.

Maria Clara se afastou da porta e permitiu que elas passassem. Entraram e puderam perceber que a sala estava toda desarrumada. Estranharam, porque Maria Clara era organizada e gostava de ter seu apartamento sempre em ordem. Foram até a cozinha e viram que, sobre a pia, havia uma porção de copos sujos e sobre a mesa, várias garrafas de vinho. Qualquer um podia notar que Maria Clara havia bebido muito. Solange olhou para Hilda, que, depois de observar tudo, perguntou, nervosa:

— Maria Clara, você andou bebendo?

— Sim, mas o que tem de mais?

— Tem tudo, você nunca bebeu e sempre criticou aqueles que bebiam. Não estou reconhecendo você, Maria Clara...

— Depois do que Claudinei me disse, só senti vontade de beber para poder dormir...

— Bebida nunca foi nem é um bom remédio.

— Sei disso, mas não sabia o que fazer...

— Está bem, vai nos contar tudo. Agora, enquanto você toma banho, eu e a Solange vamos dar um jeito nesse apartamento. Vou abrir as janelas para que o ar entre e, depois de tudo arrumado, vou preparar um café para que possamos conversar com tranqüilidade. Está bem assim?

Maria Clara conhecia-as o suficiente para saber que elas não iriam embora. Impotente, respondeu:

— Está bem, façam o que quiserem...

Enquanto ela entrava no banheiro, Solange e Hilda começaram a arrumar tudo e a conversar. Solange disse:

— Não entendo por que Maria Clara é assim tão negativa.

— Também, não é para menos, Solange, parece que, realmente, nada dá certo para ela.

— Como não, dona Hilda? Ela tem um bom emprego. Olhe este apartamento, embora pequeno, é lindo! Sei que seu salário não é muito alto, mas dá para ela viver com tranqüilidade.

— Para algumas pessoas, não haveria problema algum por que gostam de estar sozinhas, Solange, mas para Maria Clara a solidão se transforma em suplício. Ela quer muito ter uma família, só fala nisso.

— Pois eu trocaria a minha vida, num piscar de olhos. Já imaginou chegar a um apartamento como este, dormir em uma cama como esta e no mais completo silêncio, sem ouvir crianças falando, chorando ou brigando ou marido reclamando porque a comida está sem sal? Seria a glória!

Hilda sorriu e disse:

— Eu também penso assim. Como gostaria de ter um momento só meu, na mais perfeita solidão, mas, como a Maria Clara disse, pensamos assim porque temos marido e filhos, mas, se não tivéssemos, será que pensaríamos dessa maneira?

— Será que não, dona Hilda?

— Pode ter certeza que não, Solange. O ser humano nunca está satisfeito com o que tem, sempre quer mais ou diferente.

— Não acredito que seja assim. Existem muitas pessoas que estão felizes com a vida que têm.

— Sei que sim, mas pode contar nos dedos. A maioria é da maneira como falei, daria tudo para ter a vida do outro.

— Falou o quê, dona Hilda?

— As duas se voltaram e viram Maria Clara saindo do banheiro. Estava enrolada em uma toalha azul e com outra pequena nos cabelos. Hilda respondeu:

— Não estava falando nada, só jogando conversa fora. Parece que você está melhor, não é, Solange?

— Parece, sim. Sente-se aqui, Maria Clara, vamos tomar um café e você vai se sentir ainda melhor.

Maria Clara sorriu e sentou-se na cadeira que Solange lhe apontava. Depois de sentada, disse:

— Sei que estavam preocupadas comigo, por isso, peço desculpas. Eu estava tão triste e desesperada que nem me lembrei de avisar que não iria trabalhar por alguns dias. Agora, como podem ver, estou bem.

— Amanhã, vai voltar ao escritório, Maria Clara?

Maria Clara estava com o olhar distante e não ouviu o que Solange perguntou.

Solange olhou para Hilda e tornou a perguntar.

— Amanhã, você vai trabalhar, Maria Clara?

— Não sei... não estou me sentindo bem...

— Precisa ir! Sabe que, antes de entrar em férias, precisa deixar tudo em ordem.

— Sei disso, mas estou cansada da minha vida, de tudo. Estou reavaliando tudo e vendo se vale a pena continuar...

Ao ouvir aquilo, Solange se preocupou e, quase gritando, perguntou:

— Vale a pena o quê?

— Viver, Solange... viver...

— Que bobagem é essa que está dizendo? Viver sempre valeu a pena!

— Pode me dizer por quê?

— Porque a vida é boa, existem alguns momentos de tristeza, sim, mas muitos de felicidade...

— Isso pode acontecer com você e com algumas pessoas, mas a maioria, tem mais momentos de tristeza do que de felicidade e outras, assim como eu, só de tristeza...

— Você está exagerando, Maria Clara...

— Não estou, Solange. Você conhece a minha história. Sabe que, quando eu era recém-nascida e não tinha nem perdido o umbigo, fui encontrada pela Irmã Maria Paula. Fui abandonada. Minha mãe não me quis e me jogou fora...

— Conheço sua história, ela não é diferente da de todas aquelas crianças que estavam no orfanato e das que estão hoje. Sempre existiram crianças abandonadas e, infelizmente, continuarão existindo.

— Também sei disso, mas não é justo. Toda criança deveria ter o direito de ter uma família e ser feliz.

— Penso da mesma maneira, mas não me revolto com isso. Só posso pensar que a mãe que abandona seu filho deve ter um problema muito grande e pensa que, se deixar sua criança abrigada, sofrerá menos do que se continuasse ao seu lado.

— Pois eu não penso assim. Acho que uma mãe deveria fazer tudo para ter o filho ao seu lado. Não aceito que uma criança seja abandonada, Solange.

— Pode não aceitar, mas, muitas mulheres, se não fizessem isso, só poderiam cometer um aborto e se sua mãe tivesse feito um aborto, você não estaria aqui para recriminá-la. Pelo menos, Maria Clara, ela permitiu que você nascesse e tivesse uma chance de ser feliz. Ela deve ter achado que você seria adotada e criada ao lado de pessoas que a amariam.

— Mas nunca fui adotada, Solange! Nunca ninguém me quis e nunca fui amada!

— Você está certa ao dizer que nunca fui adotada, até eu não entendo por que isso aconteceu, mas dizer que nunca foi amada, isso não é verdade. Você teve e ainda tem a Irmã Maria Paula que nunca escondeu o quanto gosta de você. Todas nós, no orfanato, sabíamos disso e muitas vezes ficamos com raiva.

Maria Clara sorriu e disse:

— Nisso você tem razão. Ela sempre me tratou com muito carinho.

— Está vendo como não é tão infeliz e como nunca esteve sozinha como diz? Reclama de ter sido criada em um orfanato, mas teve sorte de sua mãe tê-la deixado naquele onde a irmã Maria Paula era noviça. Lembra-se de como seus olhos brilhavam quando nos contava como havia encontrado você?

— Lembro-me e, naqueles momentos, eu me sentia privilegiada...

— Está vendo? Acho que se não houvesse um motivo para que vivesse, não teria nascido. A vida é um bem precioso, por isso temos de dar muito valor a ela.

— Não sei se existe um motivo para que eu nascesse e vivesse, pois até agora, não encontrei motivo algum. Minha vida é tão sem graça...

— Pode pensar assim, mas eu não acho. Deve haver algum motivo, Maria Clara, basta esperar que, a qualquer momento, você vai descobrir.

— Não sei, não, Solange, não sei mesmo...

— Você pode não saber, mas acredito que todos temos um motivo para haver nascido e nos tornado adultos. A qualquer momento, vai descobrir isso.

— Será?

— Claro que sim, se não fosse assim, por que está viva até hoje, por que teve a Irmã Maria Paula ao seu lado? Lembra-se de como ela ficava feliz quando nos reunia e começava a falar:

— *Era uma manhã fria de junho, Maria Clara. Ouvi a campainha no grande portão do orfanato. Fui abrir e não havia qualquer pessoa. Estranhei, mas pensei que devia ter sido alguma criança que, só para brincar, tocava a campainha e saía correndo. Estava voltando, quando ouvi um choro, choro não, um grunhido. Voltei e olhei para o lado e para baixo e vi um pacote de roupas. Peguei e encontrei você, Maria Clara. Assim que a vi, não sei o porquê, me emocionei. Você, embora fosse muito pequena e ainda estivesse um pouco inchada, o que demonstrava que havia acabado de nascer, era linda, carequinha, e quando, fazendo um esforço enorme, conseguiu abrir os olhos, percebi que eram verdes. Entrei correndo e a levei para a madre superiora que, assim como eu, achou você linda. Ela, com você nos braços, disse:*

— *Maria Paula, essa criança é linda e de fácil adoção. Vamos cuidar dela e comunicar ao juizado de menores.*

— *Vai ser fácil, mesmo, madre. Ela é tão linda, precisamos dar-lhe um nome.*

— *Pense em algum nome, depois me comunique.*

— *Já sei qual vai ser o seu nome. Tão branquinha, que tal Maria Clara?*

— *Para mim está bem.*

— *Peguei você novamente no meu colo e a levei até a enfermaria, onde lhe dei um banho rápido e troquei suas roupas. Depois de vestida, olhei novamente e disse em pensamento: você é linda mesmo, estou muito feliz por estar aqui. Seja bem-vinda a este mundo e tomara que seja feliz...*

Maria Clara, ao ouvir Solange e relembrando-se do dia em que foi encontrada, disse:

— É verdade, a Irmã Maria Paula sempre contava essa história, mas nada daquilo se realizou. Embora todos achassem que, por eu ser bonita, seria logo adotada, isso não aconteceu. Você também morava lá, Solange.

— Morava e era três anos mais velha do que você. Fomos crescendo e nos tornamos as melhores amigas.

— É verdade. Quando pequena, não entendia que morava em um lugar criado para crianças sem pais. Nem sabia o significado dessa palavra, mas, com o tempo, fui aprendendo e percebi que as outras crianças eram levadas por casais que, sorridentes e felizes, saiam com elas nos braços, mas eu não, sempre continuava ali. Quando os casais andavam pelo orfanato escolhendo a criança que levariam, me olhavam, sorriam e eu ficava feliz e ansiosa por ser escolhida, porém eles sempre seguiam adiante. A cada criança que ia embora, eu sofria e chorava muito.

— Também sentia isso e achava que o motivo era minha cor negra, pois a criança escolhida era sempre branca e bonita. Lembro-me de que lhe disse uma vez:

— *Maria Clara, sei que você vai embora depressa, mas eu vou continuar aqui...*

— *Por que está falando isso, Solange?*

— *Você é bonita, branca e eu sou negra, ninguém vai me querer.*

— *Será que a cor tem alguma coisa a ver com isso?*

— *Claro que tem, Maria Clara. Quantas crianças negras você viu serem escolhidas?*

— Depois de pensar um pouco, você disse:

— *Nenhuma, Solange...*

— *Está vendo, agora sabe por que vou continuar aqui, ainda mais porque já estou com dez anos!*

— Naquele dia, fiquei pensando no que me disse e, ao mesmo tempo, pensei: *se isso que ela está dizendo for verdade, eu vou ser adotada logo...* — Mas isso não aconteceu, Solange. Quando você ia completar onze e eu, oito, continuávamos as melhores amigas e vivíamos sempre juntas. Um dia, a Irmã Maria Paula nos chamou e disse:

— *Pedi que vocês duas viessem até aqui porque tenho uma notícia muito boa para você, Solange, e sei que muito triste para você, Maria Clara.*

— *Que notícia?* — perguntamos quase juntas.

— *Solange, lembra-se daquele casal que esteve aqui na semana passada e que conversou muito tempo com você?*

— *Sim...*

— *Eles resolveram, conversaram com o juiz e conseguiram uma permissão para levá-la com eles. Querem ser seus pais. Eles me pareceram ser boas pessoas, tenho certeza de que cuidarão muito bem de você.*

— Ela tinha razão, eles foram os melhores pais que alguém já teve, pois além de me darem um lar e carinho, me deram estudo e, hoje, tenho um bom trabalho graças a isso. Eu tive muita sorte, Maria Clara

— Teve mesmo. Eles são mesmo maravilhosos.

— Eles e toda a família. Nunca senti diferença alguma entre mim e os meus primos. No dia do meu casamento, estava colocando o meu vestido de noiva, quando minha mãe entrou no quarto, me abraçou e, chorando, disse:

— *Espero que você seja muito feliz, minha filha.*

— Eu, também a abraçando e chorando, disse:

— *Devo essa felicidade à senhora e ao papai, por terem me adotado. Se não fosse isso, talvez eu nunca tivesse saído dali.*

— *Não diga isso, Solange. Não tem o que agradecer. Você foi a razão de nossa existência e só nos trouxe felicidade. Sei que, se tivesse nascido de mim, não me faria mais feliz. Obrigada por ser quem é.*

— Eu a abracei e agradeci a Deus por ter colocado aquela família em minha vida. Nunca pensei muito na minha mãe verdadeira ou na outra família que poderia ter tido. Estava feliz com a que tinha.

— Você, sendo mais velha, sabia o que aquilo representava em sua vida. Eu, ao contrário, por ser mais nova e por sempre haver vivido ao lado de outras crianças sem família, não tinha a dimensão do que significava ser adotada. Naquele momento, somente sabia que você, minha melhor amiga, ia embora. Fiquei muito triste, mas, com o tempo, aos poucos e graças ao carinho da Irmã Maria Paula, quase me esqueci de você. Fui crescendo, tendo outras amigas que também foram embora. A cada partida, eu sentia muita dor e ficava três ou quatro dias chorando. Embora muitos casais me vissem, conversassem comigo, para espanto da Irmã Maria Paula, nunca fui adotada. Quando tive a noção certa do que significava uma mãe, me perguntava: *por que minha mãe me abandonou? Como ela teve coragem? Não entendia e queria porque queria saber onde estava, não só ela, mas meu pai e possíveis irmãos.*

— Quando falava sobre isso com a Irmã Maria Paula, ela dizia:

— *Não pense muito nessas coisas, Maria Clara. Não há como saber quem é sua mãe. Ela deixou você no portão do orfanato, sem pista alguma. Precisa cuidar da sua vida. Precisa estudar para que, quando tiver de sair daqui, possa ter um trabalho que a sustente.*

— Ao ouvir aquilo disse:

— *Irmã, quando crescer e me casar, vou ter um marido e muitos filhos! Quero ter uma família muito grande!*

— Quando completei quinze anos, aceitei a minha situação e, seguindo os conselhos da Irmã Maria Paula, decidi que, enquanto não encontrasse um homem para me casar a fim de ter a minha família, deveria estudar para ter um bom futuro. O colégio tinha uma educação acadêmica muito rígida. Mesmo assim, estudando muito, consegui terminar o colegial. Quando completei dezoito anos, precisava sair do orfanato. Com a ajuda da madre superiora e da Irmã Maria Paula, consegui um emprego na empresa de um amigo delas e foi onde nos reencontramos, Solange.

— Lembro-me daquele dia, Maria Clara. Quando chegou, percebemos que você era tímida. O gerente nos reuniu e a apresentou, pedindo que a ajudássemos e lhe ensinássemos o trabalho. Enquanto ele falava, eu olhava para você, sabia que a conhecia, só não conseguia me lembrar de onde. Só quando ele disse o seu nome e que estava vindo do orfanato, foi que me lembrei e fiquei muito feliz. Quando ele terminou de falar e saiu, me aproximei e disse:

— Maria Clara! Você não se lembra de mim?

— Você ficou me olhando, sem conseguir se lembrar. Entendi que seria muito difícil isso acontecer. Quando nos separamos, você só tinha sete anos e eu dez. Éramos crianças e durante todo aquele tempo mudamos muito. Aos poucos, conversando, fiz com que você se lembrasse. Sua felicidade foi igual à minha. Nós nos abraçamos e, daquele dia em diante, nunca mais nos separamos. Eu estava me preparando para me casar. Você e minha mãe adotiva, que foi a melhor mãe que alguém poderia desejar, me ajudaram com o enxoval, o vestido de noiva e a festa, enfim, em tudo. No dia do meu casamento, você estava radiante.

— Estava mesmo. Seu marido parecia gostar muito de você. Eu tinha certeza de que seria muito feliz.

— Realmente, fui e sou muito feliz. Quando minha primeira filha nasceu, você foi a madrinha.

— É verdade, mas ela, como sempre acontecia, nunca gostou de mim e sempre que eu ia à sua casa, ela se escondia sem querer me ver.

— Não fale assim, Maria Clara! Ela era só uma criança...

— Você sabe que estou dizendo a verdade, pois, até hoje, ela só conversa o necessário e só responde a alguma pergunta que faço. Ela não me suporta, Solange.

— Como sempre, você está exagerando, Maria Clara...

Maria Clara riu e continuou:

— Está bem, posso até estar exagerando, mas que ela não gosta de mim, não gosta mesmo.

— Eu preciso lhe confessar, Solange, que, muitas vezes, senti inveja da sua felicidade, da sua família.

— Não se preocupe com isso, Maria Clara. Conheço seus motivos e sei que gosta de mim, do meu marido e dos meus filhos. Sei o quanto deseja uma família. Você está só com trinta anos, é bonita, logo encontrará o homem da sua vida. Terá muitos filhos e será feliz, como sou.

— Só trinta anos? Já sou uma solteirona! Desde os meus dezoitos anos, por ser bonita, senti a aproximação de vários homens. Sempre que comecei a namorar, entreguei me totalmente, fui carinhosa e fiz tudo o que estava ao meu alcance para que quem estivesse ao meu lado fosse feliz, mas de nada adiantou. Eles, a princípio, pareciam apaixonados, porém quando eu falava em casamento e filhos, eles desapareciam sem dar explicações. O último foi o Claudinei. Há três dias, eu lhe falei do meu desejo de ter uma família, ele sorriu da mesma maneira que os outros fizeram e disse que também queria uma família. Foi embora e não voltou mais. Quando telefonei para seu trabalho, me disseram que ele havia pedido transferência para o Rio de Janeiro. Vocês entenderam o que aconteceu? Ele, como os outros, me abandonou sem dar explicação. Eu sou uma azarada! Nunca vou ter uma família! Estou condenada a viver na solidão! Nunca ninguém me amou, me fez um carinho!

Solange olhou para Hilda e, não conseguindo esconder sua tristeza, disse:

— Ele, como os outros, foi embora, porque não era um homem de caráter e estava querendo só se aproveitar do seu amor e do seu carinho. O homem certo ainda vai aparecer, Maria Clara. Também não pode dizer que nunca ninguém a amou nem lhe fez carinho. A Irmã Maria Paula sempre a tratou com muito carinho e amor. Ela foi, para você, muito mais mãe do que tantas mães que conheço. Sei que, se você a procurar, neste momento, vai encontrar o mesmo carinho e amor que ela sempre lhe dedicou.

Maria Clara pensou um pouco e disse:

— Nisso você tem razão, se existe alguém que realmente gosta de mim, é a Irmã Paula...

— Então, já que sabe disso, por que não vai conversar com ela?

— Vou até lá, mas já sei o que vai me dizer:

— *Maria Clara, você é linda! Vai encontrar alguém que realmente a mereça e vai conseguir ter aquela família com que tanto sonha!*

— Ela tem razão, Maria Clara! Não existe motivo algum para que você não consiga o que tanto quer!

— Eu também não encontro motivo! Sei que sou bonita, inteligente e bem educada. Sou uma pessoa boa, se não faço bem, com certeza também não faço mal a ninguém. Por saber o que pensam crianças internadas em um orfanato, duas ou três vezes por mês, vou até lá, conto-lhes histórias, penteio seus cabelos, pego-as no colo, abraço-as, beijo-as e brinco com elas. Não entendo. Não quero muito desta vida, não me importo com dinheiro, pois o que tenho, embora seja pouco, dá para que eu viva muito bem. Já que não tive pais nem irmãos, só quero ter uma família!

Levantou as mãos para o alto e gritou:

— É pedir muito, Deus?

Hilda, que o tempo todo ficou calada ouvindo, disse:

— Parece que não existe motivo algum para que não realize o seu sonho, Maria Clara. Enquanto conversavam, fiquei pensando. Embora não conheça nada a respeito, já ouvi falar em reencarnação. Será que você foi muito má na passada?

— Também já ouvi falar sobre isso, mas, se eu fui má, foi na passada e não é justo pagar nesta!

— Mas, dizem que há um motivo e uma razão para tudo o que nos acontece.

Maria Clara começou a rir e disse:

— Levando em conta que eu acredite em reencarnação, por tudo o que tenho sofrido nesta, eu devo ter sido aquele soldado que pregou Jesus na cruz ou um feitor de escravo muito ruim.

As três riram. Hilda disse:

— Quem sabe não foi isso o que aconteceu?

Elas não sabiam, mas prestando atenção em tudo o que falavam, e intuindo Hilda, estavam duas entidades, uma de homem, outra de mulher. O homem disse:

— Ela nem imagina, Matilde... nem imagina...

— Tem razão, Gusmão...

Encarnação passada

Anita chegou a casa. Entrou e, como de costume, olhou à sua volta. Tudo estava em ordem e perfeito. Foi para seu quarto, deitou-se sobre a cama e, com os olhos voltados para o teto, começou a pensar: *O meu jantar vai ser maravilhoso. É preciso que tudo dê certo para que dona Sofia fique contente e não me recrimine. Sei que isso vai ser difícil, pois, não sei o porquê, ela não me suporta e não perde uma oportunidade para me ofender. Amo o Ricardo e sei que sou amada por ele. Tenho tudo, uma casa linda, dinheiro para comprar o que desejar, mas do que adianta ter luxo e riqueza, poder viajar pelo mundo, se não tenho o que mais desejo... um filho... tentei tudo o que a medicina pode oferecer e problema algum foi encontrado. Esta vida não é justa! Existem tantas crianças pobres, a quem os pais não têm condições de dar nada e eu, que poderia dar tudo a uma ou várias crianças, não tenho filhos. Isso não está certo!*

Sempre que pensava a esse respeito, ficava nervosa e abatida. Sabia que logo entraria em depressão, mas, depois de muita terapia, havia aprendido a lutar e, com o tempo, conseguiu afastar a tristeza. Contudo, temia que ela voltasse e tudo recomeçasse. Levantou-se e foi para o banheiro. Precisava se preparar, pois, naquela noite, haveria um jantar especial. Estava comemorando quatro anos de casada e a volta dela e do marido de Portugal. Ricardo resolveu oferecer um jantar para os parentes e amigos mais chegados. Ela havia planejado tudo e, se não fosse por Sofia, tinha certeza de que tudo daria certo.

Saiu do banheiro, sabia que, em poucos minutos, o cabeleireiro e a manicure chegariam. Mandou fazer o vestido que usaria naquela noite.

Às dez horas em ponto, o jantar foi servido. Todos os convidados compareceram. Enquanto jantavam, conversavam. Sofia, sua sogra, embora tivesse nascido pobre e de família humilde, conheceu o marido, um rico fazendeiro, e casaram-se. Depois do casamento, estudou, teve aulas de etiqueta e se tornou uma mulher educada, que sabia se comportar em qualquer lugar. Teve dois filhos, Ricardo e Maurício. Seu marido, político de carreira, atendendo a uma idéia dela, fez uma fundação com o seu nome e, através dela, dava assistência às pessoas carentes da cidade. Com isso, sempre recebeu muitos votos. Sofia, para manter a fundação e poder fazer com que o nome do marido e, conseqüentemente o seu, não fosse esquecido, organizava chás, jantares e festas. Assim, arrecadava fundos. O casal era amado na cidade e por todos os que os conheciam. Fazia quatro anos que Pedro Henrique, seu marido, havia falecido. A morte dele lhe causou uma dor imensa, mas o desejo de não perder o poder fez com que ela mesma seguisse a carreira política do marido. Todavia, seu maior sonho era ver um dos filhos, principalmente Ricardo, se tornar um senador e até presidente da república.

Era uma bela mulher. Educada e elegante. Tinha mais de cinqüenta anos. Conversava sobre todos os assuntos, o que fazia com que se tornasse uma ótima companhia. Só tinha um problema, era muito agarrada aos filhos, principalmente a Ricardo, o que, muitas vezes, causou constrangimento para Anita.

Naquela noite, Anita estava feliz. O jantar havia saído como o planejado. Os convidados comiam com satisfação, ela podia ver pela expressão de seus rostos. Quando terminaram de comer, começaram a se levantar, elogiando o jantar. Na vez de Sofia, ela disse:

— O jantar estava perfeito, Anita. Pena que a comida estava com pouco tempero e a decoração da mesa não está combinando.

Anita sentiu que todo o sangue de seu corpo subiu para o seu rosto. Mesmo sem ter um espelho, sabia que ele estava vermelho. Olhou para Ricardo, que estava ao seu lado, e que, assim como os outros convidados, ficou constrangido, mas permaneceu calado.

Anita estava com muita raiva. Sua vontade era pegar um prato e jogar sobre a cabeça de Sofia, mas sabia que não poderia fazer aquilo, pois estava perante outras pessoas, inclusive sua cunhada, Stela, esposa de Maurício e por quem Sofia sempre mostrou predileção. Fez um esforço imenso. Engoliu seco e, expressando um sorriso, disse:

— Deve ter razão, dona Sofia. Só me resta pedir desculpas à senhora e a todos os demais. Agora, vamos passar para a outra sala onde serão servidos licor e café.

Stela e Maurício também ficaram constrangidos, principalmente ele, que gostava de Anita e muito mais do irmão e sabia que, quando a mãe de Ricardo não gostava de alguém, era terrível. Acompanhando os demais, foram para a outra sala. Anita e os convidados tentaram manter uma conversação, mas, por mais que quisessem, aquilo se tornou quase impossível. Aos poucos, todos foram se despedindo e indo embora. Entre eles, Sofia. Ricardo e Anita despediram-se de todos, na porta da casa.

Após a saída do último convidado, Anita e Ricardo entraram. Assim que se viu sozinha na sala, Anita gritou tão alto que até os empregados da casa vieram para ver o que estava acontecendo. Ricardo, com a mão, fez um sinal para que eles fossem embora. Após o grito, Anita começou a chorar e a dizer, berrando, tomada de muita raiva:

— Não suporto mais, Ricardo! Sua mãe me odeia e não perde a oportunidade de me ofender e humilhar! Estou cansada!

— Não fique assim, Anita. Você conhece muito bem a minha mãe e sabe como ela é. Foi sempre assim, nunca permitiu que alguém pudesse brilhar mais do que ela. Sabe que, desde que meu pai morreu, ela se dedicou inteiramente a mim e ao Maurício. Não quis se casar novamente, pois não queria que tivéssemos um padrasto. Ela, como todas as pessoas, pode ter defeitos, mas além de ser minha mãe, é uma grande mulher e eu a amo e respeito muito.

Anita, enquanto Ricardo falava, ficou olhando sem querer acreditar no que estava ouvindo. Quando ele terminou, ela disse:

— Não suporto mais, Ricardo. Não suporto nem vou agüentar mais! Já que sempre fica do lado de sua mãe, vai ficar com ela!

— O que está dizendo, Anita?

— Estou dizendo que amanhã, bem cedo, vou para a capital, ficar na casa dos meus pais e, assim, você terá muito tempo para pensar o que quer realmente da vida!

Calada, saiu da sala e, chorando, foi para seu quarto.

Ricardo pegou um drinque, sentou-se em um sofá e ficou bebendo.

Anita, em seu quarto, chorava. Seu coração estava apertado por, mais uma vez, perceber que seu marido, além de não a amar, não a respeitava. Tentando parar de chorar, pensava: *preciso tomar uma decisão em minha vida e vou tomar! Fiquei muito tempo sem saber o que fazer, mas agora chega! Sempre soube o que precisava fazer, mas nunca tive coragem. Sei que, para fazer o que preciso, terei de dizer a todas as pessoas, que meu casamento é uma farsa. Desde que conheci Ricardo e ele me apresentou à sua mãe, percebi que ela não havia gostado de mim. Depois, com o tempo, fui percebendo a diferença que ela sempre fez entre mim e Stela.*

Ela se levantou, foi até o banheiro e lavou o rosto. Olhou para o espelho e lembrou-se do dia em que conheceu Ricardo: *Por que tive de ir àquela festa? Eu não queria ir. Só fui por muita insistência de Magda, minha amiga, que conhecia Ricardo. Eles estudavam na mesma faculdade. Assim que o vi, meu coração bateu mais forte. Ele era, não, ainda é muito bonito, além de ter um belo porte. Um homem que faz o coração de qualquer mulher tremer. Eu estava em pé, junto à mesa de frios, quando ele se aproximou e me disse, sorrindo:*

— *Boa-noite, senhorita. Está aqui, sozinha?*

— Eu respondi com a voz trêmula:

— *Boa-noite, não, não estou sozinha. Minha amiga está dançando.*

— *E você, por que não está dançando?*

— *Não sei dançar muito bem, também, ninguém me convidou.* — respondi, sorrindo.

— *Por isso não. Quer me dar o prazer da próxima dança?*

— *Vai demorar, essa música que está tocando, apenas começou...*

— *Não tem importância. Enquanto ela não termina, podemos tomar um drinque e conversar.*

Dançamos e, depois daquele dia, por insistência dele e felicidade minha, começamos a namorar.

Ao se lembrar daquele tempo, ela se emocionou, enxugou o rosto e sorriu. Voltou para o quarto, deitou-se e continuou relembrando.

A desconfiança de Sofia

Enquanto Anita se recordava do tempo passado, Sofia chegava a casa. O carro, após seguir por uma imensa alameda, parou diante de uma porta. O motorista desceu, abriu a porta traseira do carro e pegou na mão de Sofia, para ajudá-la a descer.

Sofia, parecendo feliz, desceu e entrou em uma sala semi-iluminada. Olhou para um retrato que estava em uma das paredes, onde estavam ela e o marido. Sorriu, pensando: *Você viu, Pedro Henrique? Consegui, outra vez, estragar a festa daquela mulher! Sei que, para se casar e pertencer à nossa família, ela envolveu o nosso filho, talvez até com macumba, mas não faz mal, eu acabarei com aquele casamento e Ricardo voltará para casa! Pode ter certeza disso! Além do mais, não permitirei que nosso nome desapareça, porque aquela incompetente não consegue nem ter um filho! Já sei o que vou fazer para desmanchar aquele casamento. Usarei das mesmas armas que ela usou, procurarei alguém que faça uma macumba para que ele se afaste dela para sempre! Pode ficar tranqüilo, meu velho, nosso filho voltará para casa e voltaremos a ser uma família feliz... agora, está na hora de me deitar e sonhar com os anjos...*

Subiu os degraus da enorme escada que levava ao andar superior, onde ficavam os quartos. Em seu quarto, vestiu um pijama e deitou-se, mas não dormiu, ficou relembrando do dia em que Ricardo trouxe Anita para conhecê-la: *eles namoravam há pouco tempo. Ele chegou, feliz, segurando-a pela mão e disse:*

— *Mamãe, esta é a Anita, estamos namorando.*

Olhei-a de cima a baixo. Não estava preocupada, pois sabia que aquela seria como as outras que ele já havia me apresentado, apenas uma aventura. Ela se aproximou e, sorrindo, estendeu a mão para que eu apertasse. Embora contra vontade, mas para não magoar Ricardo, também sorri e segurei sua mão. Ela apertou forte e, olhando bem em meus olhos, disse:

— Muito prazer, estou encantada de estar em sua casa e de conhecê-la pessoalmente. A senhora é uma pessoa importante na cidade. Estou muito orgulhosa!

Ela apertou minha mão com muita força e me olhou de frente. Ao sentir aquele aperto de mão, percebi que aquela moça era diferente de todas as outras que ele havia me apresentado, mas não me preocupei muito. Posso dizer que até gostei dela, mas, mesmo assim, percebi que deveria tomar cuidado, pois sabia que ela seria capaz de roubar o meu filho. Eu o conhecia o suficiente para saber que, daquela vez, era diferente.

Sem conseguir parar de pensar, Sofia se levantou e foi ao banheiro. Parou em frente ao espelho, mexeu nos cabelos e continuou pensando:

Conversamos durante o lanche. Ela falou a respeito de sua família, mas eu desconversei. Não me interessava saber nada a seu respeito, muito menos a respeito de sua família. Enquanto ela falava, eu pensava: Não! Definitivamente, você não é a moça que eu quero para ser a mulher de meu filho! Eu não quero e você não vai ser.

Tremendo de ódio, ela saiu do banheiro e, no quarto, foi até uma cômoda, onde, por sua ordem, a copeira, todas as noites, deixava uma jarra com água. Encheu um copo e tomou. Voltou para a cama e continuou pensando: *Eu não queria, mas, infelizmente, ela conseguiu. Não sei o que fez, deve, mesmo ter ido a um macumbeiro, porque Ricardo ficou encantado por ela e em pouco tempo marcaram o casamento. Ela morava na cidade, pois estava estudando. Sua família morava na capital, onde seu pai tinha uma empresa. Poucos dias antes do casamento, eles compareceram a nossa casa. Quando os conheci, tive a certeza de que aquele casamento não poderia se realizar, pois não daria certo, mas não tive como evitar. Casaram-se. Isso já faz oito anos. Porém, ainda não me dei por vencida, sei que conseguirei fazer com que se separem! Ela não foi nem é a mulher ideal para meu filho! É arrogante e está sempre pronta para me afrontar! Diferente de Stela, tão meiga e amorosa, que faz sempre tudo o que quero e está sempre ao meu lado. Entretanto, mesmo contra minha vontade, sempre defende aquela mulher. Quando fico nervosa, ela me diz:*

— *Não é assim, dona Sofia, a Anita é uma boa moça. Eles se gostam e Ricardo parece feliz ao seu lado. Em algumas coisas, a senhora tem razão. Ela é, realmente, um pouco arrogante, mas, no geral, é uma boa pessoa. Não se envolva, deixe que os dois decidam suas vidas.*

A Stela que me perdoe, mas como posso deixar que decidam suas vidas? O Ricardo está totalmente dominado por aquela mulher! Ele não sabe tomar uma decisão! Eu preciso decidir por ele! Amanhã, vou encontrar aquele homem e ver o que pode fazer. Se ela fez alguma macumba, ele vai desmanchar e meu filho ficará livre para decidir sua vida.

Olhou para o relógio que estava sobre o criado-mudo. Faltavam dez minutos para a meia-noite. Pensou: *será que Stela já está dormindo? Acho que não, devem ter acabado de chegar em casa. Preciso falar com ela.*

Pegou o telefone e, sem se importar com a hora, discou um número. Do outro lado da linha, uma voz de mulher atendeu:

— *Alô.*

— Stela, sou eu, precisamos conversar. Está dormindo? Estou incomodando-a?

— Não, dona Sofia, não estou dormindo e a senhora nunca me incomoda. Que aconteceu?

— Não aconteceu nada. Só queria saber o que achou do jantar que aquela mulher preparou.

Stela, conhecendo a sogra e sabendo a resposta que ela queria ouvir, respondeu:

— O jantar estava muito ruim, nisso a senhora tem razão, mas não entendi porque teve de falar daquela maneira. Foi constrangedor, porém, aqui entre nós, até que gostei. Não tenho nada contra a Anita, mas, já que a senhora não gosta dela, também não posso gostar. Não sei por que eles tiveram de voltar. Durante o tempo em que estiveram em Portugal, não tivemos problema algum.

— Voltaram porque ela estava com saudade da família. Como se aquela família fosse importante. Todavia, estou feliz, pois tenho meu filho outra vez ao meu lado.

— Nesse ponto a senhora tem razão. Ricardo parece estar muito bem.

— Ele é lindo, não é?

Stela soltou uma gargalhada e respondeu:

— Sim, ele está muito bem. Parece que, quanto mais o tempo passa, mais bonito ele fica.

— Por isso mesmo ele não pode continuar casado com aquela mulher! Maurício está aí com você?

— Não, ele está tomando banho.

— Estou telefonando, porque preciso da sua ajuda.

— Minha ajuda? Que posso fazer? Sabe que, apesar de tudo, não quero me envolver nem ser responsável por uma possível separação.

— Você sabe que sempre desconfiei que aquela mulher fez macumba para segurar o Ricardo, não sabe?

— A senhora sempre disse isso, mas nunca acreditei e não acredito nessas coisas.

— Nem eu, mas não custa nada tentar. E, se existir mesmo essa coisa de macumba? E se ela fez, mesmo, uma macumba para envolver o Ricardo a ponto de fazer com que ele se casasse com ela? Estive pensando e, na dúvida, acho melhor tomarmos uma providência.

— Tomarmos?! — Stela perguntou, confusa.

— Claro que sim! Você precisa me ajudar! Tenho certeza de que ela fez uma macumba, e das brabas!

— A senhora acredita mesmo nisso?

— Não acredito nem desacredito, mas, pelo sim, pelo não, é melhor me prevenir.

— Acha que vai valer a pena, dona Sofia?

— Acho que sim. Se existir, farei com que seja desmanchada. Se não existir, não acontecerá nada nem a ela nem a mim.

— Não sei... tenho medo de mexer com essas coisas. Mesmo porque, não acredito que ela teria coragem de fazer qualquer coisa nesse sentido. Ela, e parece que toda a família, sempre foram muito religiosos.

— Medo do quê? Ouvi dizer que, se bem pago, qualquer trabalho é feito e não me falta dinheiro. Gastarei até o último centavo para afastar aquela inútil da vida do meu filho.

— Por que diz que ela é inútil?

— Claro que é inútil, não consegue nem ter um filho!

— Isso não quer dizer que ela seja inútil, só precisa, talvez, fazer um tratamento...

— Já fez vários e parece que não tem jeito, não, ela jamais terá um filho, o que acho muito bom!

— Bom, por quê?

— Porque quando eles se separarem, não restará vínculo algum. Nunca mais precisaremos sequer falar com aquela mulher. Se houvesse um filho, ela estaria sempre presente em nossas vidas!

— Nisso a senhora tem razão...

— Sempre tenho razão, Stela. Será que ainda não descobriu isso?

Stela soltou outra gargalhada e respondeu:

— Claro que já descobri, dona Sofia!

— Amanhã, depois que mandar as crianças para a escola, quero que venha me pegar e iremos, juntas, até o tal homem.

— Por que não vamos no seu carro, com o motorista, dona Sofia?

— O tal homem mora a quarenta minutos, uma hora daqui. Lá, onde ele mora, ninguém nos conhece e isso é muito bom. Se formos no meu carro com motorista, chamaremos a atenção e alguém poderá nos reconhecer e não quero isso, Stela...

— Acho que a senhora tem razão. Ainda mais agora que as eleições estão chegando. Não ficaria bem descobrirem que alguém da família freqüenta um lugar como esse.

— Você entendeu muito bem. O Maurício vai se candidatar e vencer as eleições, você será a primeira dama da cidade. Não é isso que quer?

— Claro que quero, mas será que ele vai ganhar mesmo?

— Claro que vai! O nome da família de Pedro Henrique sempre teve e ainda tem muita força! Eles sempre foram muito queridos por toda população e não se esqueça de que tenho trabalhado muito para que o povo não se esqueça deles. Nossa família não pode perder a eleição!

— Sim, sei que a senhora tem trabalhado muito. Faz muita caridade. O povo todo a adora...

Sofia sorriu, ela sabia que aquilo era verdade. Ajudava a população pobre da cidade. Quando alguém vinha pedir uma ajuda, ela estava sempre disposta a resolver o problema. Fazia aquilo não porque sentisse qualquer coisa pelo povo, mas por saber que, assim, teria a população ao lado da família e, poderia continuar sempre com o poder nas mãos. Era só isso que queria. Quanto mais a população continuasse precisando dela, mais poder ela e a família teriam. Disse:

— O povo me adora realmente, Stela. Você sabe que até sobre isso aquela mulher me critica?

— Sei, sim, dona Sofia. Ela diz que a Prefeitura, ao invés de ajudar as pessoas dando dinheiro ou coisas, deveria encontrar uma maneira de providenciar algum tipo de trabalho. Deveria explorar o artesanato da cidade, dando, assim, oportunidade para que ganhasse dinheiro com trabalho. Ela acha que a Prefeitura tem como fazer isso. Poderia não só ajudar o trabalho, como também a promoção de vendas, quem sabe até, exportação.

— Ela tem essas idéias porque nunca esteve à frente da Prefeitura ou qualquer cargo de comando. Ela não permitiu que Ricardo se candidatasse, e o levou para Portugal.

— A senhora sabe que não foi bem assim, dona Sofia. Quem não quis se candidatar foi o Ricardo, ele preferiu ir para Portugal, pois, visitando os castelos e fortalezas que existem naquele país, poderia conhecer melhor a nossa história.

— Isso ele disse, mas, na realidade, ele não queria ir, ela, sim. Queria conhecer a terra de seus antepassados! Se fosse para estudar, deveriam ter ido para os Estados Unidos! Aquele, sim, é um país de primeiro mundo! O que tem em Portugal? Estão mais atrasados que nós!

— A senhora sabe como Ricardo gosta de história. Sabe que o que ele quer mesmo é ser professor.

— Professor, professor! Como ele pode querer ser professor? Uma profissão sem valor algum!

— Ele, assim como Anita, também quer que o povo seja instruído.

— Instruído para quê? O povo não precisa de instrução, precisa de comida na mesa!

— Ricardo e Anita não pensam assim, dona Sofia. Eles dizem que o povo precisa estudar para poder trabalhar e promover seu próprio sustento.

— Tudo isso é bobagem, Anita! O povo está muito bem! Você já viu alguém pedindo escola? Claro que não! Todos estão muito felizes, acostumados a viver com o pouco que têm. A Prefeitura desta cidade não deixa que lhes falte nada!

— Sim, mas, segundo eles, isso faz com que ninguém se importe em melhorar, estudar e trabalhar. Dizem que as pessoas, por não terem oportunidade, se acomodam à situação.

— Não quero mais continuar com esta conversa. O importante é irmos amanhã naquele homem e vermos o que pode ser feito para que eles se separem. Só isso está me importando no momento.

— Está bem. O Maurício já voltou para o quarto. Precisamos dormir. Amanhã, assim que as crianças forem para a escola, vou até aí pegar a senhora e iremos.

— Estarei esperando por você. Boa-noite, Stela, sei que, esta noite, vou dormir como um anjo e garanto que aquela mulher não está conseguindo pregar os olhos.

Stela sorriu e disse:

— Boa-noite, dona Sofia.

Sofia desligou o telefone e fechou os olhos, tentando dormir. Stela também fez o mesmo. Olhou para Maurício que estava ao lado da cama e que perguntou:

— O que minha mãe queria, Stela?

— Nada, Maurício, só comentar sobre o jantar.

— Você disse a ela que não gostei do que fez?

— Não, Maurício, não disse. Você conhece sua mãe, ela jamais aceitaria uma crítica.

— Sei que ela é assim, mas nunca achei certo. Ela, às vezes, extrapola e comete injustiças, assim como faz com a Anita. Meu irmão está feliz ao lado da mulher que escolheu, ela deveria respeitar isso.

Stela não disse o que realmente havia conversado com Sofia e o que haviam combinado para a manhã seguinte, pois sabia que seu marido não aprovaria. Ele gostava de Anita e muito mais do irmão.

Deitaram-se e adormeceram.

Sofia sorriu, ajeitou o travesseiro e voltou a se deitar. Ao seu lado, sem que soubesse, um vulto de homem que, durante o tempo todo, esteve ao seu lado, disse:

— Por que está fazendo isso, Sofia? Por que continua a mesma de sempre?

Como se houvesse escutado o que ele perguntou, pensou: *preciso fazer isso, não posso deixar que aquela mulher continue ao lado do meu filho! Ela não presta!*

— Não presta, Sofia, porquê?

Não consegue ter um filho! Ricardo me disse que estão pensando em adotar uma criança! Imagine se vou permitir! Eles acham que vou deixar que o nosso nome seja colocado em um enjeitadinho qualquer? Nunca! Isso não vai acontecer! Nunca!

— Por que não, Sofia? É só um nome... nada mais que isso. Perante a espiritualidade, não representa nada.

Ela, lembrando-se do marido, continuou pensando: *se o Pedro Henrique estivesse aqui, diria que nada disso tem importância, que é só um nome e que para a espiritualidade não tem valor. Ele, desde que começou a ler aqueles livros, mudou de atitude. Começou a falar de coisas que me deixavam muito nervosa. Como nome e dinheiro não têm valor? Claro que têm! Ele dizia que o que importava era aquilo que trazíamos no coração. O amor por todos, a caridade e a nossa preparação para a vida eterna. O que me interessa a vida eterna? Quero viver esta! Não quero saber o que vai me acontecer depois que eu morrer.* Acho *que não existe nada depois da morte, por isso, sempre vivi pensando no presente e fiz tudo o que podia para viver bem e ter tudo de bom que esta vida pode me dar. Não quero nem me lembrar de como era minha vida antes de conhecer o Pedro Henrique...*

Pedro Henrique sorriu e disse:

— Tudo o que eu dizia era verdade, Sofia. A vida eterna existe e você ainda está em tempo de mudar sua atitude.

Ele dizia isso, mas o que me importa é o hoje, o agora. Preciso dormir, amanhã será um dia de muita emoção. Está decidido, vou até aquele homem e ele vai dar um jeito naquela mulherzinha!

Ela queria dormir, mas não conseguia. Os pensamentos fervilhavam em sua cabeça. Sentou-se, afofou o travesseiro, tornou a se deitar, virou de lado, fechou os olhos e, depois de algum tempo, sem perceber, adormeceu. Pedro Henrique, triste, desapareceu.

Desabafo

azia mais de uma hora que Anita havia ido, nervosa, para o quarto. Ricardo permaneceu sentado em um sofá da sala. Ele sabia que ela tinha razão em estar nervosa, mas conhecia sua mãe e também sabia que ela não havia gostado de Anita desde que a conheceu. Ele não entendia por que aquilo acontecia. Pensava: *não sei por que mamãe age assim com a Anita. Ela pertence a uma boa família, é estudada e seus pais estão muito bem. Minha mãe não pode dizer que ela se casou comigo por causa de dinheiro. Não entendo também por que Anita até hoje fica nervosa com a atitude de minha mãe. Já devia ter se acostumado...*

Levantou-se e foi para o quarto. Anita estava deitada, ainda relembrando e chorando. Ao ver o marido entrando, fingiu estar dormindo. Não queria conversar. Sentia-se ofendida não só com Sofia, mas com Ricardo também, por ele não a ter defendido.

Assim que Ricardo entrou no quarto, percebeu que Anita fingia dormir. Deitou-se ao seu lado e, carinhosamente, a abraçou. Ela não se moveu. Ele percebeu que ela não estava dormindo e que não queria mais conversar. Anita continuou fingindo que dormia. Ele insistiu, dizendo:

— Anita, não fique assim. O jantar terminou e, na minha opinião e, posso garantir, na de todos, estava muito bom.

Ela, nervosa, sentou-se na cama e disse, quase gritando:

— Como estava bom? Você não ouviu o que sua mãe disse?

— Ouvi, e, assim como eu, ninguém deu atenção a ela. Todos que estavam aqui a conhecem muito bem e sabem da má vontade que ela tem em relação a você. Ninguém ligou, Anita...

— Você está mentindo, Ricardo! Mesmo que fosse verdade, eu me importei! Eu me senti humilhada!

— Ora, meu amor... me abrace e vamos esquecer o que aconteceu...

— Não posso esquecer, estou com muita raiva!

— Não entendo por que você ainda fica com raiva. Conhece minha mãe, sabe que ela, quando quer, pode ser rude, mas sabe também que ela nos ama...

— O que está dizendo? Ela nos ama? Não, Ricardo, ela não me suporta nem eu a ela! Estou cansada de ser humilhada! Para mim, chega! Vou repetir! Amanhã, assim que clarear, estou indo embora desta casa, da sua vida e da vida dela!

— Que bobagem é essa que está dizendo, Anita? Vai embora por quê?

— Cansei de ser humilhada! Estou com muita raiva de sua mãe, mas, muito mais, de você!

— Por que está dizendo isso?

— Você não gosta mais de mim. Acho até que nunca gostou!

— De onde tirou essa idéia?

— Da sua atitude! Nunca me defende de sua mãe! Sempre que ela faz algo que me magoa, você fica calado, como se eu não fosse ninguém!

— Ora, Anita, deixe de bobagem, você sabe que não é assim. Sabe que, desde que a vi, naquele baile, me apaixonei e essa paixão dura até hoje...

— Não, Ricardo, você é apaixonado por sua mãe! Fique com ela, estou indo embora!

— Você é que não sabe lidar com a minha mãe! Por que não age como a Stela? Dela minha mãe gosta...

— Ser como a Stela? Nunca! Ela faz tudo o que sua mãe quer, parece um cachorrinho! Não posso e não quero fazer isso! A Stela está fazendo com os filhos o mesmo que sua mãe fez com vocês! Eles também estão se tornando fracos e sem respeito por si mesmos!

Ricardo, que até agora tentava se manter calmo, ficou nervoso e disse furioso:

— Está ouvindo o que está dizendo? Está percebendo que está me ofendendo?

— Não estou ofendendo você, Ricardo! Estou dizendo a verdade! Você é fraco, sem opinião própria. Já que disse que eu devia ser como a Stela, você deveria ser como seu irmão, que não se deixa levar por sua mãe e decide sua vida!

— Acho melhor terminarmos esta conversa por aqui, pois, se continuarmos, vamos acabar brigando de uma forma como nunca aconteceu!

— Também acho. Além do mais, por mais que conversemos, não vai adiantar. Já me decidi, vou embora para sempre!

— Faça o que quiser! Estou cansado de suas lamúrias! Você não passa de uma menina mimada! Não cresceu!

Assim dizendo, pegou seu travesseiro e saiu do quarto. Anita o acompanhou com os olhos. Estava decidida, seu casamento terminara ali. Em lágrimas, pensou: *não adianta continuar insistindo, Ricardo não vai mudar, ele sempre foi e vai continuar sendo dominado pela mãe. Com isso, todo o encanto que havia, terminou. Sei que tanto ele como ela me culpam por não ter tido um filho, mas que culpa eu tenho? Já fiz todos os exames aqui e em Portugal e não encontraram um motivo. Não sei mais o que fazer. Agora, também, não me importa mais. Vou embora, o difícil vai ser contar para meus pais. Eles gostam muito de Ricardo. Eu também, mas não dá para continuar assim.*

Deitou-se e tentou dormir. Sabia que seria difícil, pois, em alguns momentos, todos os seus sonhos tinham sido destruídos. Odiava Sofia por isso.

Ajuda do céu

Na manhã seguinte, Anita se levantou e foi até o quarto de hóspedes para conversar com Ricardo, mas, para sua surpresa, ele não estava lá. A cama estava desfeita, o que demonstrava que ele havia se levantado mais cedo e saído. Apesar da curiosidade, ficou com mais raiva. Balançou os ombros, saiu e voltou para seu quarto. Calmamente, começou a arrumar suas malas. Enquanto fazia isso, pensava: *onde será que ele foi tão cedo? Sei que ficou nervoso com aquilo que eu falei, mas é a pura verdade, ele é totalmente dominado pela mãe! É incapaz de tomar uma decisão sem antes falar com ela! Somente quando decidiu ir para Portugal, apesar da negativa dela, insistiu e foi. Acho que não deveríamos ter voltado. Enquanto vivemos lá, foi tudo tranqüilo, embora ela telefonasse duas ou três vezes por semana. Também, agora, não adianta ficar pensando, tomei minha decisão e só voltarei para casa se ele mudar o comportamento e consentir em se mudar para a capital, para junto dos meus pais. Sei que minha mãe vai dizer que estou errada, que preciso salvar meu casamento, mas por que só eu? Por que ele também não tem que querer salvar o casamento? Para mim, chega! Acabou! Acabou mesmo!*

Olhou para o criado-mudo e viu que, sobre ele, havia um bilhete. Pegou-o em sua mão e leu:

Querida Anita.

Estive pensando em tudo o que me disse e cheguei à conclusão de que

*você tem razão. Embora a ame com
loucura e não deseje que nosso casamento termine, acredito que chegou a hora de repensarmos nossa
vida. Por isso, não precisa sair de
casa, pois eu estou fazendo isso. Assim, teremos tempo de refletir sobre
todo o tempo em que estamos juntos e
o quanto gostamos um do outro. Lembre-se de que a amo e de que quero
ficar ao seu lado até o fim da minha
vida.
Com carinho e muito amor.*

Ricardo

Anita terminou de ler e começou a chorar, pensando: *por que isso tinha de acontecer? Por que dona Sofia me odeia tanto?*
Com o bilhete na mão, continuou chorando.
Enquanto isso, em sua casa, Sofia também acordou. Estava feliz e também decidida. Ainda deitada, pensou: *são sete horas da manhã, logo mais a Stela vai estar aqui e iremos falar com aquele homem. Hoje vai terminar o reinado daquela mulher! Ela não pode mais continuar vivendo ao lado do meu filho nem pertencer a esta família! Eu a odeio e a todos de sua casa!*
Levantou-se e começou a se arrumar. Abriu a janela e olhou. O sol estava brilhando, sorriu, voltou para o quarto, foi até o guarda-roupa, ficou olhando e pensando: *hoje o dia vai ser quente, preciso escolher um vestido leve. Sei que vai ser cansativo, mas não tem importância, desde que eu consiga salvar meu filho daquela mulher!*
Pedro Henrique e Maria Rita estavam ali, acompanhando todos os movimentos de Sofia. Desesperado, ele disse:
— Mamãe, será que ela vai mesmo fazer isso? Será que ela vai se unir às forças do mal?
— Acredito que sim, meu filho. Ela parece estar determinada...

— Ela não pode fazer isso! Ela vai se destruir!

— Sei disso, mas sinto que não poderemos fazer nada, apenas pedir a Deus por ela.

— Não pode ser, mamãe! Essa não é a Sofia que conheço! Ela mudou muito!

O quarto se iluminou, em seguida duas entidades apareceram. Ao vê-las, Pedro Henrique e Maria Rita sorriram. Admirado, perguntou:

— Gusmão? Matilde? Por que estão aqui?

— Embora não saibam, estamos ao lado de Sofia há muito tempo. Nós a ajudamos a preparar sua reencarnação e permanecemos ao seu lado, na tentativa de que tudo desse certo.

— Vocês a conhecem?

— Não só a ela, mas a todos vocês que renasceram para se ajudar mutuamente.

Maria Rita disse, surpresa:

— Embora os conhecesse, não sabia que faziam parte de nossas vidas. Por que não nos contaram?

— Sabemos que nos conheciam. Não contamos porque não havia necessidade. Agora, parece ser necessário. Por isso estamos aqui. Viemos para tentar impedir que Sofia faça algo de que, com certeza, outra vez vai se arrepender.

Pedro Henrique, ainda confuso, disse:

— Não estou entendendo, essa não é a Sofia que conheço. Ela sempre foi tão gentil e amorosa. Nunca pensei que pudesse, sequer, imaginar uma coisa como essa...

— Você nunca conheceu Sofia. Ela sempre foi dissimulada, Pedro Henrique.

— Não pode ser verdade...

— Infelizmente, é verdade. Ela planejou sua encarnação e pediu que a ajudássemos. Prometemos que estaríamos sempre ao seu lado e assim fizemos. Não só eu e Matilde, mas muitos outros.

— Quem é Sofia realmente, Gusmão? Pode nos contar?

— Sim, enquanto ela se prepara para sair, poderemos conversar.

— Por favor, Matilde. Preciso entender o que está acontecendo. Essa Sofia que está aí se preparando para destruir a vida de meu filho não é aquela que conheci e amei durante toda a vida...

— Vou contar, Pedro Henrique e, no final, entenderá tudo o que aconteceu e está acontecendo agora. Sofia morava em um sítio distante da cidade. Seus pais viviam uma vida com muita dificuldade, mas a amavam muito. Ela acordava muito cedo e caminhava ao lado de outras crianças da redondeza, em direção à cidade. Entre elas, ia Osmar, que morava em um sítio próximo ao dela. Ele era um ano mais velho. Estavam indo para a escola. Faziam isso todos os dias. Era filha única. Sua mãe, Nadir, passou muito mal quando Sofia nasceu e nunca mais pôde ter outro filho. Sofia era muito tímida e sentia falta de irmãos. Queria, ao menos, mais um. Ela fazia aquela caminhada sem reclamar. Com dez anos, estava ainda no primeiro ano e aprendia a ler e a escrever as primeiras palavras. Estava atrasada, mas isso aconteceu porque demorou para que uma escola fosse construída. Isso só aconteceu, quando o avô de Pedro Henrique foi eleito prefeito da cidade. Ela nunca havia pensado em estudar e só foi para a escola depois de muita insistência de minha mãe. Seu pai, Romeu, achava que estudo não era importante para mulher, pois sabia que logo ela se casaria e teria apenas de cuidar do seu marido e filhos. Ela aceitava aquilo com naturalidade, mas sua mãe, não. Dizia:

— *Sofia, você precisa estudar para poder ser alguém na vida. Se continuar como eu, sem saber ao menos ler, vai ter uma vida assim como a minha...*

— Sofia a ouvia dizendo aquilo, mas não tinha o alcance do que significava. Somente quando começou a juntar as letras, formar palavras, podendo, assim, ver e ler as revistas com artistas, foi que passou a se interessar realmente. Nas revistas, via moças com vestidos e cabelos lindos, casas bonitas, bem pintadas e grandes. Ao ver tudo aquilo, começou a sonhar e a querer ter todas aquelas coisas. Só aí foi que percebeu o significado daquilo que sua mãe dizia e, enquanto ia para a escola ao lado das outras crianças, dizia:

— *A gente precisa estudar e aprender bem rápido.*

— Osmar me olhava e, confuso, perguntava:

— *Estudar para quê, Sofia? Já sabe como vai ser a nossa vida.*

— A sua, você pode saber, Osmar, mas a minha, não! Ela vai ser diferente! Sei que, se estudar, vou poder comprar aqueles vestidos lindos que vi na revista... cortar os meus cabelos e morar em uma casa linda, igual a uma daquelas. Ainda bem que consegui fazer com que meu pai me deixasse ficar sem trabalhar na roça para poder ir para a escola. Minha mãe conversou com ele a esse respeito, ele ficou brabo e disse:

— Estudar para quê, Nadir? Sabe que ela só vai perder tempo. Ela precisa mesmo é aprender a cuidar da casa e fazer uma boa comida para ser uma boa mulher e mãe. Além do mais, enquanto não se casar, vai poder cuidar da casa enquanto você trabalha comigo, lá na roça.

— Se ela estudar, Romeu, ela vai poder ter uma vida diferente...

— Nadir tanto insistiu que ele não teve como discordar. — continuou Gusmão.

— Sofia, que estava diante do espelho penteando os cabelos, sem saber a causa, também começou a relembrar o passado e, ao se ver criança novamente, se emocionou e uma lágrima escorreu por seu rosto. Matilde apontou com a mão, todos viram e sorriram. Ela disse:

— Parece que a nossa presença aqui ao seu lado, intuindo-a para que se recorde, está dando resultado, Pedro Henrique. Se ela continuar assim, talvez desista de ir ao encontro daquele homem.

— Acha que isso pode acontecer, Gusmão? Acha que ela pode desistir?

— Por que não? Precisamos sempre ter a esperança de que o sentimento maior, o amor, é mais forte.

— Tomara mesmo, Gusmão. Tomara que ela, recordando-se de como tudo aconteceu e de como chegou onde está hoje, mude de idéia e aceite a Anita como sua filha. Ela precisa mudar de idéia. Se não fizer isso, vai causar muito sofrimento a ela e a toda família...

— É verdade, Matilde, mas não podemos duvidar da bondade e justiça de nosso Pai e criador.

Sofia balançou a cabeça como querendo afastar aquelas lembranças. Olhou novamente para o espelho, ajeitou um fio de cabelo rebelde e sorriu, pensando: *tudo o que passei faz parte do passado. Hoje, que consegui tudo o que sempre desejei, preciso cuidar para que minha família continue com o nome e respeito que sempre teve e isso só poderá acontecer se não se misturar com uma família como a daquela mulher. Preciso e vou afastá-los!*

Pedro Henrique, ao ouvir aquilo, começou a tremer e a chorar. Disse, soluçando:

— Realmente, essa não é a Sofia que conheci e amei...

— Ela sempre foi assim, determinada a conseguir o que desejava, e para isso, nunca poupou esforços. Mas ainda está em tempo. Estamos e vamos continuar ao seu lado, tentando fazer com que encontre o caminho de que se desviou há muito tempo.

— É o que mais desejo, Gusmão. Quero ver novamente a minha Sofia...

— Vamos pedir a Deus que isso aconteça, mas vou continuar a contar a história.

— O pai de Sofia plantava verduras e legumes. Todos os domingos ia até o centro da cidade e vendia tudo na feira. Em um domingo, apareceu em casa com uma criança recém-nascida. Com ela no colo, disse:

— *Eu estava voltando com a carroça e, quase chegando aqui, uma mulher caiu bem na minha frente. Desci da carroça e fui ver o que havia acontecido. Ela estava com os olhos parados e percebi que estava morta. Olhei para o lado e lá estava esta criança e esta sacola. Acho que aí dentro tem as roupas da criança. Fiquei assustado, por lá não passa qualquer pessoa. Então, trouxe a criança pra que você cuide dela, Nadir, enquanto volto à cidade para avisar o delegado.*

— *A mulher ainda está no mesmo lugar, Romeu?*

— *Está, mas já estou voltando. Cuide da criança.*

— *Quero ir com você.*

— *Não precisa. Se eu for no cavalo, chego mais rápido e você precisa cuidar da criança.*

— A Sofia pode cuidar. Quero ir com você.

— Como ela vai cuidar, Nadir? Ela nunca esteve perto de uma criança tão pequena.

— O pai tem razão, mãe. Não sei e não quero cuidar dessa criança!

— Está bem, eu fico, mas volta depressa pra me contar o que houve e o que vai acontecer com esta criança.

— Romeu saiu apressado. Nadir pegou a criança, apertou-a bem junto ao peito e disse:

— Como é bom ter um neném de novo no colo.

— Aquelas palavras pareciam flechas atiradas no peito de Sofia. Ficou com muita raiva, pois nunca vira, no rosto da mãe, uma expressão de felicidade como aquela. Sabia que era querida, tanto por ela como pelo pai, mas nenhum dos dois nunca demonstrou tanto carinho por ela. Nadir tirou as roupinhas da criança e disse, feliz:

— É um menino, Sofia! Olha como é lindo e gordinho!

— Sofia olhou para o menino e não viu nada de bonito. Era uma criança feia, careca, vermelha e parecia que estava inchada. Nadir disse:

— O umbigo ainda não caiu, Sofia. Ele acabou de nascer. Quem será que era sua mãe?

— Sofia ficou parada, só olhando. Nadir abriu a sacola e, realmente, dentro dela, havia roupinhas de criança. Demonstrando a felicidade que estava sentindo, Nadir cuidou dela com muito carinho. Mais tarde, Romeu voltou e contou o que havia acontecido na cidade:

— Voltei ao lugar onde encontrei a moça morta e ela continuava ali. Fui para a cidade procurar o delegado. Quando cheguei, contei o que tinha acontecido. Ele me ouviu e, em seguida, pegou a viatura da polícia e fomos até lá. A moça continuava no mesmo lugar. Pegamos a moça e a colocamos na parte de trás da viatura e voltamos para a cidade.

— Você contou do menino, Romeu?

— É um menino? Que bom! Não, Nadir. Perguntei ao delegado o que acontecia com crianças que não tinham família. Ele me disse que elas eram encaminhadas ao juiz *de menor e depois iam para um orfanato. Quando ele me disse isso, me lembrei de como você e a Sofia queriam uma criança e fiquei quieto. Vamos deixar passar um pouco de tempo, depois volto à cidade e falo que você teve uma criança aqui no sítio, assim ela vai poder ser registrada no nosso nome. Vai ser nosso filho e você, Sofia, vai ter um irmãozinho! Está feliz com isso?*

— Sofia ficou olhando para ele sem saber o que responder. Na realidade, ela sempre quis ter um irmão, mas quando viu o carinho com que a mãe pegou aquela criança, não sabia se ainda queria, mas seu pai estava decidido e sua mãe parecia muito feliz. Não respondeu, apenas sorriu. Nadir, com a criança no colo, perguntou:

— *Acha que vai dar certo, Romeu? Será que eles não vão desconfiar e descobrir?*

— *Claro que vai dar certo, mulher. Sabe que aqui na cidade não tem hospital e que todas as crianças nascem em casa. Vai dar certo, sim!*

— Alguns dias depois, Romeu foi à cidade e contou aquela história. Assim, registrou Gustavo em seu nome e Sofia, de repente, tinha um irmão. A princípio, ficou feliz, mas essa felicidade terminou no dia em que Romeu chegou e disse:

— *Você não vai mais poder ir à escola, Sofia.*

— *Por quê, pai?*

— *Sua mãe precisa me ajudar na roça e, agora, com o menino, isso não vai ser possível. Por isso, enquanto ela estiver comigo, você precisa cuidar da casa e dele.*

— Ela ficou revoltada e disse, nervosa:

— *O senhor não pode fazer isso, pai! Eu gosto de estudar! Quero aprender para poder sair desta casa e deste lugar!*

— *Por que quer sair daqui?*

— *Não quero ter uma vida igual à sua e à da mãe! Quero ser rica e ter tudo o que desejo!*

— *Pode esquecer! A sua vida não vai ser diferente da nossa! A gente nasceu pobre, pela vontade de Deus, e vai morrer pobre...*

— *Não! A minha vida não vai ser assim! Vou ser rica!*

— Está bem, mas, por enquanto, precisa ajudar aqui em casa. Enquanto você fica sonhando com toda essa riqueza, a gente precisa trabalhar pra continuar vivendo.

— Isso não é justo! Eu quero estudar!

— A vida não é justa. Também queria ter uma porção de coisas, que sei, nunca vou ter. Você precisa viver na realidade e a realidade é que a gente precisa plantar e colher. O resto é sonho. Pode continuar sonhando, mas vai ficar aqui em casa ajudando na lavoura e cuidando de seu irmão.

— Ele não é meu irmão!

— Romeu deu uma bofetada no rosto dela e gritou, nervoso:

— Nunca mais repita isso! Ele é seu irmão, entendeu bem?

— Sofia saiu chorando para o quintal. Estava quase anoitecendo, algumas estrelas surgiam no céu. Olhou para o alto e disse, baixinho:

— Eu vou sair deste lugar! Eu vou ser rica!

— Sofia começou a tremer. Seu coração batia acelerado. Pela primeira vez, seu pai havia lhe batido. Logo ele que sempre fora tão carinhoso e que, apesar da pobreza em que viviam, fazia o possível para que não lhe faltasse nada. Ela não sabia, mas, assim que saiu, Nadir, sua mãe, perguntou, nervosa:

— Por que bateu nela, Romeu? Você nunca tinha feito isso!

— Não sei, Nadir, fiquei nervoso! Sabe que quando menti e registrei o Gustavo no nosso nome, cometi um crime e, se alguém descobrir, poderei até ser preso! Por isso, ninguém pode descobrir! Por isso, também, não podemos nem pensar, muito menos falar que ele não é nosso! Quando Sofia disse que ele não era seu irmão, perdi o controle...

Sofia afastou o pensamento. Após tomar o café, voltou para o quarto e ficou esperando o telefonema de Stela. Estava ansiosa, queria resolver logo aquele assunto que a incomodava desde o dia em que Ricardo trouxera Anita para conhecê-la.

Recostou-se na cama e ficou fazendo planos para depois que houvesse a separação: *Não sei como vai acontecer, só espero que Ricardo fique bem. Sei que ele não gosta daquela mulher, ele está enfeitiçado.* Ficou recostada por alguns instantes, começou a relembrar o passado. Ficou nervosa e irritada, não queria relembrar, mas não sabia por que, não conseguia parar. Levantou-se e foi beber um pouco de água. Não entendia aquilo que estava acontecendo. Fazia muito tempo que não se lembrava do passado. Era uma coisa que ela sempre quis esquecer e conseguiu. Olhou no espelho que havia na porta do guarda-roupa e pensou: *por que estou pensando nisso, agora? Não posso desviar meu pensamento, preciso me concentrar só naquele homem e no que vai acontecer com aquela mulher!*

As entidades acompanhavam seus passos. Pedro Henrique, nervoso, disse:

— Não, Sofia! Precisa se concentrar no seu passado para entender que nada pode ser feito para separar nosso filho de Anita. Eles se gostam e têm, juntos, um longo caminho pela frente.

Matilde segurou no braço de Pedro Henrique e, tristemente, disse:

— Não adianta, Pedro Henrique. Ela está determinada e muito pouco poderemos fazer para que mude de idéia. Você a conhece e sabe como é determinada. Se ela continuar nessa faixa de pensamento, não poderemos continuar aqui. Logo mais, ela estará tão envolvida pelas energias do mal que não conseguirá nos ouvir mais.

— Sei disso, Matilde, por isso mesmo estou pedindo que me ajude a fazer com que se lembre de tudo. Quem sabe, assim, ela mude de idéia e deixe o Ricardo viver em paz com a mulher.

— Enquanto estou contando sua história para vocês, ela, embora não saiba, também está ouvindo. Enquanto ela nos ouvir, continuaremos tentando. Ficaremos ao seu lado até que seja possível.

— Obrigado, Gusmão. Ainda bem que vieram...

Gusmão sorriu.

Sofia voltou para a cama, recostou-se novamente e tentou pensar só no trabalho que o homem ia fazer. Olhou para o relógio, embora achasse que Stela estava demorando. Percebeu que isso não era verdade, pois faltava mais de trinta minutos para a hora marcada. Pedro Henrique, ao seu lado, disse:

— Sofia, você está querendo pisar em um terreno muito perigoso. Por enquanto, estamos aqui, mas não sei por quanto tempo, por isso, é preciso que reconsidere e não cometa essa loucura.

— Não adianta, Pedro Henrique, ela está totalmente tomada pelo ódio. Vou continuar contando a história, talvez, ela relembrando-se, mude a faixa de pensamento. No final, vamos ver o que acontece.

— Vamos tentar tudo o que for possível, Gusmão...

— Vamos, sim, Pedro Henrique. Depois do dia em que Romeu lhe deu aquele tapa, Sofia nunca mais foi à escola. Ficava em casa cuidando de tudo para que sua mãe pudesse ajudar seu pai na roça. O tempo passou. Ela estava, agora, com quatorze anos e, embora tivesse deixado de ir à escola, não deixou de estudar. Osmar, que também fora obrigado a deixar de estudar para ajudar o pai na roça, ia, muitas vezes, durante a semana, para a cidade e sempre trazia livros da biblioteca. Sabia que ela gostava e ele só queria vê-la feliz. Romeu, todos os domingos, também ia para a cidade. Ele levava as verduras e legumes que plantava para serem vendidos na feira e, assim, conseguia o dinheiro de que precisava para manter a família. A vida era dura, mas viviam em paz. Sofia sempre o acompanhava e ficava com ele na barraca, ajudando-o a vender. Quando conseguia alguns momentos de folga, ia para a casa de Magali, uma amiga da escola, que lhe passava a lição que a professora havia dado naquela semana. Além dos livros da escola e dos que Osmar pegava na biblioteca, lia, também, revistas de moda e de histórias em quadrinhos. Entre elas, as que falavam de amor. Ficava encantada com as casas e roupas que via nas revistas e sonhava: *como eu queria ter uma casa como essa e essas roupas, então? Isso sim é que é viver... mas como minha mãe diz, não adianta sonhar. Minha vida vai ser sempre assim, como a dela. Vou me casar e vou continuar vivendo aqui, neste lugar. Sei que vou ter uma porção de filhos e ficar velha antes do tempo...*

— Osmar, embora trouxesse os livros, não entendia por que ela sempre repetia aquilo. Em uma tarde, quando conversavam sentados em um banquinho de madeira que havia sob uma árvore, perguntou:

— *Para que você lê tantos livros e revistas, Sofia?*

— *Não quero continuar vivendo aqui, Osmar. Quero aprender sobre tudo o que existe fora daqui! Quero falar direito e conhecer outros lugares. Por enquanto, sei que não posso, então, aprendo a falar através dos livros e, nas fotografias que vejo nas revistas, conheço outros lugares e como as moças se vestem. Você já viu os vestidos lindos que elas usam?*

— *Eu não ligo pra essas coisas. Você gosta de mim, Sofia?*

— *Claro que sim, Osmar!*

— *Então, por que a gente não começa a namorar?*

— *Namorar!?* — ela perguntou, assustada e confusa.

— *Claro que sim, a gente se gosta e já está chegando a hora de eu me casar. Conversei com meu pai. Você sabe que tanto ele como os seus pais fazem gosto no nosso casamento. Ele disse que, assim que eu fizer dezoito anos, vai me dar um pedaço de terra e a gente vai poder construir a nossa casinha. Ela vai ficar muito bonita, aí a gente vai poder se casar e ser feliz pra sempre.*

— *Que bom que ele disse isso. Minha mãe acha que é um pouco cedo. Ela disse que a vida de casado não é fácil e, por isso, acho que a gente devia esperar mais um pouco.*

— *A vida só não é fácil quando a gente não gosta da outra pessoa, mas a gente, desde criança, se gosta muito, não é?*

— *Sempre gostei de você, Osmar, mas não sei se quero me casar. Sabe que não quero continuar vivendo aqui neste lugar.*

— *Você sempre disse isso, mas sabe que não adianta, vai ter de continuar aqui. Eu gosto muito de você, e sei que a gente vai ser feliz. Se quiser, vou conversar com seu pai e, assim que eu fizer dezoito anos, a gente se casa.*

— *Ela pensou um pouco, depois disse:* — continuou Gusmão.

— *Está bem, você tem razão, nunca vou sair deste lugar, esta é a minha sina. Pode falar com meu pai.*

— Eu sabia que ela tinha tido um namorado, Gusmão...

— Sei que sabia, mas não sabe de muita coisa, Pedro Henrique. Vou continuar. Naquele dia, estavam distraídos conversando e não viram quando Romeu se aproximou e pôde ouvir as últimas palavras. Curioso, perguntou:

— *Sobre o que estão conversando?*

— Voltaram-se e Osmar, sorrindo, respondeu:

— *Estamos falando sobre o nosso futuro, seu Romeu. Eu e a Sofia queremos começar a namorar. Estava dizendo para ela que ia conversar com o senhor e pedir sua permissão.*

— *Namorar? Vocês são ainda muito crianças!*

— *A gente sabe disso. A gente só vai namorar, seu Romeu. Meu pai disse que, quando eu fizer dezoito anos e quiser me casar, ele vai me dar um pedaço de terra só minha. Assim vou poder construir uma casa, plantar e ser feliz com ela.*

— *Se for assim, está bem. Mas tomem cuidado com esse namoro.*

— *Não precisa se preocupar, seu Romeu. O senhor sabe que, desde que era criança, gosto da Sofia e nunca vou fazer qualquer coisa pra deixá-la triste.*

— *Está bem, você é um bom moço e sua família também. A gente sempre se deu bem e se seu pai vai lhe dar um pedaço de terra, já é um bom começo. Podem namorar.*

— Romeu se afastou. Osmar pegou na mão de Sofia e, emocionado, disse:

— *Você não pode imaginar como estou contente, Sofia! A gente vai ser feliz! Você vai ver! Sei que tem medo de continuar nessa pobreza, mas, com a gente, não vai ser assim! Vou ser diferente do meu pai e do seu. Não vou vender a nossa mercadoria só na feira, vou procurar levar para a capital. Meu pai me levou uma vez lá e você não pode imaginar como é grande! Tem uma porção de prédios altos, muitos carros e um lugar muito grande, onde as pessoas vendem frutas, verduras e legumes! Eles compram de tudo e depois distribuem pela cidade! Você precisa ver! Não vai acreditar!*

— *Por que seu pai não vende pra eles?*

— *Sabe que meu pai não tem estudo nem sabe conversar direito. Ele tem medo, porque, pra vender pra eles, a gente vai ter que aumentar a plantação, quem sabe, até vai ter que contratar mais gente pra trabalhar e meu pai tem medo de que, depois, não vá conseguir vender nem ter como pagar tudo o que gastou.*

— *Você não tem medo, Osmar?*

— *Tenho, mas se a gente não tentar, a gente vai continuar sempre assim, sem ter quase o que comer. Assim que a gente se casar e eu já tiver a minha terra, vou para a capital procurar quem é que compra. Vou negociar e, aí, é só trabalhar. A gente vai ficar rico! Você vai ver, Sofia!*

— *Ela ficou impressionada com o entusiasmo e determinação de Osmar e disse:*

— *Acho que vai dar certo mesmo, Osmar! Se precisar, eu até ajudo você na roça!*

— *Você não vai precisar trabalhar na roça. Vou contratar gente pra fazer isso. Só vai ter que cuidar da casa e dos nossos filhos!*

— *Filhos?!*

— *Claro que filhos! Quero muitos! Além do mais, a gente vai precisar de muitos braços pra trabalhar, não é?* — *perguntou, rindo.*

— *Não é não senhor! Não vou querer meus filhos trabalhando na roça, quero que eles estudem!* — *disse, nervosa.*

— *Também quero isso, sua boba. Estava só brincando. Nossos filhos vão ter uma vida completamente diferente da nossa. Pra isso vou trabalhar muito.*

— Ele a abraçou e lhe deu um beijo nos lábios. Aquele foi o primeiro. Ela estava feliz. Desde criança, gostava realmente de Osmar. Seu único medo de se casar com ele era continuar vivendo para sempre naquele lugar e naquela pobreza, mas, agora, tudo era diferente. Ele tinha planos que poderiam fazer com que tivessem uma outra vida.

— Ela nunca me falou sobre esses planos... — disse Pedro Henrique.

Gusmão sorriu e continuou:

— Não havia por que contar. Conversaram mais um pouco. Depois, ele deu um beijo na sua testa e se afastou. Ela ficou olhando-o ir embora. Sorriu, pensando: *definitivamente, eu gosto dele. Vamos começar uma vida nova e, com a ajuda de Deus, vamos ser felizes.*

— Assim que ele desapareceu no horizonte, ela foi para casa. Entrou no exato momento em que Nadir, sua mãe, dizia:

— *Eles são muito crianças para começarem a namorar, Romeu!*

— *Sei que são crianças, mas sei também que não adianta proibir. Sabe muito bem o que aconteceu com a gente, Nadir. Seu pai proibiu e a gente fugiu pra se casar. Aqueles dois se gostam desde crianças. Sempre viveram grudados e ele sempre fez todas as vontades dela. Além do mais, o casamento não vai ser agora, só quando ele tiver dezoito anos e ela, dezessete. Até lá, muita coisa pode acontecer.*

— *Não sei... tenho muito medo...*

— *Medo do quê, mãe?*

— Nadir e Romeu se voltaram e viram quem perguntava. Ela caminhou na direção de Sofia e respondeu:

— *Sei que você gosta do Osmar e ele de você, mas sempre disse que, quando se casasse, ia embora daqui. Sabe que, se casar com ele, continuará aqui e será infeliz. Não quero isso pra você, filha...*

— *Ora, mãe, eu dizia isso quando era criança, mas agora sei que, pra sair daqui, vou ter que conhecer um homem rico e isso nunca vai acontecer. Como vou conhecer um homem rico? O único lugar a que vou é para a feira vender as nossas coisas. Gosto do Osmar, sei que, com ele, vou ser feliz.*

— *Está bem, já que esse é o seu desejo. Preciso começar a fazer o seu enxoval. Sabe que o dinheiro é pouco, por isso preciso começar agora.*

— Sorriu e foi para a cozinha tomar um pouco de água. Ao lado dela, estávamos Matilde e eu, que sorri e disse:

— *É, Matilde. Tudo está caminhando como o planejado. Se tudo der certo, eles vão se casar e vão cumprir tudo o que prometeram.*

— *Por que está dizendo isso, Gusmão? Não é sempre assim? Todos têm um destino traçado e dele não podem fugir, não é?*

— *Não existe destino, Matilde, o que existe são escolhas feitas.*

— *Eles não decidiram, quando estavam aqui, que se encontrariam, se casariam e tentariam cumprir, juntos, uma missão?*

— *Sim, decidiram, mas isso aconteceu quando estavam aqui, deste lado. Todavia, na Terra, quando encarnados, tudo fica diferente.*

— *Por que é assim, Gusmão?*

— *Com o esquecimento das promessas feitas e tendo de decidir, no momento, muitas vezes, infelizmente, isso não acontece, Matilde. Para que o espírito possa evoluir, ele tem de superar todas as suas fraquezas. Por isso, as mesmas situações sempre voltam e ele se verá envolvido nelas, até que consiga superá-las.*

— *E se não conseguir?*

— *Se não conseguir, elas se repetirão por muitas encarnações, até que o espírito consiga vencer.*

— *Isso sempre acontece?*

— *Sim, não importa o tempo que demore. Um dia, o espírito encontra seu caminho e pode seguir tranquilo.*

— *Estou aprendendo tantas coisas com você, Gusmão. Que bom que me escolheram para acompanhar você nesta missão.*

— *Eu também sei que vou aprender muito com você, Matilde.*

— *Aprender comigo? Não tenho nada para lhe ensinar... você é um espírito iluminado, já conquistou sua luz, eu, ao contrário, preciso caminhar muito...*

— *Todos sempre têm algo para aprender e para ensinar. Embora eu tenha conquistado minha luz, não pense que sou infalível. Assim como você, tenho meus momentos de dúvidas e de medo. Ainda não consegui superar. Para isso estamos aqui. Eu e você temos muito a aprender, Matilde...*

— Eu fiquei calada, não entendia o que Gusmão dizia, pois desde que ouvira falar nele, sempre foi como sendo um espírito iluminado, destacado para cumprir as missões julgadas mais difíceis. Por isso, fiquei feliz quando fui convidada para acompanhá-lo naquela missão. — Matilde falou emocionada.

Gusmão sorriu e continuou:

— Daquele dia em diante, Sofia e Osmar começaram a namorar. Todas as tardes, assim que voltava da roça, ele ia até a casa dela, ficavam conversando e sonhando com o futuro.

Momento de escolha

ofia, ainda recostada na cama, tentou afastar o pensamento do passado e voltou a olhar para o relógio. Havia passado apenas dez minutos, mas, para ela, parecia mais de uma hora. Nervosa, pensou: *parece que o tempo não passa! Stela está demorando muito para telefonar. Será que aconteceu alguma coisa? Vou telefonar.*

Pegou o telefone e discou o número da casa de Stela, que atendeu:

— Dona Sofia, sabia que era a senhora. Sei que está ansiosa, mas ainda é cedo. Não terminei de preparar as crianças para irem à escola. Fique calma, daqui a pouco estarei aí.

— Desculpe-me, Stela, mas estou mesmo muito ansiosa. Sabe como essa nossa visita é importante.

— Sei, sim, dona Sofia, embora ainda ache que não devíamos ir.

— Como não ir? Estou tentando há muito tempo separar o meu filho daquela mulher! Agora que encontrei uma maneira, não vou desistir!

— Sei que está determinada, mas não seria melhor pensar melhor e deixar para outro dia...

— Nem pensar, Stela! Nunca deixo para depois o que posso fazer agora! Se me conhecesse, saberia que sempre fui assim. — disse com a voz alterada.

— Está bem, vamos fazer como a senhora quer. Estarei aí daqui a pouco.

— Estarei esperando.

Nervosa, Sofia desligou o telefone. Pedro Henrique e os outros acompanharam a conversa. Ele estava preocupado, mas não pôde deixar de dizer:

— Ela disse a verdade, Gusmão, sempre foi determinada e nunca deixou para depois o que pudesse fazer na hora. Sempre que queria alguma coisa, conseguia...

— Sim, Pedro Henrique, ela sempre foi assim, eu não diria que determinada, mas obstinada. Por isso, sempre conseguiu tudo o que quis, não se importando com nada nem com ninguém.

— Não conheço ninguém a quem ela tenha feito mal, Gusmão.

— Ela sempre soube como fazer as coisas e nunca deixou pistas de seus atos. Isso já vem de muitas encarnações e, em todas elas, sempre teve a oportunidade de mudar. Nunca conseguiu e parece que nesta também não vai conseguir. Vou continuar contando a história.

— Faça isso, por favor. Preciso realmente conhecer, de verdade, a mulher com quem convivi por tanto tempo.

Gusmão sorriu e continuou:

— O tempo passou. Sofia estava, agora, com dezesseis anos. Transformou-se em uma linda moça. Cabelos negros e compridos, pele morena e grandes olhos verdes. Gustavo, protegido pelo amor de Nadir e Romeu, também cresceu e estava com sete anos. Era um menino saudável e muito feliz. Sofia gostava dele, mas sempre que relembrava que havia sido obrigada a parar de estudar por sua causa, sentia muita raiva e, no íntimo, nunca lhe havia perdoado. Mas, mesmo assim, continuou levando a vida de sempre. Ajudava na lavoura, cuidava da casa, do menino e ainda, usando uma cartilha velha, o ensinava a ler e a escrever. Seu enxoval estava quase pronto e no próximo ano se casaria. O pai de Osmar, vendo que ele ia mesmo se casar, mediu e lhe deu a terra prometida e ele já havia começado a construir a casa que, no começo, seria pequena, porém ele e Sofia já tinham desenhado como seria depois que ele fosse para a capital e começasse a vender sua mercadoria. Tudo parecia caminhar bem, mas, antes de renascer, ela havia combinado e desejado passar por algumas provas e, assim, conseguir deixar de ser egoísta e exclusivista.

— Não estou entendendo, Gusmão. Ela havia combinado o quê, com quem?

— Não é difícil de entender, Pedro Henrique. Durante várias encarnações, ela sempre foi muito gananciosa e, por isso, sempre fez tudo o que achava ser necessário para conseguir o que quisesse. Por essa ganância, prejudicou pessoas que encontrou pelo caminho e que, segundo ela, eram empecilhos. Antes de renascer, desta vez, pediu para ser uma criança pobre e para, através de seu trabalho, sem usar ou prejudicar qualquer pessoa, voltar vitoriosa. Sabia que teria alguns momentos de provas, mas, quando renasceu, foi com muita esperança de, desta vez, conseguir.

— Ainda não entendo por que isso tem de acontecer. Não seria melhor deixar que tudo corresse bem, sem nada que pudesse complicar a evolução do espírito?

— Seria melhor, mais fácil, mas não seria justo.

— Ainda não estou entendendo.

— Não seria justo, pois aqueles que foram prejudicados, ficariam sem respostas e aqueles que infringiram a lei, ficariam impunes e isso não pode acontecer. Todo crime, seja em que escala for, terá de ser corrigido e isso só é possível através da reencarnação e com a própria vontade daquele que se julga responsável. Essa é a Lei de ação e reação. Para que um espírito possa continuar na sua plenitude, é necessário que corrija todos os erros ou enganos cometidos e, para que isso aconteça, será preciso que as mesmas situações se repitam para que possam ser superadas.

— Pensando-se assim, existe uma lógica. Parece ser o certo.

— A Lei Divina é justa. Disso pode ter certeza, Pedro Henrique. Tudo aquilo que for feito por um espírito de bem ou de mal, voltará para quem o cometeu.

— Então, não adianta o arrependimento? Não adianta o perdão por parte daquele que foi prejudicado?

— Claro que sim, Matilde. O arrependimento e o perdão são cruciais para o espírito. Sem eles, não haveria como caminhar, mas, mesmo assim, o espírito terá de corrigir-se a si mesmo e, para isso, precisa renascer, passar pelas mesmas circunstâncias e vencer. Muitos amigos espirituais pedem para renascer juntos, ajudando-se na empreitada. O espírito nunca está só. Como aconteceu com Sofia, ela teve Romeu, Nadir, Osmar e você, Matilde, para a ajudarem a conseguir vencer. Você também, Pedro Henrique, que esteve ao seu lado por muitas encarnações como amigo e confidente.

— Eu?!

— Sim, você. Em algumas reencarnações, estiveram juntos e juntos praticaram muita maldade e prejudicaram a muitos. Essa caminhada foi longa. Durante ela, você percebeu todo o tempo que havia perdido, se arrependeu e venceu. Sofia não. Ela, em nome da ganância e do poder, continuou cometendo os mesmos erros. Você, como está acontecendo agora, muitas vezes torceu para que ela vencesse e sofria quando via que ela não conseguiria. O mesmo aconteceu com Nadir, Romeu, Osmar, Gustavo e você, Matilde. Venceram. Poderiam continuar a jornada sozinhos, mas estiveram juntos durante muito tempo e nunca quiseram se separar e, assim que um conseguia sua libertação, continuava renascendo para ajudar os que restavam. Daquele grupo que se iniciou há muito tempo, só resta Sofia e talvez, desta vez, possam seguir juntos. Eu e Matilde, embora, neste momento, não saibam, também fazemos parte do mesmo grupo e, apesar de, desta vez, não havermos renascido, sempre estivemos ao lado de todos vocês, procurando ajudar no que fosse possível. Agora, todos nós, juntos, precisamos orar com muita fé para que Sofia consiga vencer.

— Por tudo o que estamos vendo, não vai ser fácil. Ela ainda continua se deixando envolver pelos mesmos sentimentos de ganância e poder.

— Infelizmente, você está com razão, Matilde, mas não podemos perder a esperança. Sabemos que, para Deus, nada é impossível.

— Esperamos que sim. Gusmão, pode continuar nos contando a história e qual foi a primeira prova pela qual ela teve que passar?

— Sim, vou continuar, mas, antes, prestem atenção em como ela está nervosa e ansiosa. Parece mesmo que a nossa conversa a está afetando e as lembranças a estão confundindo.

Todos se voltaram para Sofia que continuava recostada na cama, olhando, a todo instante, para o relógio: *Stela está demorando. Será que aconteceu alguma coisa? O pior é que não entendo por que estou me relembrando de coisas que sempre quis e consegui esquecer...* Não conseguia esconder sua irritação. Levantou-se, foi até a janela, olhou para o jardim e para a alameda pela qual Stela deveria chegar. Estava tudo calmo, apenas pôde perceber que um vento leve balançava as folhas. Ficou ali por alguns segundos, Pedro Henrique e os outros acompanhavam seus movimentos. Ele perguntou:

— Gusmão, a nossa presença aqui está fazendo com que ela se recorde?

— Sim, com isso, estamos tentando levá-la a desistir da visita programada e, quem sabe se arrepender e voltar para o caminho.

— Parece que agora é tarde e que isso não vai acontecer, Gusmão. Ela, embora esteja relembrando, está lutando contra as lembranças.

— Para o nosso Pai, a palavra "nunca" não existe, Matilde. Sempre haverá o momento do arrependimento, não importa quanto demore. Sofia, agora, está tendo mais uma chance. Todos nós estamos aqui para isso. Nós a amamos, queremos continuar a nossa caminhada, mas não iremos sem ela. Se algum de vocês quiser desistir, pode fazer sem constrangimento. Conseguiram, através dos tempos, esse direito.

Gusmão olhou para eles, que sorriram, demonstrando que permaneceriam ali o tempo que fosse necessário. O único que sabia da história deles era Gusmão, mas sentiam que sempre estiveram juntos e que assim permaneceriam. Sofia era uma deles e ficariam ao seu lado até que conseguissem fazer com que ela os acompanhasse. Matilde disse:

— Sabe que ficaremos, Gusmão. Eu e, acredito que os outros, não nos recordamos de como tem sido a nossa caminhada, por isso, gostaríamos que continuasse nos contando o que Sofia fez de certo ou errado nesta encarnação.

— Claro que vou continuar. Não só por todos nós, mas, principalmente, pela própria Sofia. Tudo corria bem e parecia que o destino já estava traçado, mas não foi bem assim. Sofia deveria passar pela prova de que já havia lhes falado. Em um sábado à tarde, enquanto Gustavo brincava com um carrinho feito de madeira, Sofia estava lendo, sentada em um banquinho do lado de fora da casa. Gustavo gritou:

— *Sofia, olha aqueles homens chegando!*

— Ela levantou os olhos do livro que estava lendo e viu, ao longe, na estrada, vários homens que, montados a cavalos, se aproximavam. Aquilo não era normal, por isso, curiosa e um pouco assustada, se levantou, colocou Gustavo atrás de si e ficou olhando. Seu pai, que estava na lavoura, também viu os cavaleiros e caminhou em direção à cerca que separava a casa da estrada e chegou minutos antes dos cavaleiros. Eles se aproximaram e desceram dos cavalos. Entre todos, Sofia olhou para um em especial. Um jovem bonito, elegante e com um lindo sorriso. Assim que desceram dos cavalos, um dos homens, o mais velho de todos, disse:

— *Boa-tarde, senhor. Estamos com sede e indo para a cidade, será que poderia nos oferecer um copo com água?*

— Romeu, o pai de Sofia, sorriu e, olhando para ela, disse:

— *Sofia, vai buscar água pros homens.*

— Sofia, tímida, entrou na casa, pegou uma moringa de barro, que estava cheia de água, algumas canecas de alumínio e foi até a cerca, onde seu pai e os cavaleiros estavam. Começou a encher as canecas e a oferecer aos cavaleiros. Quando se aproximou do jovem, seus olhos se encontraram, sentiram o coração bater mais forte. Ele, sorrindo, disse:

— *Sofia, seu nome é muito bonito, assim como você.*

— Ela, envergonhada, sem saber o que dizer, abaixou os olhos. Os homens terminaram de beber a água, montaram novamente nos cavalos e foram embora. O rapaz, sem tirar os olhos de Sofia, montou no cavalo, afastou-se. Ela não sabia o que fazer ou pensar. Romeu voltou para a lavoura e ela ficou olhando os cavalos se afastarem até que sumissem. Depois, voltou a sentar-se no banquinho, pegou o livro que estava lendo e tentou continuar a leitura, mas não conseguia afastar do pensamento os olhos daquele rapaz.

— Eu me lembro desse dia, Gusmão. Estava voltando da cidade, eu, meu pai e alguns amigos. Também fiquei impressionado quando vi Sofia. Ela era linda! Não sabia que ela havia ficado pensando em mim. Achei que não a tinha impressionado.

— Ficou impressionada, sim, Pedro Henrique. Vocês não sabiam, mas aquele encontro havia sido planejado, antes de renascerem. Depois daquele dia, ela não conseguiu mais esquecer o rosto do rapaz e, principalmente, seus olhos. Pensava: *quem será ele? Onde será que mora? Por que não consigo me esquecer daqueles olhos?*

— Passaram-se três meses. O casamento estava marcado para daí a quatro meses. A casa estava quase pronta e Osmar sorria feliz, ao vê-la dessa maneira. Sofia sabia que, embora fosse continuar morando ali, seria feliz com Osmar. De vez em quando, ela se lembrava do rapaz da água, mas logo afastava o pensamento: *não adianta ficar pensando nele. Sei que nunca mais vou ver aquele rosto e, principalmente, aqueles olhos. Como ele é bonito...*

— Em uma tarde, ela estava no tanque, lavando roupa, quando Gustavo veio para junto dela, gritando e gesticulando muito:

— *Olha lá, Sofia! Aquele moço está chegando!*

— *Que moço?*

— *Aquele para quem você deu água!*

— Ela olhou para onde o irmão apontava. Realmente, o rapaz se aproximava. O calor era imenso, ela estava suada e com os cabelos presos. Uma situação que não gostaria que ninguém visse, muito menos ele. Tentou entrar em casa para se esconder, mas não deu tempo. Ele já havia descido do cavalo e estava no portão da casa. Sorrindo, perguntou:

— *Olá, Sofia! Está tudo bem com você?*

— Ela, trêmula, ficou olhando, sem conseguir responder. Ele interpretou aquela reação como se ela não o tivesse reconhecido.

— Também me recordo desse dia! Realmente, achei que ela não havia me reconhecido e, meio sem graça, perguntei:

— *Não está me reconhecendo? Pois eu, desde que a vi naquele dia, não consigo esquecer você...*

— Eu falei pra ela que o senhor é aquele moço pra quem ela deu água! — disse Gustavo.

— Até seu irmão se lembra de mim, Sofia! Como você pode ter esquecido?

— Foi assim mesmo que aconteceu, Pedro Henrique. Ela continuou calada e com os olhos baixos. Romeu, que estava na lavoura, viu quando você se aproximou e foi ao seu encontro. Quando chegou, disse:

— Boa-tarde, moço. Posso saber o que está fazendo por estas bandas?

— Boa-tarde. O senhor não está se lembrando de mim?

— Não moço, não estou me lembrando...

— Estive aqui uma vez com meu pai e alguns amigos e o senhor nos ofereceu água.

— Ah... estou me lembrando...

— Ainda bem. Meu nome é Pedro Henrique. Sou filho do Coronel José Antônio.

— O Prefeito?

— Ele mesmo. Compramos o sítio aqui ao lado do seu e outras terras vizinhas. Isso já faz um bom tempo. Eu estava estudando fora e, agora que voltei, vamos construir uma casa para a família passar os fins de semana e transformaremos tudo aqui em uma grande fazenda de gado. Queria saber se o senhor pode nos emprestar água, até que o nosso poço fique pronto.

— Sabia que o compadre Manezinho tinha vendido as terras, faz muito tempo, mas não sabia que quem tinha comprado era o Prefeito.

— Quando meu pai comprou, ainda não era Prefeito. Depois daquele dia que passamos por aqui, vi como tudo neste lugar é bonito. Sabia que meu pai tinha estas terras e o convenci a construir a casa.

— Foi isso mesmo que aconteceu! — eu falava, olhando para o pai de Sofia, mas muito mais para ela, que parecia me ignorar. Continuei falando:

— A casa vai ser muito grande e bonita. Desenhei a planta e ela já foi aprovada. Já podemos começar. O senhor pode nos dar a água?

— Claro que sim! O meu poço tem muita água.

— Obrigado. Agora preciso ir embora. Vou falar com o engenheiro. Preciso dizer a ele que já podemos começar a construção. Amanhã mesmo, alguns homens virão para começar a limpar o terreno e a perfurar o poço. Obrigado pela água, senhor... desculpe, mas não sei o seu nome.

— Meu nome é Romeu.

— Pois bem, senhor Romeu. Obrigado pela água, garanto que não se arrependerá de nos ajudar.

— Assim dizendo, você montou no cavalo e saiu dando adeus com a mão. Sofia, que o tempo todo ficou estática, sem mover um músculo, acompanhou toda a conversa e, com os olhos o seguiu até que desaparecesse. Nadir, que havia se aproximando e que só ouviu o final da conversa, perguntou:

— O que aconteceu, Romeu? Quem é esse moço?

— É o filho do Prefeito, mulher.

— Filho do Prefeito? O que ele quer aqui?

— O compadre Manezinho vendeu as terras pro Prefeito.

— Foi pro Prefeito? Por que ele não contou?

— Não sei, mulher, mas o moço disse que naquele tempo o pai dele ainda não era Prefeito. O compadre queria muito ir embora daqui, só disse que tinha vendido as terras.

— O que o moço queria?

— Ele disse que o Prefeito vai fazer uma casa e que eles vão vir no fim de semana e vão criar gado. Já pensou, mulher, a gente ser vizinho do Prefeito? Ele queria saber se eu podia dar água pra eles, enquanto o poço não fica pronto.

— Nossa! Deve ser uma casa muito bonita.

— Deve mesmo...

— Você vai dar a água?

— Claro que vou. A gente tem muita e, além do mais, ele é o Prefeito. Agora, vamos voltar pro trabalho.

— Os pais de Sofia voltaram para a roça. Ela, só aí, conseguiu respirar com tranqüilidade. Suas pernas ainda tremiam, por isso, entrou em casa e se sentou em uma cadeira.

Não estava acreditando que, depois de tanto tempo, ele havia estado lá. Nem no que ele disse, que não a havia esquecido. *Não estou acreditando que tudo isso aconteceu. Ele voltou! Disse que não me esqueceu! Será que é verdade, mesmo? Ele me olhou de um jeito... não sei o que pensar. Não que eu já tivesse me esquecido dele, mas nunca pensei que um dia ele voltaria. Preciso parar de pensar nele. Vou me casar com o Osmar. É só com isso que tenho de me preocupar. Já está quase tudo pronto.*

— No dia seguinte, bem cedo, vários homens chegaram e começaram a trabalhar. Depois do almoço, você, Pedro Henrique, também chegou e foi para junto da cerca que separava suas terras das dos pais de Sofia. Ela estava na cozinha lavando a louça do almoço, quando ouviu alguém batendo palmas. Saiu para ver de quem se tratava e o encontrou. Notou que você estava mais bonito do que no dia anterior. Sorrindo, disse:

— *Boa-tarde, como você está, Sofia?*

— Ela, com a voz trêmula, respondeu:

— *Estou bem, mas o que o senhor quer?*

— *Não me chame de senhor, não sou tão mais velho que você. Já disse que meu nome é Pedro Henrique. Estou aqui por dois motivos; primeiro: queria saber se podia me arrumar uma moringa com água.*

— *Claro que posso dar a água. Meu pai já autorizou. Qual é o outro motivo?*

— *Precisava ver você. Não consigo esquecer como me olhou naquele dia em que me deu a caneca com água... podemos conversar?*

Pedro Henrique começou a rir, dizendo:

— Parecia que eu estava calmo, mas não era a verdade, Gusmão. Estava encantado com ela e precisava de alguma desculpa para me aproximar. Tentei ser o mais normal possível, mas foi difícil. Tinha medo de que ela descobrisse o meu nervosismo.

— Ela não desconfiou, assim como você também tentava disfarçar. Percebeu que todo o sangue de seu corpo subia para seu rosto. Sabia que ele estava vermelho. Demonstrando uma força que não sentia, respondeu:

— *Não tenho nada para falar com o senhor. Espere um pouco, que vou pegar a moringa e encher com água do poço.*

— Com muito esforço, conseguiu entrar em casa. Seu coração batia forte e, enquanto pegava a moringa, pensava: *ele é muito bonito, mas só está querendo brincar. Não posso me deixar envolver. Vou me casar com o Osmar.*

Pedro Henrique disse, emocionado:

— Eu não estava querendo brincar, Gusmão, havia me apaixonado assim que a vi!

— Sei disso, mas ela não sabia. Pegou a moringa, saiu e caminhou em direção ao poço. Mesmo antes de chegar lá, viu você, que tirava a água do poço, usando, para isso, uma manivela onde, na ponta de uma corda, estava amarrado um balde. Quando ela chegou perto do poço, o balde estava quase em cima. Você, calado e olhando em seus olhos, pegou a moringa de suas mãos e a encheu com a água. Sofia tentou desviar os olhos, mas não conseguiu. Eles eram como um ímã que a atraía. Você terminou de encher a moringa e, sorrindo, disse:

— *Obrigado pela água. Vou levar para os homens e depois mando um deles vir devolver a moringa. Até amanhã.*

— Ela se desapontou, pois pensou que você ficaria mais um pouco tentando conversar, mas você se afastou e caminhou firme. Quando estava a uns quinze metros distante dela, se voltou e, sorrindo, acenou. Foi para junto dos homens, distribuir a água.

Pedro Henrique estava feliz recordando-se daquele tempo que parecia tão distante. Disse:

— Eu não podia ficar ali, Gusmão. Estava nervoso e não sabia o que dizer.

— Ela também estava fingindo. Assim que você saiu, ficou escondida atrás de uma árvore, viu quando você montou no cavalo e se afastou. Embora não quisesse, não conseguia deixar de pensar em você. Quase não conseguiu dormir naquela noite. Estava ansiosa para que o dia amanhecesse, pois sabia que você voltaria e era o que ela mais queria: vê-lo outra vez. No dia seguinte, levantou cedo e pensou: *ontem, quando ele chegou, eu estava desarrumada, mas hoje vai ser diferente. Vou terminar bem depressa o serviço da casa e, depois do almoço, quando ele chegar, vou estar bem bonita...*

— Foi o que fez. Cuidou da casa, lavou a roupa e foi para a cozinha preparar o almoço. Sabia que, em poucos minutos, seus pais chegariam para almoçar. Pensou: *assim que todos almoçarem e eu arrumar a cozinha, vou tomar um banho e colocar o meu vestido verde. Sei que não é novo, mas é o mais bonito que tenho e bem melhor do que aquele com que eu estava ontem. Sei que aquele moço só está querendo brincar comigo, mas, mesmo assim, não quero que me veja desarrumada. Ele é tão lindo. Nossa, o Osmar não pode nem imaginar que eu estou pensando nessas coisas!*

— Estava assim pensando, quando ouviu o som de batidas de palmas. Foi até a porta da cozinha, olhou para o portão, não havia ninguém. Achou que fosse Gustavo querendo brincar. Estava voltando para a cozinha, quando ouviu uma voz que a fez estremecer:

— *Bom-dia. Está vindo um cheiro muito bom da sua cozinha. Está preparando o almoço?*

— Ela ficou apavorada quando viu você, Pedro Henrique, do outro lado da cerca e bem perto da cozinha, onde ela estava.

— Sim, é verdade, Gusmão. Eu voltei, mas fora de hora. Não sabia o que ela sentia por mim. Achei que chegando de repente poderia sentir sua reação.

— Sim, e você tinha razão. Para ela, foi uma surpresa. Não estava preparada para que você a visse. Com a voz trêmula, respondeu:

— *Bom-dia, estou, sim, terminando o almoço. Veio pegar a moringa com água? Um dos homens veio mais cedo e levou. Já terminou?*

— *Não, ainda tem água na moringa. Vim mais cedo somente para ver você. Não conseguia mais esperar e, como sempre, está muito bonita.*

— Ela, entre nervosa e feliz, disse:

— *Moço! Sou pobre, e minha família é humilde, mas isso não dá direito ao senhor de vir com brincadeira!*

— *Quem está brincando? Não precisa ficar nervosa... desde aquele dia em que me deu a água, não consegui mais me esquecer de você. Só não voltei antes, porque tive de ir embora para terminar o ano de faculdade. Mas, agora, voltei e quero realmente conhecer você melhor. Se quiser, se sentir algo por mim, posso conversar com seu pai e pedir autorização para podermos começar a namorar.*

— Ao ouvir aquilo, ela ficou mais nervosa ainda:

— *O senhor está mesmo de brincadeira e eu não tenho tempo para isso! Se não for embora agora mesmo, vou mandar chamar meu pai!*

— *Por que acha que estou brincando?*

— *Como um moço igual ao senhor pode se interessar por uma moça igual a mim?*

— *Uma moça igual a você, como?*

— *Sou pobre, não tenho instrução, enquanto o senhor é rico, instruído e, além de tudo, é filho do Prefeito.*

— *Nada disso que falou tem valor algum para mim. A única coisa que sei é que, quando a vi naquele dia, senti que você era a mulher que eu queria para viver ao meu lado durante toda a minha vida. Precisa acreditar nisso, Sofia...*

— *Não pode ser!*

— *Não pode ser, por quê?*

— *Isso não vai dar certo. Mesmo que fosse verdade que sente isso por mim, acha que seus pais me aceitariam? Nunca! Eles devem querer uma moça à sua altura, não uma pobretona e ignorante como eu...*

— *Pobre você é, mas ignorante, não. Você conversa muito bem e, tenho quase certeza, deve ler muito.*

— *Leio mesmo, mas não tenho diploma algum.*

— *Isso é só uma questão de você querer estudar. Quando nos casarmos, poderá freqüentar uma escola ou mesmo ter uma professora que venha em casa lhe dar aula.*

— Ela olhou para você, Pedro Henrique, sem acreditar no que estava ouvindo. Tudo aquilo era o que ela, muitas vezes, havia sonhado e desejado, mas sempre soube que era um sonho que nunca poderia se realizar. Ela se julgava muito distante de você e da sua família. Não acreditava, mesmo quando não sabia quem você era, imagine agora, sabendo que era de uma família rica e filho do Prefeito. Começou a chorar.

— Como está me fazendo bem relembrar o passado, Gusmão. Lembro-me muito bem daquele dia e, ao ver que ela estava chorando, dei a volta, fui até o portão, abri o trinco e comecei a entrar no quintal.

— Sim, você não percebeu, mas Romeu e Nadir estavam vindo para o almoço e ao vê-lo entrando em seu quintal e se aproximando de Sofia, Romeu apressou o passo, deixando Nadir para trás.

— Quando você estava se aproximando de Sofia, viu que Romeu chegava, parou. Ele, vendo a filha chorando, perguntou, aflito:

— *Que está acontecendo aqui, Sofia? E o senhor, o que está fazendo dentro de meu terreiro?*

— *Bom-dia, senhor Romeu. Não está acontecendo nada. Somente estou tentando convencer Sofia a me deixar falar com o senhor, mas parece que ela não quer.*

— *Não quer, por quê, Sofia? Por que está chorando? Ele falou alguma coisa que ofendeu você?*

— Ela não conseguia responder. Embora tivesse ficado o tempo todo pensando em você, nunca imaginou que aquilo aconteceria. Como não respondeu, Romeu ficou mais nervoso ainda e gritou:

— *Moço! Não sei o que o senhor falou ou fez para minha filha, mas, por favor, quer sair do meu terreiro?*

— Você, Pedro Henrique, também surpreso com a reação de Sofia, disse:

— *Espere, senhor, se ela quiser que eu vá, eu vou, mas preciso que ela mesma diga isso. Sofia, se você não disser alguma coisa e eu for embora agora, nunca mais me verá. Está em suas mãos realizarmos tudo o que conversamos.*

— Sofia olhou primeiro para você e depois para o pai, abaixou os olhos e disse:

— *Ele estava dizendo que gosta de mim, pai, e que quer se casar e pediu pra conversar com o senhor.*

— *O quê?!*

— *É isso mesmo, senhor Romeu.*

— *O senhor deve estar brincando, moço!* — Romeu gritou.

— *Não estou brincando, não, senhor. Quero mesmo namorar sua filha e me casar com ela. Isso só não acontecerá se ela não quiser.*

Nadir e Gustavo aproximaram-se e, calados, ficaram ouvindo a conversa. A mãe de Sofia apertou o braço do marido e disse:

— *Espere aí, Romeu. Não fale nada. Parece que o moço está sendo sincero. Sofia é quem tem de decidir.*

— *Está doida, mulher! Não vê que esse moço só está querendo brincar com a gente e com a nossa filha?*

— Eu, naquele dia, fiquei desnorteado, Gusmão. Não entendia a causa de tanto nervosismo. Estava sendo sincero. Minhas intenções eram as melhores possíveis. Lembro-me de que disse, nervoso:

— *Brincando por quê, senhor Romeu? Gosto mesmo da sua filha e quero me casar com ela...*

— *Porque é um moço rico e acha que pode brincar com uma moça de família pobre. A gente é pobre, mas é honesta. Sofia, você disse pro moço que está noiva e quase se casando?*

— *Noiva? Quase casando?*

— Você, Pedro Henrique, perguntou com a voz trêmula.

— Estou me lembrando, Gusmão, fiquei surpreso, pois só naquele momento fiquei sabendo que ela estava compromissada. Ela respondeu para seu pai com a voz trêmula.

— *Eu não disse, pai. Ele não deu tempo.*

— *É isso mesmo, moço. Ela está noiva e vai se casar daqui a três meses.*

— Você, Pedro Henrique, parecendo ter levado um soco no rosto, empalideceu e ficou alguns segundos sem nada dizer. Depois disse:

— *Preciso pedir desculpas ao senhor e a você, Sofia. Realmente não dei tempo para que me contasse. Até mais.*

— Você se afastou lentamente, parecendo ter o mundo em suas costas.

— Fiquei abatido porque nunca passou pelo meu pensamento que ela tivesse um namorado. Assim que a vi, me apaixonei e quis que fosse minha para sempre.

— Sei disso, Pedro Henrique. Sofia o acompanhou, com os olhos. Seu coração batia forte. Ela estava vendo a oportunidade de sua vida, aquilo com que sempre havia sonhado, escapar de suas mãos. Tentou dizer alguma coisa, mas não conseguiu. Chorando, entrou em casa. Seu pai e sua mãe, nervosos, entraram atrás dela. Ela chorava muito. Seu pai, pegando-a pelo braço, perguntou?

— *Que aconteceu lá fora, Sofia? O que você fez para que aquele moço falasse daquela maneira?*

— *Não fiz nada, pai!*

— *Como não? Você acha que ele ia querer falar comigo, se você não tivesse feito alguma coisa pra ele pensar que podia fazer isso?*

— *Não sei o que ele pensou, pai! Não fiz nada!*

— *Não estou gostando nada disso, Sofia! Você é uma moça séria e não pode se esquecer de que está de casamento marcado.*

— *Sei disso...*

Romeu saiu e Nadir perguntou:

— *Sofia, o que aconteceu? Vi um brilho diferente nos seus olhos.*

— *Não aconteceu nada, mãe! Que coisa! Por que está me perguntando isso?*

— *Parece que você gostou de ouvir o moço dizendo aquelas coisas.*

— *Não gostei e não sei por que ele disse aquilo.*

— *Está bem. Não vou insistir. Você é quem sabe da sua vida, mas, como disse o seu pai, não pode se esquecer de que está com o casamento marcado.*

— *Não vou me esquecer, mãe.*

Assim dizendo, saiu e foi se sentar naquele mesmo banquinho. Já sentada, começou a pensar:

— *Sei que estou com o casamento marcado, mas será que é isso mesmo o que quero? Ele, além de muito bonito, é o filho do Prefeito e pode me dar tudo aquilo com que sempre sonhei. Se me casar com o Osmar, pode ser que algum dia consiga ter alguma coisa. Pode ser... se o plano dele der certo, mas... e se não der? Vou continuar vivendo aqui, nessa pobreza, e em pouco tempo vou estar velha, cheia de filhos e, todos eles, como eu, continuarão vivendo nesta miséria... será que é isso que quero pra minha vida?*

— Olhou para a frente e viu Osmar que, sorrindo, se aproximava. Ele estava com a roupa limpa e com os cabelos bem penteados. Ela, olhando para ele, pensou: *Osmar é um bonito rapaz e sei que gosto muito dele. Mas... seria tão bom se aquele moço estivesse falando a verdade e que realmente gostasse de mim. Eu poderia me casar com ele e ter tudo com o que sempre sonhei.*

— Nunca imaginei que ela havia pensado isso, Gusmão. Ela parecia tão criança, sem saber de nada dessa vida...

— Ela não sabia muito da vida, Pedro Henrique, mas ela sabia que, se casasse com você, teria tudo.

Pedro Henrique engoliu seco, sem conseguir esconder seu espanto e desilusão. Gusmão continuou:

— Osmar se aproximou e, beijando os lábios de Sofia, perguntou, admirado:

— *Você ainda não está pronta, Sofia? Esqueceu-se da festa?*

— Ela, só naquele momento, se lembrou da festa de aniversário do Ataíde, rapaz que morava em um dos sítios da redondeza. Sem graça, respondeu:

— *Esqueci, Osmar. Mas não se preocupe, em poucos minutos vou estar pronta.*

— *Como esqueceu, Sofia? Você sabe que o churrasco vai ser bom e que vai ter baile. A gente vai poder dançar muito!*

— *Precisa me desculpar, Osmar, me esqueci mesmo, mas já vou entrar e volto bem depressa.*

— *Está bem, enquanto isso, vou procurar seu pai e perguntar se ele não pode ir lá na nossa casa. Já está pronta, só falta pintar. Acho que ele vai querer me ajudar a fazer isso. Meus irmãos me ajudaram na construção e disseram que a pintura vai ficar por minha conta.*

— Ela ficou calada, apenas sorriu e entrou. Osmar viu Romeu que estava a alguns passos dali, dando comida para os porcos. Foi na direção dele. Sofia entrou. Poucos minutos depois, saiu. Estava com seu vestido verde e com os cabelos soltos. Como sempre, muito bonita. Foi até Osmar, que continuava ao lado de Romeu. Assim que se aproximou, disse:

— *Estou pronta, Osmar. Já podemos ir.*

— Osmar olhou para ela da cabeça aos pés e não conseguiu deixar de falar:

— *Você está linda, Sofia. É mesmo a moça mais bonita desta redondeza!*

— Ela sorriu, olhou para o pai que estava com o rosto crispado. Sabia muito bem o que ele estava pensando, mas ficou calada. Osmar, não cabendo em si de tanta felicidade, disse:

— *A gente já está indo, seu Romeu, mas não precisa se preocupar, a gente não vai voltar tarde. Só vamos comer bastante churrasco e dançar um pouco.*

— *Está bem, meu filho. Sei que posso confiar em você. Só não sei dizer se posso pensar o mesmo da Sofia...*

— *Por que está dizendo isso, seu Romeu? O que ela fez? O que está acontecendo?*

— Sofia pegou Osmar pelo braço e, sorrindo, respondeu:

— *Não está acontecendo nada, Osmar. Sabe como meu pai é implicante. Vamos embora. Estou louca de vontade de comer churrasco e de dançar.*

— Ele, sem imaginar o que havia acontecido, acompanhou-a. Romeu ficou olhando os dois se afastarem e pensou:

Tomara que essa menina não faça uma bobagem com a sua vida... O Osmar é menino muito bom e não merece sofrer, muito menos ser enganado...

— Nunca imaginei que isso estivesse acontecendo, Gusmão.

— Mas aconteceu, Pedro Henrique. Osmar e Sofia, caminhando, foram para a festa. Comeram, dançaram e se divertiram muito. Ela perguntou:

— Osmar, você quer mesmo se casar agora?

— Claro que sim, Sofia. É o que mais desejo! Mas, por que está me perguntando isso?

— Não sei, estou com medo...

— Medo do quê, Sofia?

— Acho que a gente é muito criança, não sei se estou preparada pra me casar...

— O que é isso, Sofia? A gente vai se casar e ficar junto pro resto da vida! Já pensou? A gente vai poder dormir e acordar junto todos os dias e, logo, vamos ter nossos filhos! Sei que a gente vai ser feliz!

— Não sei, Osmar... não sei...

— Deixa disso, você está preocupada, sei bem com o quê. Mas não precisa. Sei que, quando eu for para a capital, vou conseguir vender toda a nossa mercadoria e vou ficar rico. Tenho certeza disso, Sofia!

— Ela olhou para ele e tentou adivinhar o seu futuro. Não conseguia deixar de pensar em você, Pedro Henrique, *ele além de ser muito bonito, tem um sorriso lindo e vai poder me dar tudo. Se me casar com Osmar, talvez, um dia, ele consiga me tirar deste lugar e me dar algum conforto, mas nunca será o que o filho do Prefeito pode me dar. O que Osmar me oferece parece ser muito bonito, mas está muito distante e, por enquanto, não passa de um sonho. Ao contrário do filho do Prefeito, que pode me dar tudo, agora, nesse momento.*

Pedro Henrique ouvia o que Gusmão dizia. Relembrava-se daquele tempo e sentiu-se mal ao perceber que Sofia havia se casado com ele somente por interesse. Gusmão percebeu que ele estava abatido e triste. Perguntou:

— Se quiser, posso parar de falar, Pedro Henrique. Parece que essas revelações não estão fazendo bem a você...

— Tem razão, Gusmão. Estou surpreso e não entendo como fui enganado durante tanto tempo, mas precisa continuar relembrando para que Sofia também relembre. Essa, agora, é a nossa missão.

— Tem certeza? Quer mesmo que eu continue?

— Sim, Gusmão. Se eu tivesse descoberto tudo isso quando estava na Terra, talvez não entendesse e me revoltasse, mas, hoje, deste lado, aprendi muito e sei que tudo sempre é como deve ser. Que todos renascemos para tentar nos aprimorar sempre mais e que esse aprimoramento é muito difícil e que nem todos conseguem. Sofia vivia uma vida muito difícil. Era justo tentar mudá-la.

— Ainda bem que pensa assim. Tem razão, nossa missão é fazer com que Sofia se encontre e possa nos acompanhar. Vou continuar. A festa terminou e eles iniciaram a caminhada de volta. Após o diálogo entre Osmar e Sofia, esta se calou. Enquanto caminhavam, só Osmar falava. Quando chegou a casa, Sofia, com um beijo se despediu dele e entrou. Romeu já estava deitado. Nadir estava passando roupa e, assim que a viu, perguntou:

— *Como foi a festa, Sofia?*

— *Foi muito boa, mãe. Tinha bastante carne e a gente dançou muito.*

— *Que bom, minha filha. Mas, parece que você não está feliz. Que aconteceu?*

— *Nada, mãe. Só estou pensando se quero me casar mesmo. A senhora não acha que sou muito nova e que deveria esperar mais um pouco?*

— *Sempre achei isso, mas você não quis me ouvir. Você é muito nova e bonita. Pode esperar mais um pouco de tempo. Casando-se agora, logo vai estar cheia de filhos e essa sua juventude vai acabar bem depressa, assim como aconteceu comigo. Além do mais, percebi como você ficou quando aquele moço disse aquelas coisas. Você gostou dele, não foi?*

— *Gostei, mãe, mas sei que ele só está querendo brincar...*

— *Será que é isso mesmo, Sofia? E se ele estivesse dizendo a verdade e se quisesse mesmo se casar?*

— *Não pode ser, mãe. Ele, além de muito bonito, é um moço rico e pode ter a mulher que quiser. Não ia escolher uma moça como eu...*

— *Por quê? Você também é muito bonita. Não é rica, mas é inteligente. Sempre leu muito, por isso sabe conversar bem. Não sei, não, mas me pareceu que ele estava fa-*

lando a verdade. Se ele só quisesse brincar, não tinha falado daquele jeito com seu pai. Acho que ele estava interessado mesmo...

— *Será, mãe?*

— *Não sei, mas, de uma coisa tenho certeza, o que tiver de ser, será. A gente, quando nasce, já traz um destino e ninguém pode mudar.*

— *Não sei não, mãe. Não quero ficar pensando nessas coisas. Embora saiba que, se fosse verdade, eu poderia ter tudo aquilo com que sempre sonhei. Poder morar na cidade, freqüentar cabeleireiro, ir a qualquer loja e comprar a roupa que quiser. Já pensou, mãe, como eu ia ser feliz?*

— *Ia mesmo, filha. Ia ser muito bom...*

— *Também acho, mas sei que não passa de um sonho. Um moço como aquele só está querendo brincar.*

— Sofia beijou a mãe na testa e foi se deitar. Já na cama, não conseguia se esquecer de você, Pedro Henrique, e de como você era bonito. Depois de algum tempo, adormeceu.

— Estou surpreso com tudo o que nos contou, Gusmão.

— Sei disso e não era para menos. Ela sempre foi determinada e soube fazer as coisas, como está fazendo agora.

— Tomara que desta vez consigamos fazer com que desista.

— Tomara, Matilde... tomara...

— Gusmão, sabe que preciso me preparar para a palestra que, todos os dias, dou para os recém-chegados. Preciso ir.

— Está certo, Matilde. Pode ir. Eu, Maria Rita e Pedro Henrique vamos continuar ao lado de Sofia.

Matilde, sorrindo e acenando com a mão, se despediu.

A caminho do mal

ofia, ainda deitada na cama, estava inquieta. Levantou-se e balançou a cabeça na tentativa de afastar os pensamentos. Irritada, pensou: *por que isso agora? Por que relembrar o passado? Onde está Stela, que não chega? Não quero ficar relembrando, isso não importa agora! Preciso me concentrar naquilo que decidi fazer! Aquele homem vai fazer um trabalho e sei que vou conseguir separar aquela mulher do meu filho! Ele é muito bom e não merece ficar casado com ela! Ela não presta e sua família também não!*

Ficou andando pelo quarto. Embora não quisesse, não conseguia deixar de relembrar: *quando conheci o Pedro Henrique, percebi que minha vida poderia mudar. Ele tinha tudo para me fazer feliz. Gostava de Osmar. Eu o conhecia desde criança, mas sabia que ele continuaria pobre e viveria naquela pobreza com a qual, por mais que eu quisesse, não conseguia me acostumar. Não queria isso para o resto da minha vida. Eu não podia me arriscar! Não tinha certeza se Pedro Henrique estava dizendo a verdade ou só querendo brincar, por isso foi até aquele lugar.*

— Aonde ela foi, Gusmão? O que ela fez?

Pedro Henrique perguntou nervoso. Gusmão ia responder, mas o telefone tocou e Sofia atendeu.

— Alô! É você, Stela?

— Claro que sou eu, dona Sofia. Quem lhe telefonaria a essa hora da manhã?

— Não vou ficar braba com você, porque estou muito nervosa, Já está vindo?

— Sim, terminei de arrumar as crianças, vou levá-las para a escola e depois vou para aí. Dentro de mais ou menos vinte minutos, estarei chegando.

— Até que enfim! Estou cansada de esperar!

— A senhora está ansiosa. Fique calma, estou chegando.

— Está bem, vou esperar você lá no jardim.

Desligou o telefone. Pegou sua bolsa e saiu do quarto. Desceu a escada, entrou na sala, olhou tudo e para a fotografia de Pedro Henrique, sorriu e saiu. No jardim, sentou-se em um banco, sob uma árvore. Ficou olhando à sua volta e pensando: *depois de tanto tempo, ainda me admiro com a beleza desta casa. Realmente ela é linda! Às vezes fico pensando em tudo o que fiz para conseguir melhorar de vida. Embora tenha sonhado muito e desejado, na realidade, nunca pensei que conseguiria tanto. Esta casa é muito mais do que sonhei um dia...*

Ficou ali por um tempo que, para ela, pareceu uma eternidade. Pedro Henrique, nervoso, perguntou:

— Ela vai mesmo fazer o que planejou, Gusmão? O tempo todo que estamos aqui fazendo com que se relembrasse de nada adiantou? Precisamos impedir!

— Sei que está aflito, Pedro Henrique, pois sabe que com essa atitude, ela está se envolvendo mais com as forças do mal. Mas, infelizmente, nada poderemos fazer. Estamos aqui fazendo com que ela relembre, na tentativa de que mude de idéia. Nada mais podemos fazer além disso. Ela tem seu livre-arbítrio e não temos como interferir nele.

— Não consigo me conformar com isso, Gusmão! Deveria existir uma maneira de que coisas como essa fossem impedidas. Sofia está dominada pelo ódio que sente por Anita. Eu, até hoje, não entendi o motivo. Ela é uma boa moça, estudada, sua família tem boa situação financeira e é muito respeitada e, o mais importante, ela e Ricardo se amam. Se não fosse por Sofia, seriam completamente felizes.

— Não fique aflito, Pedro Henrique, tudo sempre é como tem de ser. Sofia precisa entender por si só e mudar. Tudo o que puder ser feito para a ajudarmos, vamos fazer. Enquanto Stela não chega, vamos fazer com que relembre mais um pouco. Quem sabe, assim, mudará de idéia, é tudo o que podemos fazer.

Maria Rita abraçou o filho, dizendo:

— Não fique assim, meu filho. Assim como você, também estou surpresa. Convivi durante tanto tempo com Sofia e nunca imaginei que ela tivesse dentro de si pensamentos de ódio e de destruição. Vamos acreditar no que Gusmão está dizendo. Sabe que, se houver alguma maneira de impedir que ela faça o que está pretendendo, ele fará.

Gusmão sorriu, estendeu a mão em direção a Sofia e começou a falar. Enquanto ele falava, as imagens iam se formando na cabeça de Sofia:

— No dia seguinte, Sofia acordou, esticou-se na cama e ficou pensando em você, Pedro Henrique. E seu coração começou a bater mais forte, ao pensar: *seria tão bom se ele estivesse dizendo a verdade... se me casasse com ele, poderia ter tudo e, tenho certeza, seria muito feliz... mas, tudo isso não passa de um sonho. Vou mesmo me casar com Osmar e continuarei vivendo aqui, neste lugar. Nasci pobre e sei que vou morrer assim... mas por que não aceito essa minha vida? Tantas mulheres, assim como minha mãe, aceitam e vivem bem... não sei, mas agora não dá para ficar pensando. Preciso me levantar e começar o meu dia, que vai ser como todos os outros...*

— Levantou-se e foi para a cozinha, onde, como todos os dias, sua mãe já estava preparando o café. Olhou para a mãe junto ao fogão e, tristemente, pensou: *desde que me lembro, sempre foi assim. Minha mãe acorda antes de todos nós e prepara o café. Meu pai, eu e Gustavo acordamos depois. Todos tomam o café. Minha mãe e meu pai vão para a roça e Gustavo para a escola e eu tenho de cuidar da casa. Minha mãe disse que não gosta de cuidar da casa e que prefere que eu fique aqui. Para ser sincera, também prefiro. Nossa vida foi sempre assim e sei que vai continuar igual... nada vai mudar... a não ser que eu me case com ele... mas isso é impossível...*

— *Bom-dia, mãe.*

— *Bom-dia, Sofia. Acordou sozinha? Não precisei chamar você?*

— Acordei, mãe.

— Está preocupada com alguma coisa?

— Não... não estou. Não sei por que acordei cedo. Dormi muito bem. Foi bom, porque tenho muito trabalho. Preciso cuidar da casa, lavar roupa e fazer a comida.

— Sei que não é fácil, mas, infelizmente, tem de ser assim. Sabe que preciso ir pra roça ajudar seu pai e que você precisa cuidar do Gustavo e da casa. Precisa levá-lo para a escola.

— Não faz mal, mãe. Já estou acostumada. Só fico triste por não poder ter continuado os estudos. Acho que, se tivesse continuado, talvez pudesse ter uma vida diferente.

— Tem razão, Sofia. Mas você já sabe ler. Ele precisa continuar indo à escola nem que seja apenas para aprender a escrever o nome. Depois, quando crescer mais um pouco, vai junto com a gente pra roça.

— Sei disso, mas não acho certo, mãe. Acho que todas as crianças deviam ter o direito de estudar e ser alguém na vida.

— Também já pensei muitas vezes nisso. Será que se eu tivesse estudado a minha vida seria diferente? Mas, de qualquer maneira, não me arrependo por ter me casado com seu pai. Apesar de tudo, sou muito feliz, pois tenho vocês dois. O que me deixa triste é pensar que você e o Gustavo, um dia, vão embora e eu vou ficar sozinha, mas essa é a vida. O importante é que vocês sejam muito felizes. A minha vida já passou, a de vocês está apenas começando.

— Comigo a senhora não precisa se preocupar. Vou me casar com o Osmar e vou continuar vivendo aqui do lado. A gente vai poder se ver todos os dias. O Osmar está com muitos planos e sei que vou ter de ajudá-lo na roça.

— Sei que não era isso o que você queria pra sua vida, Sofia...

— Não era, mãe, mas eu não tenho escolha. A senhora sabe que já estou na hora de me casar e, se demorar muito, vou ficar solteirona, e isso, pelo amor de Deus, não quero!

— Nadir sorriu. Sabia que Sofia tinha razão, uma moça que chegasse aos vinte anos sem se casar, dificilmente encontraria um homem que se interessasse por ela.

— *Tem razão, mas, agora, o café já está pronto, pode acordar seu irmão. Seu pai já deve estar acordado e só esperando a gente chamar.*

— Sofia foi para o quarto, onde dormia com o irmão. Acordou Gustavo. Ele não queria se levantar, mas Sofia, carinhosamente, disse:

— *Sei que ainda é muito cedo e que você gostaria de continuar dormindo, mas sabe que a escola fica longe...*

— *Eu não preciso estudar, Sofia...*

— *Precisa, sim, Gustavo. Você vai estudar, ter um diploma e, quando ficar moço, vai poder ir pra capital e arrumar um bom emprego. Vai se casar com uma moça de lá e vai ser muito feliz...*

— *Quem disse que eu quero ir pra capital? Quero ficar aqui, junto com você...*

— *Isso você quer hoje, porque é muito pequeno, mas, quando crescer, vai pensar diferente.*

— *Não vou, não, Sofia...*

— *Vai, sim, mas agora levanta. Está passando da hora.*

— Enquanto ela trocava a roupa de Gustavo, falava:

— *Eu também achava difícil me levantar e ir pra escola, Gustavo. Tinha que caminhar muito, mas me lembro também de como fiquei feliz quando consegui juntar as primeiras letras, depois, comecei a ler. Foi por causa dos livros que comecei a conhecer outros lugares e outras pessoas que tinham uma vida diferente da minha. Saber ler foi muito importante na minha vida...*

— Terminou de ajudar o menino a se vestir, depois foram para a cozinha. Nadir já estava com a mesa colocada. O pão e o leite eram entregues por um carroceiro que chegava todos os dias bem cedo. Ele vinha da cidade e atendia todas as moradias que havia por ali. Depois voltava. Muitas vezes, no caminho, encontrava algumas crianças que iam para a escola. Quando isso acontecia, ele colocava algumas delas sobre a carroça e as levava. Na carroça não cabiam todos, por isso a disputa era grande. Depois de tomarem o café, Gustavo saiu. Logo em seguida, Nadir e Romeu também saíram. Sofia ficou sozinha. Olhou para um monte de roupa suja, sabia que precisava lavar logo cedo, pois não tinham muitas. Se lavasse cedo, à tarde, quando todos voltassem, elas já estariam secas e poderiam trocar. Com as roupas nas mãos, saiu para o quintal e olhou para o lado, onde você, Pedro Henrique, ia construir a casa. Viu que vários homens chegavam montados em cavalos. De onde estava, podia ver os cavalos, mas não quem estava sobre eles. Pela cor, reconheceu o seu cavalo. Sabia que você estava lá. Viu quando os homens começaram a descer dos cavalos. Entre eles, sabia que você estava também. Seu coração voltou a bater mais forte, pensou: *se ele estivesse dizendo a verdade, deve ter ficado muito brabo quando meu pai disse que eu estava com o casamento marcado... mas, se estivesse mentindo, foi muito bom.*

— Sorriu e continuou andando em direção ao tanque. Não queria, mas seus olhos teimavam em ficar olhando para onde os homens já estavam trabalhando: *ele está lá... por que não consigo me esquecer daqueles olhos?*

— Naquele dia, eu também estava olhando em direção à sua casa, Gusmão, mas, assim como ela, não conseguia vê-la. Estava triste por saber que ela tinha compromisso e decidi que não voltaria a vê-la.

— Nem sempre conseguimos levar a sério as nossas decisões, não é?

Pedro Henrique sorriu e pediu:

— Tem razão, mas, por favor, continue contando o que aconteceu naquele dia.

— Vou continuar, Pedro Henrique. Sofia terminou de lavar a roupa. Estava pendurando no varal, quando viu que um cavaleiro se aproximava. Ele tinha sobre o cavalo duas latas iguais àquelas em que o leiteiro trazia leite. Ela ficou olhando, até que ele chegasse perto da cerca que dividia as terras. Assim que chegou, desceu do cavalo, dizendo:

— *Moça, o patrão mandou eu vir até aqui e ver se a moça deixa eu encher essas duas latas de água pra gente beber.*

— *Ele não vem pegar a água?*

— *Acho que não, moça.*

— Ela, desapontada, disse:

— *Está bem, pode ir até o poço e pegar a água.*

— O homem desceu do cavalo e foi até o poço. Com a ajuda de uma corda e de um balde, trouxe a água do poço e colocou-a nas latas, depois as amarrou no cavalo e foi embora. Sofia ficou olhando até que ele desaparecesse. Depois, voltou a pendurar as roupas. Estava preocupada, pois sentia que o havia perdido para sempre e, junto com você, a vida boa que poderia ter. Continuou seus afazeres, mas não conseguia se conformar por ter perdido você, Pedro Henrique. Pensou: *não posso mais ficar pensando nele. Vou me casar com Osmar e continuar nesta vida de sempre.*

— Os dias passaram. Você nunca mais voltou e ela, embora não quisesse, não conseguia se esquecer do seu sorriso e de como seria feliz se casasse com você.

— Eu também não conseguia esquecê-la, Gusmão. A vontade que tinha era de ir até sua casa e ficava procurando um motivo qualquer, mas sabia que ela ia se casar e, portanto, não havia esperança para aquele amor que eu sentia.

— Sim, era isso que você pensava. A princípio, ela também pensava assim, mas conforme os dias foram passando, o desespero tomou conta dela e resolveu que mudaria aquela situação.

Gusmão ia continuar falando, mas notaram que Sofia se levantara e olhava para a o portão de entrada. Viram o carro de Stela que se aproximava. Stela estacionou o carro e Sofia, eufórica, disse:

— Até que enfim, Stela! Pensei que não ia chegar nunca!

— A senhora é que está muito ansiosa, dona Sofia. Estou no horário.

— Está bem, vamos embora. Preciso resolver logo esse assunto.

— Tem certeza, mesmo, que quer fazer isso? Não acha que deveria pensar melhor?

— Tenho toda certeza do mundo, Stela! Sei que esse homem vai conseguir afastar aquela mulher do meu filho!

— Como pode ter tanta certeza?

— Não sei, mas tenho. Agora, vamos deixar de conversa, precisamos ir.

— Está bem, se é isso que deseja, só posso acompanhá-la. Entre no carro.

Sofia entrou no carro e partiram, acompanhadas por Gusmão e os outros.

Durante o caminho, foram conversando sobre outras coisas. Stela não achava que aquilo era certo, mas sabia que não podia contrariar Sofia. Enquanto dirigia, pensava: *preciso fazer tudo o que ela quer. Enquanto estiver preocupada com a Anita, não se preocupará comigo e com o meu casamento. Ainda bem que ela gosta de mim... aconteça o que acontecer nessa visita, não tenho culpa de nada. Ela é a única responsável, estou sendo apenas a motorista.*

— Após quase uma hora de viagem, chegaram à cidade, onde Sofia sabia que morava aquele homem. Enquanto ia mostrando o caminho para Stela, pensava: *embora tenha se passado muito tempo, não me esqueço desse caminho. Parece que nada mudou. Naquele dia em que estive aqui, ele me ajudou e sei que vai me ajudar novamente. Ele é muito bom no que faz.*

Stela estranhou ao ver que Sofia indicava o caminho como se já conhecesse o lugar. Perguntou:

— Dona Sofia, a senhora já esteve aqui algum dia?

Sofia, assustada por ter sido descoberta, respondeu, quase gritando:

— Claro que não, Stela! De onde tirou essa idéia?

— A senhora está me indicando o caminho, parece que já o conhece.

— A pessoa que me falou a respeito desse homem me deu o endereço e o modo como chegar lá. Estou apenas seguindo o que ela disse!

— Está bem, não precisa ficar nervosa, só estranhei...

— Não estou nervosa, Stela! Só estou querendo resolver logo esse problema.

Stela sorriu e continuou dirigindo. Pedro Henrique, ao acompanhar aquela conversa, perguntou, assustado:

— Ela conhecia esse homem, Gusmão? Ela já esteve aqui?

— Não, não conhecia, mas sabia como funcionava.

— Como ela sabia?

— Ela já esteve em um lugar parecido com este.

— Quando? Nunca soube disso! Eu sempre soube o que ela fez, nunca saiu sozinha! Se tivesse ido a um lugar distante como este, eu saberia!

— Ela esteve antes de se casarem.

— Antes? Quando?

— Agora não vai dar para eu contar, pois estamos quase chegando. Precisamos, mais uma vez, tentar fazer com que ela mude de idéia. Teremos, mais tarde, muito tempo para conversarmos. Agora, concentre-se somente em tentar impedí-la. Vamos fazer uma oração, pois é a única coisa que podemos fazer; entregar Sofia nas mãos de Deus. Só Ele saberá o que fazer.

Todos se concentraram na tentativa de impedir Sofia.

Stela dirigia e seguia as orientações de Sofia que, nervosa, continuava a ensinar o caminho. De repente, Stela percebeu que o carro puxava para um lado. Assustada, parou o carro e disse:

— Dona Sofia! Acho que furou um pneu.

— Como isso foi acontecer, Stela?

— Não sei, pode ter sido algum prego. Esta estrada não é asfaltada e parece que ninguém passa por aqui. Vamos descer para ver.

Desceram do carro, olharam para os pneus e viram que o da frente, do lado do motorista, estava no chão. Sofia ficou mais nervosa ainda e perguntou:

— O que vamos fazer, Stela? Você sabe trocar pneu?

— Não, dona Sofia. Precisamos esperar que alguém passe por aqui.

— Assim, vamos nos atrasar!

Gusmão estendeu suas mãos em direção a Stela, falou em voz alta e ela repetiu:

— Acho que não tem importância. O homem deve estar lá a qualquer hora, mas será que isso não aconteceu para que a senhora pensasse mais um pouco e resolvesse que não deve fazer isso?

— Está louca? Claro que não é nada disso! Foi apenas um pneu que furou!

— Está bem, não precisa ficar nervosa. Se a senhora acha que deve fazer, está bem. Alguém deve passar, logo, por aqui. Vamos nos sentar no carro e esperar.

Sentaram-se no carro e, por estar muito calor, ficaram com as portas abertas. Pedro Henrique perguntou, confuso:

— Gusmão, você fez com que Stela falasse o que queria?

Gusmão sorriu e respondeu:

— Não pensei que fosse ficar confuso, Pedro Henrique. Fazemos isso muitas vezes. Quando tentamos influir o pensamento e não conseguimos, é preciso que alguém fale e, como não temos som na voz para que o encarnado possa ouvir, usamos desse expediente e quase sempre dá certo. Você nunca tinha visto?

— Não. É a primeira vez. Como consegue fazer isso?

— Sempre que é preciso, usamos a força do pensamento e da oração. Quando alguém está em perigo ou próximo de cometer um erro grave, fazemos tudo o que for possível para que isso seja evitado.

— Nunca pensei que isso pudesse ser feito.

— Você e quase a maioria dos encarnados não imaginam o quanto o plano espiritual trabalha para que possam levar adiante e com sucesso a missão que escolheram.

— Está dizendo que sempre acontece?

— Sim, não só quando existe um perigo, mas, também, quando o encarnado precisa receber algum recado para que possa seguir o seu caminho e, assim, cumprir sua missão. Nesses casos, um outro encarnado é usado para que, através do plano espiritual, esse recado seja dado. Os encarnados não sabem, alguns nem imaginam, que nunca estão sós. Haverá sempre ao seu lado um espírito amigo, tentando ajudá-lo.

— Sofia estava precisando receber um recado e foi por isso que fez com que Stela falasse?

— Sim, neste momento, Sofia está prestes a cometer, novamente, o mesmo engano. Ninguém melhor do que Stela, de quem ela gosta e em quem confia, para que esse recado seja transmitido.

— Mesmo engano? Por que está dizendo isso, Gusmão? Qual foi o engano que ela cometeu? Você disse que ela foi a um lugar como esse a que está querendo ir.

— Sim, Pedro Henrique, ela foi, só que, naquela ocasião, conversou com uma senhora.

— O que ela queria indo a um lugar assim?

Gusmão ia responder, mas percebeu que Sofia saía do carro, dizendo:

— Stela, estou ficando cada vez mais nervosa! Será que não vai passar ninguém por aqui? Esta estrada é deserta!

Gusmão novamente voltou suas mãos na direção de Stela, que disse:

— Dona Sofia, não consigo parar de pensar, será que isso não aconteceu para que a senhora pensasse um pouco melhor e não fizesse o que está pretendendo?

— Por que está dizendo isso, Stela?

— Não sei, mas sinto que não é certo. Anita e Ricardo se gostam, acho que, à maneira deles, são felizes. Não sei se esse homem pode mesmo separá-los, mas por que não deixamos que seja feita a vontade de Deus. Acho que uma separação só causará sofrimento para eles.

— O que está dizendo, Stela? Acha mesmo que Ricardo gosta daquela mulher?

— Acho que sim, dona Sofia...

— Pois está errada! Ele só está com ela por causa de macumba!

— Como pode dizer isso? É apenas uma desconfiança. A senhora não pode ter certeza. Nunca soube que Anita freqüentasse um lugar como esse; ao contrário, ela é muito católica. Ela e toda a família.

— Você é mesmo muito ingênua, Stela. Acha que alguém que freqüenta um lugar como esse vai proclamar para o mundo? Não, Stela, não vai! Essas coisas são feitas no maior sigilo possível. Esse negócio de ser muito católica é só um disfarce para que ninguém desconfie! Mas, a mim, ela não engana! Sei que fez macumba para agarrar o meu filho!

Gusmão e os outros ouviam o que Sofia falava. Pedro Henrique, surpreso com o que ouvia, disse:

— Gusmão, a cada momento que passa, mais me admiro e fico confuso ao ouvir Sofia falar. Estivemos casados há tanto tempo e não a conhecia. Nunca pensei que fosse capaz de sentir tanto ódio e rancor.

— Sei disso, Pedro Henrique. Como você mesmo disse, ela sempre soube o que queria e sempre foi determinada. Ela conseguiu tudo com o que sonhou, mesmo que, para isso, tenha usado de meios não recomendáveis.

— Estou vendo. Assim como Stela, também estou confuso com a maneira como ela fala. Como pode ter tanta certeza de que Anita fez macumba?

Gusmão ia responder, mas, com a ponta dos dedos, apontou para Sofia que começava a caminhar, dizendo:

— Stela, não consigo mais ficar parada. Vou até aquela curva ver se tem alguém se aproximando. Daqui onde estamos paradas, não dá para ver.

— Não dá para ver, mas se alguém estiver vindo pela estrada, terá de passar por aqui. Não estou com vontade de andar, dona Sofia. Prefiro ficar aqui sentada.

Sofia, irritada, não respondeu e começou a andar. Sua cabeça fervilhava. Nervosa, pensou:

Ela não sabe, mas tenho certeza de que Anita fez macumba! Se não tivesse feito, jamais teria se casado com Ricardo!

Continuou andando. Gusmão e os outros acompanhavam seus passos. Uma cena começou a se formar em sua mente. Estava novamente em sua casa, no dia em que, embora estivesse esperando, Pedro Henrique não veio. Lembrou-se de como ficou frustrada e irritada. Gusmão disse:

— Naquele dia em que você não foi, Pedro Henrique, ela percebeu que o havia perdido e, junto com você, todos os seus sonhos de riqueza e felicidade. Irritada, pensou: *ele não vai voltar! Meu pai não devia ter dito que vou me casar! Nem sei se isso vai acontecer! Gosto do Osmar, mas não quero me casar com ele, prefiro me casar com esse moço, que pode me dar tudo. Preciso fazer alguma coisa para que ele volte, mas o quê?*

Gusmão continuou falando:

— Ela olhou para o lado em que sua casa estava sendo construída. Sabia que você estava lá, pois podia ver o seu cavalo, mas sabia também que você não viria mais. Sabia que o havia perdido. A semana se passou e você não voltou. Ela, a cada dia que passava, ficava mais nervosa e com a certeza de que estava tudo perdido. Depois de quinze dias sem que você aparecesse, ela, desesperada, pensou: *ele não vai voltar. Preciso fazer alguma coisa. Não posso ir até lá, mas já ouvi falar daquela mulher que mora lá no começo da estrada. As pessoas falam que ela consegue fazer muita coisa. Dizem que ela, com ervas, cura muitas doenças e faz até marido voltar pra casa. Vou até lá, para ver se o filho do prefeito casa comigo, de verdade...*

— Ela pensou isso, Gusmão?

— Não só pensou, ela foi, Pedro Henrique. No domingo, como sempre fazia, foi com o pai para a feira, onde vendiam as verduras e frutas que plantavam. Quando chegou lá, inventou uma desculpa para Romeu e foi até a casa de Magali, uma amiga conhecida desde o tempo da escola. Ele não estranhou, pois ela costumava fazer isso. Magali lhe emprestava livros e revistas que ela devolvia e trocava por outros. Assim que chegou, disse:

— *Magali, preciso que me ajude.*

— *Ajudar? Em que e como?*

— *Estou sentindo muita dor de cabeça e não sei o motivo. Disseram que aquela mulher que mora lá no começo da estrada dá umas ervas pra gente fazer chá. Dizem que ela cura muita gente... Você vai comigo até lá?*

— *Não sei, Sofia. Tenho medo dessas coisas...*

— *Medo do quê, Magali? Ela só vai me dar algumas ervas.*

— *Não sei, não, Sofia. Dizem que ela faz macumba e você sabe que isso é coisa do diabo. Tenho medo...*

— *Diabo coisa nenhuma! Isso não existe! Preciso ir e não posso fazer isso sozinha. Meu pai não vai me deixar sair de casa sozinha.*

— Está bem, eu vou, mas como vamos fazer?

— Meu pai está lá na barraca. Vamos até lá e você pede pra ele me deixar aqui, porque é o seu aniversário e vai ter uma festinha.

— Mas não é o meu aniversário!

— Eu sei, mas ele não sabe. Ele vai deixar.

— Como você vai voltar pra casa?

— Falo pro meu pai pedir pro Osmar vir de cavalo me buscar. Ele, de vez em quando faz isso, não é?

— Faz, sim...

— Então, está tudo certo. Você tem alguma revista ou livro pra me emprestar?

— Tenho. Peguei um livro na biblioteca e arrumei as revistas desta semana. Vou pegar.

Pedro Henrique estava abismado com aquilo que Gusmão contava. Nunca havia imaginado que aquilo pudesse ter acontecido. Sofia, caminhando, também se lembrou daquele dia e de como tudo aconteceu: *eu e a Magali fomos falar com meu pai. Ele deixou que eu ficasse para a festinha e, assim que terminou a feira e ele foi embora, fomos até a casa da mulher. Estávamos nervosas e com um pouco de medo, mas minha vontade de que Pedro Henrique voltasse era mais forte do que tudo. Quando chegamos, vimos que a casa era pequena, feita de madeira. O terreno era enorme e cercado com arame. Paramos em frente do portão e batemos palmas. A porta da casa se abriu e apareceu uma senhora. Ela era idosa, mas tinha um sorriso bonito. Do portão, onde estávamos, até a casa, havia mais ou menos uns dez metros. A senhora se aproximou e, sorrindo, disse:*

— Boa tarde, meninas. Posso ajudar em alguma coisa?

Magali, assustada, olhou para mim, ficou quieta e tremendo. Eu, que precisava falar com a senhora, embora estivesse também com um pouco de medo, respondi:

— Eu preciso conversar com a senhora. Disseram que a senhora cura doenças...

— Eu não, minha filha, quem cuida é Jesus Cristo. Mas, por que está aqui? Está doente ou tem alguém doente na família?

Eu não queria que a Magali soubesse o que, na realidade eu queria, por isso, pisquei um olho e disse:

— Eu estou com muita dor de cabeça, acho que a senhora pode me ajudar.

Ela entendeu o meu sinal, sorriu e disse:

— Está bem, podem entrar.

Ela abriu o portão, entramos. Ela seguiu na frente e nós a seguimos. A Magali segurou no meu braço e pude sentir o quanto ela tremia. Eu, ao contrário, estava calada senti que aquela mulher não representava perigo algum. Entramos na casa que era simples, mas muito limpa. No quintal, havia verduras, legumes e muitas ervas que eu não conhecia, mas ela, sim. Assim que entramos, ela nos mostrou umas cadeiras e disse:

— Podem se sentar, vamos conversar.

Eu e a Magali nos sentamos. Ela perguntou:

— Agora, preciso saber o que querem realmente.

Olhou para mim que, sem que a Magali visse, fiz um sinal com a cabeça para que ela entendesse que eu precisava falar, sozinha, com ela. Ela entendeu e olhando firme para nós duas, disse:

— Vou fazer um suco e vou falar cada uma em separado. Primeiro, você. — disse, apontando para a Magali.

Magali olhou assustada para mim e disse:

— Eu não preciso falar com a senhora. Quem quer falar é ela...

A senhora, ainda sorrindo, disse:

— Está bem. Então vou fazer o suco, e enquanto converso com Sofia, você vai lá para o quintal e senta naquele banco que tem embaixo daquela árvore.

Magali, ainda muito assustada, olhou para mim. Com a cabeça, fiz um sinal demonstrando que estava tudo bem e que ela poderia ir sem problema. Assim que ela saiu, a senhora olhando dentro dos meus olhos, perguntou:

— Agora que estamos sozinhas, pode me dizer o que veio fazer aqui? O que quer realmente?

Sofia estava pensando, distraída e não percebeu que Stela se aproximou, dizendo:

— Dona Sofia, no que está pensando?

Sofia se assustou e, voltando-se para ela, respondeu:

— Estou pensando em quanto tempo vamos ficar aqui, paradas. O tempo está passando, vai ficar tarde para irmos até o homem.

— Está preocupada com o tempo, por quê? Não tem crianças para cuidar nem mamadeira para dar — Stela disse rindo.

— Sofia, muito nervosa, não só por estar ali, impotente sem nada poder fazer, mas, muito mais, por não conseguir afastar as lembranças que a estavam incomodando, disse:

— Eu não tenho, mas você tem, Stela. As crianças vão voltar da escola na hora do almoço e já deveríamos estar lá, mas, se demorar muito isso não vai ser possível.

— Não precisa ficar preocupada com isso. Como eu sabia que estaríamos longe de casa, deixei a Rosa avisada e, se eu não chegar, ela vai dar o almoço para as crianças. Por isso, pode ficar tranqüila. A senhora sabe como ela é dedicada e gosta das crianças.

— Ainda bem que você fez isso, Stela. Está vendo por que gosto de você?

Stela sorriu. Ela conhecia Sofia o suficiente e sabia o que fazer para deixá-la feliz.

— Ora, dona Sofia, sabe que também gosto muito da senhora e faço o que for possível para que fique feliz. A senhora sempre foi muito boa para mim. Foi mais que uma mãe.

Sofia sorriu e disse:

— Você faz por merecer, Stela. Além do mais, tive como exemplo a minha sogra. Ela também sempre me tratou muito bem e eu, assim como você, fazia tudo para que ela ficasse feliz. Ela foi para mim, muito mais que uma mãe e eu sinto muita saudade dela.

Sofia disse isso, sem sequer imaginar que Pedro Henrique e a mãe estavam ali, acompanhando aquela conversa e todos os seus pensamentos. Maria Rita se emocionou, Pedro Henrique também apertou o braço da mãe, que disse:

— Ela está dizendo a verdade. Eu gostava e ainda, apesar de tudo do que ficamos sabendo, ainda gosto. Quando vocês se casaram, ela era ainda uma menina, parecia que precisava de cuidados.

Gusmão sorriu:

— Realmente, ela parecia uma criança que precisava de cuidados, mas na realidade não era. Tudo o que fez foi sempre muito calculado. Enquanto ela conversa com Stela, vou continuar contando o que aconteceu naquele dia.

— Faça isso, Gusmão. Estou intrigado e curioso para saber o que ela falou para a mulher.

Ela estava sentada em frente à mulher e sentiu que seu olhar era forte e penetrante. Sabia que a hora havia chegado e que teria de contar o verdadeiro motivo daquela visita. Magali estava lá fora, a uma distância que não poderia ouvir o que conversavam. Olhou para a porta por onde ela havia saído e, de uma vez, disse:

— *Gosto de um moço e quero me casar com ele.*

— *Por que não casa? Ele não quer?*

— *Parece que ele queria, mas meu pai contou que estou noiva de outro, ele foi embora e não voltou mais.*

— *Espere aí, menina. Não estou entendendo muito bem essa história. Você está noiva de um, mas quer se casar com outro?*

— *É isso mesmo, estava tudo certo para o meu casamento, meu noivo até construiu a nossa casa, mas esse moço apareceu e eu quero me casar com ele.*

— *Você não gosta do seu noivo?*

— *Gosto muito. Acho que nunca vou gostar de alguém como gosto dele.*

— *Então, por que não se casa e fica tudo bem?*

— *Ele é muito pobre e eu não quero continuar vivendo como agora. Não quero ser como minha mãe, que nunca saiu desse lugar e dessa casa. Quero mais, muito mais! Quero poder usar vestidos bonitos, poder andar com o cabelo sempre arrumado, ter uma casa bonita e poder viajar muito. O meu noivo nunca vai poder me dar isso. Ele tem boa vontade, diz até que vai fazer uns negócios que poderão dar muito dinheiro, mas eu não acredito. Tudo o que ele fala não passa de sonhos.*

— *E desse outro moço, você gosta?*

— *Não como gosto do meu noivo, mas gosto sim. Com ele, vou poder ter tudo com o que sempre sonhei...*

Pedro Henrique ouvia o que Gusmão falava e não conseguia acreditar. Nunca, durante todo o tempo em que esteve casado, imaginou que aquilo poderia ter acontecido. Em sua opinião, Sofia havia sido uma mulher e mãe maravilhosa. Olhou para a mãe que, assim como ele, também estava chocada. Gusmão disse:

— Não fique assim, Pedro Henrique. Sei que está surpreso, mas vai ficar ainda mais. Muita coisa aconteceu sem que você soubesse. Dona Filomena, a mulher que Sofia visitou, tinha muito conhecimento sobre as ervas e sobre o plano espiritual. Entendeu o que Sofia estava sentindo naquele momento, sabia que estava na hora de ela tomar uma decisão que teria reflexos em sua vida. Compreensiva, disse:

— *Sabe, minha filha, você está vivendo um momento decisivo de escolha em sua vida. É ainda muito jovem. Disse que gosta muito do seu noivo, mas está encantada com esse outro que pode lhe dar o que deseja. Sei que a decisão é difícil, mas poderia esperar um pouco mais. Acho melhor que vá para casa e pense bem no que quer fazer realmente. Não se esqueça de que a decisão que tomar vai influir na sua vida e pode modificar tudo o que foi antes planejado.*

— *Não estou entendendo muito bem o que a senhora está falando, só sei que já tomei a minha decisão. Gosto, sim, do Osmar, mas gosto do outro também. Gostaria muito de ficar com os dois, mas como não é possível, preciso fazer uma escolha. Quero ficar com aquele que pode me dar tudo. Não preciso pensar mais e não posso deixar para outro dia, porque foi muito difícil eu escapar do meu pai e vir até aqui. Se for embora sem ter feito o que quero, vai ser muito difícil poder voltar.*

Gusmão continuou:

— Filomena sorriu. Fazia aquéle trabalho há muito tempo. Muitas vezes esteve em uma situação como aquela, em que as pessoas queriam porque queriam que ela fizesse algum tipo de trabalho para trazer ou afastar alguém. Várias jovens, assim como Sofia, já haviam passado por lá. Ela nunca fazia o trabalho, mas sempre dava alguns conselhos e um paliativo qualquer. Naquele dia, não seria diferente. Olhou dentro dos olhos de Sofia e disse:

— *Todos, quando nascemos, trazemos um destino mais ou menos traçado. Durante nossa vida, conhecemos amigos e inimigos para que possamos nos amar e perdoar mutuamente. Nesses encontros, temos a oportunidade de escolher que caminho tomar. Poucas vezes conseguimos seguir o caminho antes programado, mas, mesmo assim, tudo está sempre certo. O seu caminho está à sua frente, cabe a você escolher.*

— *Não estou entendendo muito bem o que está dizendo. Só sei que não posso perder aquele moço!*

— *Você disse que gosta do seu noivo. Não será ele quem você escolheu, antes de nascer?*

— *Antes de nascer? Que conversa é essa?*

— *O espírito é eterno. Precisamos nascer e renascer muitas vezes para que possamos nos aprimorar e encontrar o caminho da luz.*

— *Quanto mais a senhora fala, menos entendo. Não sei se o espírito é eterno, só sei que estou vivendo aqui e, neste momento, o que quero é ser feliz e isso só vai acontecer se eu me casar com alguém que possa me dar tudo com o que sempre sonhei! Não sei se existe um destino, mas, se existir, ele vai ser do jeito que eu quero! A senhora pode fazer isso, porque, se não puder, sei que vou encontrar alguém que possa!*

Gusmão continuou falando:

— Filomena, continuando com os olhos dentro dos de Sofia, disse:

— *Está bem, se acha que é isso mesmo que quer, vou lhe ensinar uma simpatia que sempre dá certo. Vamos até lá fora. Vou pegar algumas ervas. Coloque uma panela com água no fogo e, quando estiver quase fervendo, levantando aquelas bolinhas, jogue as ervas dentro e tampe a panela. Deixe esfriar. À noite, antes de se deitar, tome um banho e jogue toda a água sobre seu corpo. Depois se seque e vá dormir. Se tiver de ser, se esse é o caminho que deve tomar, o rapaz que tanto quer vai voltar e tudo vai estar entregue nas mãos de Deus.*

— Saíram para o quintal. Filomena colheu algumas ervas e entregou para Sofia que pegou e, agradecendo, foi embora.

— Ela não precisava ter feito isso, Gusmão! Eu estava completamente apaixonado e fazia um esforço enorme para não ir até a sua casa!

— Você sabe disso, eu também, mas Sofia não sabia. Em seu desespero e com todo o medo que sentia de perder você, foi até as últimas conseqüências. Isso acontece todos os dias. O espírito, quando encarnado e, muitos, até depois disso, se deixam levar pela ansiedade. Quando desejam algo que não conseguem, se desesperam, mas, na realidade, quando o resultado não sai o esperado, é porque, embora se deseje muito, não é o certo, aquilo que traria felicidade, nem o caminho que deveria seguir e, enquanto esse caminho não é encontrado, nada parece dar certo.

— Isso acontece sempre?

— Sim, muitas vezes, pois o espírito precisa trilhar um longo caminho para seu aperfeiçoamento e todas as oportunidades serão dadas.

— Ela tomou o tal banho, Gusmão?

— Naquela mesma noite. Estava ansiosa, não admitia, um segundo sequer, que poderia perdê-lo. Fez exatamente como Filomena havia dito. Depois do banho, deitou-se e, sorrindo confiante, adormeceu.

— Gusmão! Está me dizendo que voltei só por ela ter tomado o tal banho?

— Claro que não, como você mesmo disse, estava completamente apaixonado e voltaria de qualquer maneira, mas, para ela, o banho foi o responsável. Filomena sabia que, se não fizesse alguma coisa, Sofia continuaria procurando e poderia encontrar alguém que a enganasse. Por isso, achou melhor lhe dar uma receita que não lhe faria mal algum a não ser, talvez, carregar suas energias. Mas nesse e em muitos outros casos o que importa é a crença. Sofia acreditou em tudo o que Filomena fez e saiu dali com a certeza de que, se fizesse tudo direito, você voltaria.

— Eu voltei realmente...

— Sim, voltou. Lembra-se daquele dia?

— Sim, como poderia me esquecer?

— Olhe lá, dona Sofia, um caminhão está se aproximando, vamos pedir ajuda!

Todos olharam para Stela que quase gritava, não conseguindo esconder sua alegria. Sofia também olhou e disse:

— Ainda bem, Stela. Estamos aqui há muito tempo. Estou cansada.

O caminhão se aproximou e o motorista percebeu que elas precisavam de ajuda. Perguntou:

— As senhoras estão com algum problema?

— Sim, o pneu furou e não sabemos trocar, será que poderia nos ajudar? — Stela respondeu de uma só vez.

Ele, enquanto descia e rindo, pensou com desdém:

— *Mulheres, acham que são independentes e não conseguem trocar um pneu.*

— Não se preocupem, troco esse pneu num instante.

Foi o que fez. Em poucos minutos, o pneu estava trocado. Sofia disse:

— Quanto o senhor vai cobrar?

— Nada, não, senhora. Não deu nenhum trabalho e, além do mais, estou acostumado. A senhora viu quantos pneus tem o meu caminhão? — respondeu, sorrindo.

— Então, se for assim, obrigado por sua ajuda. Sabe que nos tirou de um problema muito grande.

Ele, sorrindo, tornou a subir no caminhão e foi embora.

Elas também entraram no carro e Stela começou a dirigir, sem imaginar que eles também entraram e sentaram-se no banco de trás. Todos, juntos, seguiram em direção à casa do tal homem que ia fazer o trabalho.

O pedido de casamento

Stela dirigia, Sofia, sob a influência de Gusmão, relembrava: *sei que isso que vou fazer vai separar meu filho daquela mulher! Ele não pode continuar casado com ela! Eu a odeio e a toda sua família! Se eu não tivesse tomado aquele banho, Pedro Henrique jamais teria voltado! Ter ido à casa de dona Filomena foi a melhor coisa que fiz. Ele voltou a me procurar e nos casamos, tivemos uma vida boa, embora eu nunca tenha me esquecido do Osmar.*

Pedro Henrique, ainda surpreso com tudo o que Gusmão disse, perguntou:

— Ela acredita, mesmo, que foi o banho que fez com que eu voltasse e me casasse com ela?

— Sim, Pedro Henrique e se analisarmos bem, ela tem razão de assim pensar.

— Por quê, Gusmão?

— Depois daquela noite em que tomou o banho, durante quase uma semana, ela, todas as manhãs, assim que os pais saíam para trabalhar, ia para o quintal e ficava olhando para a construção na esperança de ver o seu cavalo e, talvez, você chegando. Tinha a certeza de que você viria. Confiava que o banho daria certo.

— Lembro-me daquele tempo. Eu pensava nela a todo momento. Estava realmente apaixonado e queria muito me casar, mas tinha medo de me aproximar.

— Foi isso mesmo o que aconteceu. Em uma manhã, assim que saiu para o quintal e olhou, viu que um cavalo se aproximava. Sabia que não era o seu cavalo, mas, mesmo assim ficou esperando. O cavalo se aproximou e ela pôde ver que se tratava de um dos seus trabalhadores. O homem desceu e entregou um pacote, dizendo:

— *O patrão mandou eu trazer este pacote para o seu pai.*

— *O que é isso?*

— *Acho que é carne. Está gelado.*

— *Por que ele mandou essa carne?*

— *Não sei, mas acho que é para pagar a água.*

— *Meu pai já disse que ele pode pegar quanta água precisar e não precisa pagar por isso! O nosso poço tem muita água! Pode levar a carne de volta!*

— *Não sei nada disso, moça! Só estou cumprindo ordem! Não vou levar a carne, não. Se a moça quiser, pode levar a carne, eu não vou fazer isso, não.*

— Entregou o pacote e foi pegar a água no poço.

— Eu e Matilde vimos que Sofia, sem saber o que fazer ou dizer, ficou olhando para o homem, enquanto descia as duas latas de água. Depois de algum tempo, Sofia, fingindo uma indignação que, na realidade, não estava sentindo, ficou ali parada olhando para o lado onde estavam os homens trabalhando. Sabia que você estava lá e pensou: *ele só está querendo me humilhar. Está querendo mostrar que tem muito e, por isso, não está se importando com o que eu possa estar pensando! Será que ele fez isso por causa do banho ou quer mesmo me mostrar a diferença que existe entre nós? Se for isso, está muito enganado! Agora mesmo vou até lá para jogar esta carne na sua cara! Quero ver qual vai ser a sua reação.*

— Deixou o homem tirando a água do poço e, decidida, caminhou em direção ao lugar onde achava que você estava. Assim que chegou, viu que, ao seu lado, alguns homens mediam algo que ela não sabia o que era. Você não viu quando ela se aproximou, só ouviu sua voz que, para você, parecia alterada:

— *Quem o senhor pensa que é?*

— Você se voltou e, ao vê-la, sorriu, dizendo:

— *Bom-dia, Sofia... por que está tão nervosa, o que foi que eu fiz?*

— *Mandou este pedaço de carne, como se a gente estivesse passando fome! A gente é pobre, mas nunca faltou comida lá em casa!*

— Lembro-me bem daquele dia, Gusmão. E de como fiquei abismado:

— *Não sei do que está falando, Sofia. Eu não disse que vocês passavam fome. O dono do matadouro deu ao meu pai um pedaço muito grande de carne. Sabe como é, tudo para agradar o prefeito — disse, rindo. — Quando minha mãe estava dividindo entre as minhas irmãs, pedi um pedaço e trouxe para o seu pai em agradecimento pela água. Foi só isso o que aconteceu. Eu só quis ser gentil. Não precisa ficar nervosa dessa maneira. Só estou querendo agradecer a seu pai por ter me dado a água, pois, sem ela, meus homens não conseguiriam trabalhar. Eles não poderiam ficar sem beber água durante o dia todo. Foi só isso, nada mais...*

— Você falava olhando bem dentro dos olhos dela, que não conseguiu segurar o olhar e, por várias vezes, desviou-o. Depois, com a voz trêmula, perguntou:

— *Foi só isso mesmo? O senhor não quis ofender a gente?*

— *Claro que não, Sofia! De onde tirou essa idéia? Estou triste por saber que você vai se casar, pois, assim que a vi, fiquei apaixonado, mas isso não quer dizer que estou pretendendo humilhar você e muito menos o seu pai. Gostei e ainda gosto muito de você, mas, infelizmente cheguei tarde.*

— Ela baixou os olhos. Você, percebendo que ela estava confusa, perguntou:

— *Cheguei tarde, Sofia?*

— Ela não respondeu. Você insistiu:

— *Cheguei tarde, Sofia?*

— Ela levantou os olhos e ficou olhando. Não sabia o que responder. Você, Pedro Henrique, sorriu, colocou a mão sobre o queixo dela e tornou a perguntar:

— *Cheguei tarde, Sofia?*

— Ela não acreditava que aquilo estivesse acontecendo. Embora, desde que tomara o banho, tinha certeza de que aconteceria, ficou mesmo sem saber o que responder. Por sua cabeça, passou toda a sua vida naquele lugar, seus sonhos e Osmar. Sim, Osmar, o que faria com ele?

— Você, vendo que ela não respondia e, sem que ela esperasse, com as mãos, levou seu rosto para junto do dela e lhe deu um beijo. Ela, a princípio, tentou se afastar, mas logo se entregou àquele beijo. Assim que você a soltou, ela, com lágrimas nos olhos, se afastou correndo. Você a acompanhou com os olhos. Quando viu que ela chegava à sua casa, sorriu e se voltou para os homens que haviam assistido àquela cena. Eles nada disseram. Foi você foi quem falou:

— *Agora, vamos voltar ao trabalho. Esse poço precisa ficar pronto. Quero construir logo a casa.*

— Os homens voltaram ao trabalho. Você voltou o olhar para a casa de Sofia e sorriu.

— Sim, lembro-me de que sorri feliz ao ver a reação dela, Gusmão. Com aquele beijo, tive a certeza de que ela realmente gostava de mim, que íamos nos casar e pensei: *ela esta lá e, com certeza, pensando em mim.*

— Realmente, ela estava em casa e só agora percebeu que, em suas mãos, estava o pacote com a carne. Chorava de alegria, pois sabia que sua vida estava mudando e que você não estava brincando, porém, também, muito confusa, sem saber o que fazer com a sua vida e com Osmar: *não sei o que fazer... sinto que gosto muito dele, não tanto como de Osmar, mas sei também que se me casar com ele, vou ter tudo. Vou poder sair deste lugar, ter roupas e sapatos bons. Ter uma vida rica com festas e ser apresentada a todas as pessoas como a esposa do filho do prefeito. Que mais posso querer? Mas, e o Osmar? O que vou dizer pra ele? Ele está tão ansioso para que o dia do casamento chegue logo. Como posso chegar e dizer o que está acontecendo? Como posso dizer que encontrei outro que poderá me dar tudo? Não sei... acho que não vou ter coragem de fazer isso... mas, agora, preciso fazer o almoço. Todos, daqui a pouco vão estar aqui.*

— Desembrulhou o pacote e, diante dela, surgiu um pedaço muito grande de carne. A carne era de boa qualidade, o que, em sua casa, era difícil de aparecer. Seu pai, de vez em quando, trazia carne para casa, mas sempre de segunda, que precisava ser cozida, pois era dura. Aquela não, era de primeira e podia ser cortada em bifes. Foi o que ela fez. Cortou em vários bifes e deixou sobre o fogão para ser frita quando todos estivessem lá. Continuou fazendo o almoço e pensando em você, Pedro Henrique, naquele beijo e em tudo o que você poderia lhe dar: *ele é maravilhoso! Aquele beijo, tão diferente dos de Osmar... como pude permitir que ele me beijasse daquela maneira? Onde estava com a cabeça? Por que não resisti? Não quero nem imaginar o que ele está pensando de mim... deve estar achando que sou uma moça sem valor... como fui permitir? Mas, que foi bom, foi. Não sei por que estou tão preocupada. Desde aquele dia em que fui lá na dona Filomena, sabia que isso ia acontecer. Com aquele banho e as rezas que ela fez, não tinha como ele me esquecer. Vai se casar comigo, tenho certeza!*

— Ela achava mesmo que tinha sido o banho e as rezas que fizeram com que eu me casasse com ela?

— Pensava, não, até hoje ainda pensa, por isso está querendo fazer a mesma coisa, mas no sentido contrário. Ao invés de fazer algo assim, sem maiores problemas, está tentando desfazer um casamento e, isso, é muito grave. Por isso estamos aqui tentando fazer com que mude de idéia.

— Tem razão, Gusmão. Precisamos conseguir, mas ainda tenho uma dúvida.

— Qual?

— Se ela não tivesse tomado o banho, eu teria mesmo me casado com ela?

— Claro que sim. Nada acontece por acaso. Todos os encontros são planejados e deles depende o comportamento do espírito. Você, ela e Osmar estão juntos há muito tempo. Na última encarnação, você e ele eram muito amigos. Sofia apareceu e, usando de sua beleza e perspicácia, pois sempre foi muito decidida, fez com que vocês brigassem e terminassem uma amizade sincera. No final, não ficou com nenhum dos dois e se casou com outro muito rico. Quando voltaram ao plano espiritual, decidiram que tornariam a se encontrar e ela teria de escolher outra vez, mas com honestidade. Deveria escolher aquele que seu coração realmente desejasse, independente de raça ou situação financeira.

— Ela não escolheu com honestidade, não foi?

— Infelizmente não e essa escolha a acompanhou pelo resto da vida. Ela gostava de você, mas muito mais de Osmar. Seu coração pedia por ele, mas sua cabeça queria você. A cabeça venceu.

— Estou pensando em todo o tempo em que estivemos casados. Não posso dizer que ela tenha sido uma má esposa; ao contrário, foi sempre boa esposa, mãe e companheira. Nunca passou por minha cabeça que tudo isso havia acontecido e que ela não gostava de mim.

— Nisso você tem razão. Apesar de ter trocado o grande amor de sua vida por você, fez o possível para que o casamento fosse feliz. Vou continuar contando o que aconteceu naquele dia.

— Faça isso, Gusmão, estou realmente curioso.

— Ela, sabendo que faltavam poucos minutos para que todos chegassem para o almoço, começou a fritar os bifes. O cheiro se espalhou por toda a casa. Assim que eles chegaram e sentiram o cheiro, Romeu perguntou:

— *Que cheiro de carne é esse, Sofia?*

— Ela, rindo, respondeu:

— Um homem que trabalha *pro* filho do Prefeito trouxe.

— *Que história é essa? Por que ele mandou essa carne?*

— *Também fiquei curiosa e, por isso, fui até lá pra saber. O moço disse que era pra pagar a água que o senhor está dando.*

— *Eu não disse que ele precisava pagar. Como pôde aceitar, Sofia? Ele está pensando que a gente está morrendo de fome?*

— *Eu disse isso, mas ele falou que o pai dele recebeu do dono do matadouro uma porção de carne e que era muita, por isso, ele tirou um pedaço e trouxe pra gente. Disse que se o senhor não tivesse dado a água, ia ser muito difícil os homens trabalharem. Ele ia precisar trazer a* água da cidade em latas, mas, com a viagem, ela chegaria aqui quente e muito ruim. Disse que não está pagando, apenas agradecendo.

— Não estou gostando nada disso!

— Nadir respirou fundo — continuou Gusmão — para poder sentir o cheiro do bife que estava na frigideira e disse:

— Pare com isso, Romeu. Olhe só que cheiro bom! Quanto tempo faz que a gente não come uma carne como essa? Você não pediu e, se o moço trouxe, a gente tem mais é que comer.

— Gustavo também respirou fundo e disse:

— Mãe, o cheiro está muito bom, mesmo!

— Romeu, embora estivesse brabo, não podia negar que o cheiro estava bom e que fazia muito tempo que não comiam uma carne como aquela. Deixando os braços caírem sobre o corpo, disse:

— Está bem, eu não pedi e já que ele trouxe, vamos comer.

— Sofia sorriu. Terminou de fritar os bifes, colocou sobre a mesa e todos se deliciaram.

Depois do almoço e após descansarem um pouco, voltaram para a roça. — continuou Gusmão. — Gustavo, todas as tardes, acompanhava os pais. À tardinha, quando voltavam, ao lado de Sofia, fazia a lição de casa. Naquele dia, Sofia os acompanhou até o portão. Eles foram embora e ela entrou. Mas, antes de entrar, olhou para o lado em que sabia que você estava. Lembrou-se do beijo, respirou fundo e pensou: que bom ia ser se ele estivesse gostando mesmo de mim...

— Entrou em casa e continuou seu trabalho. Precisava lavar a louça do almoço e tinha uma porção de roupa para passar. Enquanto passava a roupa, pensava: não sei se ele está dizendo a verdade, mas de uma coisa tenho certeza, não posso me casar com o Osmar. Sei que gosto dele e que seria feliz ao seu lado, mas não é isso que quero pra minha vida. Sei que ele está com muitos sonhos. Sei que acha que, um dia, poderá ficar rico, mas e se esse dia não chegar? Se tudo com o que ele está sonhando não se realizar? Vou ter que passar o resto da minha vida aqui, *neste lugar? Além do mais, Pedro Henrique, é rico, bonito e o seu beijo, então? Que maravilha! Não posso me casar com o Osmar e vou precisar dizer isso pra ele. Sei que vai ser difícil, mas é a única coisa que posso fazer. Meu pai vai ficar furioso, mas não tem outro jeito, não... não posso me casar com ele e ser infeliz pro resto da minha vida. Afinal, foi para isso que fui até a casa da dona Filomena...*

— Durante a tarde, várias vezes foi para o quintal e olhou para o lado em que sabia que você, Pedro Henrique, estava. Notou que o seu cavalo não estava mais ali, pensou: *pra onde será que ele foi? Que pergunta mais boba, claro que foi pra casa. Ele deve ter coisas mais importantes pra fazer do que ficar olhando os homens trabalhando.*

— Entrou e saiu muitas vezes e só sossegou quando viu o seu cavalo novamente. A tarde passou. Ela terminou todo o seu trabalho. Tomou um banho e vestiu um vestido limpo. Penteou os cabelos. Sabia que Osmar, logo mais, estaria ali. Não podia adiar. Precisava contar a ele a sua decisão. Lá pelas quatro horas da tarde, como todos os dias, Osmar chegou. Os pais de Sofia também chegariam logo mais. Sentaram-se no banquinho e começaram a conversar. Ele, animado, disse:

— *Nossa casa já está pronta, Sofia! Você precisa ir ver como ela esta bonita!*

— *Sei que está, Osmar, mas preciso conversar com você uma coisa muito séria.*

— *O que é, Sofia? Parece que você está muito preocupada. Que aconteceu?*

— *Estive pensando muito no nosso casamento e cheguei à conclusão de que a gente não pode se casar.*

— *Como não? Por que está dizendo isso?*

— *Sabe que gosto de você desde que era criança, mas não posso me casar. Você me conhece, sempre soube quais eram os meus sonhos. Sempre soube que eu não quero continuar vivendo aqui, nesta pobreza, pelo resto da minha vida. Quero me casar com um homem que tenha muito dinheiro, porque só assim eu vou poder ser feliz. Gosto muito de você, sei que também gosta de mim, mas isso não é o suficiente.*

— Que está dizendo, Sofia? Eu lhe disse que tenho planos e que, se tudo der certo como espero, vou ficar rico e vou dar pra você tudo o que sempre quis! A gente se gosta muito...

— Sei que, assim como eu, tem sonhos. Sei que, se der certo, vai ficar muito rico, mas e se não der certo? Como vai ser? A gente vai ter de continuar vivendo aqui e não quero isso! Precisa entender, Osmar! Não quero ser infeliz pro resto da minha vida!

— Que aconteceu pra que você mudasse de idéia tão de repente?

— Não aconteceu nada, Osmar. Só estive pensando e cheguei a essa conclusão. Vou esperar que apareça um homem rico e que possa me dar tudo com o que sempre sonhei.

— Você deve estar ficando louca, Sofia! Acha que um homem rico vai querer se casar com você? Um homem rico vai se casar com uma moça também rica! A gente se gosta, Sofia! Sei que vamos ser muito felizes.

— Não, Osmar. Não quero arriscar toda a minha vida. Vou esperar esse homem rico aparecer, mas se ele não chegar, quando eu for mais velha, vou embora daqui, quero morar na capital, onde sei que existem muitos homens ricos. Não quero mais continuar aqui, neste lugar, que só tem muito trabalho e pobreza. Não posso me casar com você, Osmar. Sinto muito. Se eu fizer isso, não só eu, mas você também vai ser muito infeliz e você não merece isso. Merece uma moça boa, que aceite morar aqui e ser pobre para sempre. Eu não...

— Seu pai já sabe dessa sua decisão?

— Não, mas vou contar hoje mesmo.

— Sabe que ele vai ficar muito brabo, não sabe?

— Sei, mas a vida é minha! Sou eu quem precisa decidir o que quero fazer com ela e de uma coisa tenho certeza, não quero continuar vivendo aqui!

— Osmar engoliu seco e fez uma força tremenda para não chorar. Com o pouco de dignidade que lhe restava, levantou-se e, sem nada dizer, foi embora. Depois que se afastou dela, começou a chorar em desespero. Sofia ficou olhando-o se afastar e também começou a chorar. Sentia que uma parte da sua vida estava terminando. Gostava de Osmar, sabia que ia sentir muita falta de sua companhia, mas sabia também que era a única coisa que podia fazer naquele momento.Agora, estava livre para ser feliz ao seu lado, Pedro Henrique. Sem que imaginassem, eu e Matilde estávamos ao lado deles e acompanhamos toda a conversa. Matilde olhou assustada para mim e perguntou:

— *E agora, Gusmão, o que vai acontecer? Não era isso que estava programado!*

— *Tem razão, Matilde. Neste momento, com sua escolha, ela mudou o seu destino e tudo o que havia planejado.*

— *Ela não podia ter feito isso! Eles precisavam continuar juntos!*

— *Eles precisavam e foi isso o que planejaram quando estavam deste lado, mas você sabe que, quando estamos na carne, tudo fica diferente.*

— *Ela não podia fazer isso, Gusmão!*

— *Não devia, mas podia. Todos temos nosso livre-arbítrio, Matilde, você se esqueceu disso? Se assim não fosse, tudo seria imposto e não teria valor. O livre-arbítrio existe exatamente para isso, para que o espírito seja livre para decidir o que achar melhor. Por muitas encarnações, ela tem sido rica e poderosa. Na última, ao ver que só o dinheiro e o poder não traziam a felicidade para seu espírito, pediu para que, nesta, fosse diferente. Pediu para nascer em uma casa pobre, mas que, mesmo assim, pudesse, ao lado de Osmar, cumprir a sua missão. Porém, desde que renasceu, ela não aceitou aquilo que havia pedido. Não aceitou ser pobre e ter de lutar arduamente pela vida. E agora que surgiu a oportunidade de voltar a ser rica e poderosa, ela, novamente, deixou seu amor e vai tentar ser feliz ao lado daquele que pode lhe dar tudo a que aspirou nesta vida. Nada pode ser feito. Sabe que esses três há muitas encarnações lutam entre si. Nesta, tiveram a chance de se reconciliarem, mas, parece que, mais uma vez, não vai acontecer.*

— O que vai acontecer com todo o programado? O que vai acontecer com o Osmar?

— Quando as coisas são programadas, sempre existe a chance de não sairem como o programado, por isso, algumas coisas sempre podem ser mudadas. Osmar seguirá outro caminho, mas, com certeza, assim como Sofia, cumprirá sua missão. Não importa o caminho que escolhemos, em qualquer um deles, sempre teremos a oportunidade de realizarmos o que planejamos.

— Algo pode ser feito para fazer com que ela mude de idéia e volte ao plano original, Gusmão?

— Não, Matilde, sabe que não. Podemos intuir bons pensamentos, mas nunca interferirmos no livre-arbítrio. Ele pertence a cada um de nós.

— Tem razão, mas é uma pena. Só não entendo uma coisa, Gusmão.

— Que coisa?

— Já que Sofia e todos sabiam que eles deviam continuar juntos e que tinham uma missão para cumprir, por que não nasceram em um lar rico? Por que tiveram de nascer pobres? Se os dois pertencessem a um lar rico, nada disto estaria acontecendo.

— Sim, mas ela continuaria não dando valor para outras coisas que não fosse o dinheiro e o poder e era justamente isso que, para seu aperfeiçoamento, ela precisava superar. Pelo que parece, outra vez, não conseguiu, mas, mesmo assim, terá a oportunidade de, sozinha, sem Osmar, cumprir a sua missão. Só nos resta esperar.

— Como ficarão aqueles que iam nascer e como seus filhos?

— Nascerão no lugar em que precisarem nascer. Eles se encontrarão e só Deus sabe o que será feito. Agora, acho bom irmos até o Osmar. Ele deve estar desesperado e precisando da nossa ajuda, vamos?

— Matilde sorriu e fomos para junto de Osmar que caminhava pela estradinha de terra que separava o sítio de Sofia do seu. Ele, como prevíamos, realmente, chorava desesperado. Eu e Matilde nos colocamos um de cada lado e caminhamos juntos. Osmar chorava e pensava desesperado: *como ela pôde fazer isso comigo? Ela sempre soube que eu gostava dela e faria tudo o que fosse possível pra gente ser feliz! O que vou fazer com a nossa casa? Como vou dizer pros meus pais que não vai mais ter casamento?*

— Naquele momento, Sofia mudou seu destino.

Stela continuava dirigindo. Perguntou, nervosa:

— Será que falta muito, dona Sofia? Está um horror dirigir nesta estrada. Tem muito buraco.

Sofia não ouviu o que Stela disse, porque, ao se lembrar daquele dia, sentiu um nó na garganta e uma lágrima escorreu por seu rosto. Vendo que ela não respondia, Stela voltou a perguntar:

— Será que falta muito, dona Sofia?

Só aí Sofia ouviu, olhou para Stela e respondeu:

— Não sei, pelas informações que tivemos, deve estar chegando.

— A senhora tem mesmo certeza de que deve fazer isso? Não seria melhor voltarmos?

— Claro que tenho, Stela! Não quero voltar! Preciso fazer isso!

— Está bem, não precisa ficar nervosa.

Stela se calou e continuou dirigindo. Ela conhecia Sofia muito bem e, por isso, sabia que não deveria contrariá-la. A fortuna de Sofia era imensa e ela sabia que, se continuasse sendo a preferida, ficaria com uma parte maior. No fundo, ficou feliz por Anita não ter tido um filho. Seria um a menos para dividir a herança que Sofia deixaria. Por isso, embora sentisse muita raiva, fazia tudo o que a sogra queria.

Sofia voltou a se lembrar daquele dia em que afastou Osmar para sempre de sua vida: *aquele dia foi muito difícil, mas foi uma decisão que precisei tomar. Se eu soubesse como a vida ia mudar, jamais o teria feito. Eu sempre tentei, mas nunca fui totalmente feliz ao lado de Pedro Henrique. Gostava de Osmar e quando lembro que poderíamos ter casado, fico triste, mas já passou. Não adianta sofrer. Agora, estou velha e minha vida, apesar de tudo, foi maravilhosa. Não tenho do que me arrepender e nem sei por que estou pensando nessas coisas.*

Gusmão e os outros acompanhavam tudo o que acontecia. Sofia voltou a se lembrar daquele dia: *depois que Osmar foi embora, senti um aperto no coração e fiquei com vontade de correr atrás dele, mas me contive, pois sabia que aquela tinha sido a decisão mais certa para minha vida. Eu gostava dele, estava acostumada com suas conversas e sabia que ele também gostava de mim de verdade, mas não era o suficiente, eu queria mais, muito mais. Depois que ele se afastou, olhei para o lado em que a casa de Pedro Henrique estava sendo construída e pensei: essa casa vai ser minha! Ela e tudo o que ele possui! Vou ser rica e poderosa! O Osmar vai continuar nesta vidinha de sempre. Agora que desfiz o noivado, preciso fazer com que o filho do prefeito saiba disso. Sei que, depois do banho que dona Filomena me ensinou, não vai ter como ele se afastar. Está preso a mim para sempre.*

— Não posso acreditar que tudo isso aconteceu sem que eu soubesse, Gusmão...

— Mas aconteceu, Pedro Henrique. Lembra-se daquele dia em que você voltou ao sítio de Sofia e que ela estava regando o jardim?

— Sim, lembro-me.

— Foi no dia seguinte. Ela sabia que você ia voltar e, por isso, colocou seu melhor vestido e ficou olhando para onde você deveria chegar. Quando viu que você se aproximava, pegou o regador e, como se não pensasse em você, começou a regar as flores. Você se aproximou e disse:

— *Olá, Sofia. Suas flores estão muito bonitas.*

— Ela olhou para você e sorrindo disse:

— *Estão sim, talvez seja porque eu cuido com muito carinho delas.*

— *Você, hoje, também está muito bonita...*

— Ela sorriu e você, completamente apaixonado, disse:

— *Você também é uma bela flor, Sofia. Tão bela que eu gostaria de ter sempre ao meu lado, mas é impossível.*

— *Impossível, por quê?*

— *Você já tem dono, cheguei atrasado...*

— Não tenho dono e nunca vou ter. Estou livre.

— Desmanchou o noivado?

— Sim, eu não poderia me casar com ele.

— Por quê, Sofia?

— Eu não gosto dele o suficiente. Nós nos conhecemos desde criança, eu achava que gostava dele, mas agora estou com muitas dúvidas. Acho que não sabia o que era o amor.

— Fiquei muito feliz ao ouvir aquilo, Gusmão, pois, desde o beijo, sabia ou tinha quase certeza de que ela me amava. Emocionado, perguntei:

— Já que está livre, quer se casar comigo?

— Lembro-me que ela abaixou a cabeça. Seu rosto estava vermelho, mas seus olhos brilhavam, o que a deixava mais bonita ainda. Ela olhou dentro dos meus olhos e respondeu:

— Eu não desmanchei o noivado por sua causa.

— Sei disso, mas já que está livre, podemos pensar no nosso futuro. Se quiser, converso com seus pais e poderemos nos casar o mais breve possível.

— O senhor quer mesmo isso?

— Claro que sim, Sofia! É o que mais desejo. Sei que também é o que você quer. Tenho certeza que, assim como eu, também gosta de mim. Prometo que farei o possível para que seja feliz. Se me aceitar, sei que não vai se arrepender.

— Está bem. Já que é o que deseja, pode conversar com meus pais e se eles deixarem, a gente se casa. Eu, realmente, estou gostando muito do senhor.

— Sei disso, vou conversar com seus pais, mas, antes, precisa parar de me chamar de senhor. Não sou muito mais velho que você e, afinal, vamos nos casar. Não fica bem uma esposa chamar o marido de senhor, não é?

— Lembro-me de que ela sorriu e de que aquele sorriso me fez o homem mais feliz do mundo. Jamais poderia imaginar que ela estivesse me enganando...

— Mas estava. Via em você apenas o homem que poderia lhe dar tudo com o que sempre sonhou, pois, na realidade, ela gostava mesmo era de Osmar.

— De qualquer maneira, por não saber a verdade, fui muito feliz ao lado dela.

— Nisso você tem razão. Ela procurou ser a melhor mulher do mundo e conseguiu. Naquela mesma tarde, você esperou a chegada de Romeu e de Nadir e, assim que eles chegaram, você disse:

— *Boa-tarde, senhor Romeu, como está?*

— *Estou muito bem, só não sei o que o senhor está fazendo em minha casa...*

— *Estou conversando com Sofia. Estou esperando o senhor e a dona Nadir para pedir a mão de Sofia em casamento.*

— Nadir apertou o braço do marido para que ficasse calmo. Ele, nervoso, perguntou:

— *O senhor está de brincadeira? Acha que, por ser rico, filho do prefeito, pode vir e brincar com a gente?*

— Você, Pedro Henrique, agora, muito nervoso, perguntou:

— *Quantas vezes terei de repetir que não estou brincando? Quero mesmo namorar Sofia e me casar com ela.*

— Nadir tornou a apertar o braço do marido e ele disse:

— *Está bem, moço. Se é o que deseja e se é o que Sofia quer, a gente vai dar autorização, mas nunca se esqueça de que ela, apesar de ser uma moça pobre, é honesta.*

— *Nunca duvidei disso, senhor Romeu.* — você disse, sorrindo e olhando nos olhos de Sofia, que, mesmo sem querer, não pode impedir o brilho deles.

— *O senhor pode vir visitar a Sofia, mas só quando a gente estiver em casa. Nunca mais vai fazer o que fez hoje. Não quero que fale com ela quando ela estiver sozinha.*

— *Está bem, senhor. Pode ficar tranqüilo, não desejo fazer mal algum a Sofia, somente lhe dar toda felicidade do mundo.*

— Sofia estava firme, mas por dentro tremia inteira. Nunca acreditou que, um dia, aquilo pudesse acontecer, mas estava — disse Gusmão. — Romeu perguntou:

— *Sofia, a comida está pronta?*

— *Está, sim, senhor.*

— *Coloca mais um prato, o moço vai comer com a gente.*

— *Não precisa, senhor Romeu. Estou indo para casa.*

— *Nada disso. Quem fez a comida foi a Sofia. O senhor precisa comer pra ver se gosta do tempero.*

— *Sendo assim, eu fico.*

— Romeu sorriu e disse:

— *Agora, Sofia, entre e traga aquela da boa pra eu e o moço bebermos enquanto você coloca mais um prato na mesa.*

— Sofia, ainda tremendo e acompanhada pela mãe, entrou. Saiu logo em seguida, trazendo uma garrafa de aguardente e dois copos. Romeu encheu um e deu para você, depois encheu outro para ele mesmo. Vocês ficaram bebendo.

A vida começa a mudar

ob a influência de Gusmão, as imagens passavam, rapidamente, pela cabeça de Sofia. Ela ia revivendo tudo o que aconteceu em sua vida.

— Daquele dia em diante, você foi todos os dias visitar Sofia, mas só à tarde, quando toda a família estava ali. Ela estava vivendo um sonho. Às vezes, sentia medo de que você estivesse brincando, mas sempre que isso acontecia, lembrava-se do banho e que, por causa dele, se casaria de verdade com você. Sentados em dois banquinhos, no quintal, sempre que ela ficava confusa e aflita, você dizia:

— *Não sei por que ainda não acredita que gosto mesmo de você.*

— *Até acredito que goste, mas e a sua família? Acha que seus pais vão me aceitar?*

— *Não aceitariam, por quê?*

— *Ora, sabe que sou simples e pobre. Seus pais, com certeza, imaginaram, para você, uma moça bem diferente de mim... rica e de boa família.*

— *Já disse que não precisa se preocupar com isso. Meus pais, embora sempre tivessem dinheiro, são muito simples. Eles só pensam em minha felicidade e, se eu disser que você é a minha felicidade, aceitarão você sem pestanejar.*

— *Tem certeza disso?*

— *Claro que tenho. Pode se preparar que, assim que a casa ficar pronta, faremos uma grande festa e, nesse dia, eu apresentarei você a eles.*

— *Vai fazer isso mesmo?*

— Claro que sim. Já conversei com eles, disse que assim que a construção terminar, pretendo me casar. Disse também que você é uma moça simples. Eles querem conhecer você e toda a sua família. Por isso, vou anunciar o nosso namoro no meio de uma grande festa, com todos os amigos e conhecidos presentes.

— Você disse isso, mesmo?

— Disse!

— Eles aceitaram me conhecer?

— Não só a você, mas a toda sua família. Meu pai sempre quis que eu fosse para a faculdade. Fiz a sua vontade e me formei em agronomia, pois não me imagino morando em algum lugar que não seja no campo. Fiz a sua vontade, agora, ele tem que fazer a minha. Aceitar você de coração. Sei que não só ele, mas toda a minha família e amigos também farão isso. Por isso, não precisa se preocupar. Tudo dará certo, nós nos casaremos e seremos felizes para sempre.

— Está bem. Prefiro acreditar nisso.

— Assim é que tem que ser. Por que sofrer antes do tempo? Vamos deixar a vida tomar conta de tudo.

— Outra vez, você a convenceu, Pedro Henrique. Passaram-se mais de seis meses. A casa ficou pronta, a fazenda toda cercada e as primeiras cabeças de gado começaram a chegar. Como a sede da fazenda ficava a uns cinqüenta metros da cerca do sítio de Romeu, você mandou que fosse construído um portão que ligava o sítio à fazenda e, por ali, entrava e saía. A festa foi programada e muitas pessoas foram convidadas. Pedro Henrique, você estava animado e disse para Sofia:

— No próximo fim de semana, vamos fazer a festa de inauguração da fazenda, quero que vá com seus pais até a cidade e compre roupas novas, para todos. Vou apresentá-los à minha família e a meus amigos. Vá até a loja do senhor João e compre tudo do que precisar. Já conversei com ele e sabe que irão até lá. Não se preocupe com dinheiro, compre o que quiser. Quero que esteja bem bonita na festa.

Gusmão continuou:

— Sofia estava exultante, sentia que tudo era verdade e que se casaria mesmo com você e poderia, assim, deixar aquela vida de pobreza e, como você disse, poderia até continuar estudando. No dia seguinte, todos foram para o centro da cidade e compraram roupas para a festa. Romeu estava preocupado e disse para a esposa:

— *Nadir, será que a nossa filha vai mesmo se casar com este moço rico?*

— *Acho que sim, se ele não estivesse com boas intenções, não ia querer que a gente fosse à festa. Ele disse que vai apresentar a gente pra toda a família. Já pensou, Romeu, a gente vai ter uma filha rica!*

— Ela estava muito feliz, nunca, em sua vida, imaginou que aquilo pudesse acontecer. Sabia que Sofia era uma moça muito bonita, mas sempre pensava: *eu também era bonita, mas nunca encontrei um homem rico e bonito como esse. Gosto do Romeu, mas se ele fosse rico, eu ia gostar muito mais. Já pensou? A Sofia vai ter tudo o que desejar nesta vida! Ela tem muita sorte! Parece que tem um anjo cuidando da vida dela...*

— Ela não sabia, mas todos temos amigos cuidando dos nossos passos e nos ajudando sempre que possível. Não podem interferir em nossas escolhas, mas podem e nos dão boas intuições. Eu e Matilde ficamos o tempo todo, e ainda estamos, ao lado de Sofia.

— Tem razão, Gusmão, se quando encarnados soubéssemos disso, muita ansiedade e sofrimento seriam evitados.

— A maioria dos espíritos, Pedro Henrique, quando encarnados, embora aceitem que existe uma força maior, não acreditam realmente e, por isso, sofrem muito sem necessidade, mas é assim e será por muito tempo. O espírito, através das reencarnações, tem a oportunidade de ir aprendendo. Sofia havia mudado o que planejara antes de renascer, mas, mesmo assim, continuamos ao seu lado. Ela era a nossa missão.

— Mesmo depois de desencarnados, temos uma missão para cumprir?

Gusmão riu com aquela pergunta de Pedro Henrique e respondeu:

— Claro que sim, Pedro Henrique. Você não é daqueles que acreditam que, com a morte, tudo se acaba. Todo espírito, esteja onde estiver, encarnado ou não, sempre terá um trabalho para cumprir. Todos estamos aqui tentando fazer com que Sofia encontre o seu caminho para que possa nos acompanhar para esferas mais altas da espiritualidade. Estamos tentando há muito tempo e, quem sabe, desta vez, consigamos. Essa é a nossa esperança e a nossa missão.

Pedro Henrique sorriu. Ele, quando morreu, foi recebido por sua mãe e ela, a partir daí, lhe deu toda a assistência. Havia lhe contado que a vida após a morte existia e que ele deveria continuar sempre se aprimorando e trabalhando para sua evolução. Por isso, jamais deveria ter feito aquela pergunta, mas, já que havia feito, ficou feliz com os esclarecimentos de Gusmão, que continuou falando:

— No sábado pela manhã, toda a família estava eufórica. Começaram a ver os carros e as pessoas chegando. Sabiam que um boi havia sido morto para o churrasco, muitas caixas de cerveja e refrigerantes também chegaram. Sofia vestiu o vestido azul que havia comprado e prendeu seus cabelos com um laço da mesma cor. Estava nervosa, já conhecia os pais de Pedro Henrique, aliás, todos na cidade os conheciam. Sua família, já há várias gerações, pertencia à classe política. O coronel José Antônio era pai de quatro filhos, três moças e só um homem, você, Pedro Henrique, por isso seu maior desejo era que você também seguisse a carreira política, mas sempre que lhe falava isso, você dizia:

— *Pai, não nasci para ser político. Gosto do campo, do gado. Não saberia viver neste mundo de fingimento em que o senhor vive. Teria de aturar pessoas de que não gosto só para ter seu apoio político e conseguir ganhar as eleições. Quem sabe, um dia, mas por enquanto, não.*

— É verdade, Gusmão. Eu não suportava pensar em viver no meio daquela gente fingida e dissimulada. O mundo da política não era para mim. Preferia viver ao ar livre e na companhia de animais. Eles, sim, eram sinceros.

— Sim, você pensava assim, mas Sofia, não. Ela queria pertencer a esse mundo que você detestava, mas, naquele dia, ela não pensava em mais nada, a não ser no que aconteceria e como se portaria na festa. Quando já havia muitas pessoas na festa, você, vendo que ela e a família não chegavam, foi até o portão que havia mandado construir e que dividia as duas propriedades. Gustavo, que estava do lado de fora, gritou:

— *Sofia, o Pedro Henrique está aqui!*

— Ela saiu e foi ao seu encontro. Assim que se aproximou, você disse:

— *Como você está linda, Sofia! Por que ainda não foram para a festa?*

— *A gente não sabia se estava na hora. Eu estava esperando que, quando chegasse a hora, você viesse até aqui.*

— *Está bem, você ainda não entendeu o seu lugar. Quero que você e toda a sua família vá, agora, para a festa. Chegaremos todos juntos. Chame seus pais.*

— Sofia sorriu, entrou em casa e chamou seus pais e Gustavo. Em seguida, saíram e ao seu lado, entraram na fazenda e caminharam até a sede, onde a festa se desenrolava. Você entrou abraçado à Sofia, o que causou curiosidade a todos. Altivo e caminhando firme, você sorria para todos e, ao se aproximar de seus pais, disse:

— *Pai, mãe, este é o senhor Romeu, e esta é dona Nadir, sua esposa. Eles são os pais de Sofia, esta linda moça com quem pretendo me casar.*

— José Antônio abriu um sorriso e disse:

— *Muito prazer, seu Romeu. Estou feliz que tenha vindo e a toda sua família. Vejo que você é mesmo muito bonita, Sofia. Agora entendo por que meu filho está tão entusiasmado. Mas, vamos entrar: a festa está rolando solta. Tem uma da "boa" e sei que o senhor vai gostar.*

Lembra-se, Maria Rita, quando você se aproximou de Nadir e disse:

— *Assim como meu marido, estou feliz que a senhora tenha vindo. E ele também tem razão, quando diz que sua filha é muito bonita. Sejam bem-vindos à nossa casa. Espero que aproveitem bem a festa.*

— Lembro-me sim, Gusmão. Pedro Henrique havia me falado muito nela e confesso que estava morrendo de curiosidade. Eu também era de uma família humilde quando me casei com José Antônio e sabia o que ela e sua família estavam sentindo naquele momento, por isso fiz o possível para que ficassem à vontade.

— Fez isso mesmo. Embora estivessem sendo bem recebidos, a família de Sofia não estava sentindo-se bem. Não pertenciam e, sabiam disso, àquele lugar, mas fizeram o possível para ficarem o mais natural possível. Gustavo, por ser criança, não sentia a diferença que existia. Logo estava brincando com as outras crianças. Você, Pedro Henrique, sempre com os braços sobre os ombros de Sofia, ia conversando com um e outro e apresentando-a como sua noiva. Claro que os comentários foram muitos. Ninguém conseguia entender como você, um moço de boa família, podia ter se envolvido com uma moça como Sofia. Os comentários eram piores por parte das moças solteiras e de seus familiares que sonhavam em conseguir que uma delas se casasse com você. Todos que estavam na festa começaram a comer e vários grupos foram se formando. A maioria das pessoas que estavam ali fazia parte do mundo político, tinha interesse em ser ou parecer amigo do prefeito, pois sabia que, assim, poderia obter alguma vantagem. Romeu e Nadir ficaram ali por um curto espaço de tempo e depois foram embora, deixando os filhos na festa. Eles não se sentiam bem no meio daquelas pessoas tão diferentes dele. Sofia, ao contrário, aos poucos foi se sentindo segura ao seu lado e logo estava conversando com as pessoas. O dia transcorreu no meio de muita alegria. No fim da tarde, quando as pessoas começaram a ir embora, você, sempre abraçado a Sofia e na companhia dos pais, ia se despedindo de todos. Quando o último convidado foi embora, você, Maria Rita, olhou nos olhos de Sofia e disse:

— *Gostei muito de você. Parece que é uma moça que, além de bonita, tem um olhar muito terno. Estou feliz por meu filho ter escolhido você para ser sua noiva.*

— Sofia que, a princípio, sentia muito medo daquele encontro, agora, estava tranqüila, pois o seu olhar parecia sincero. Mesmo assim, não conseguiu dizer nada, olhou para você, Pedro Henrique que, sorrindo, disse:

— *Não lhe disse, Sofia, que meus pais a receberiam com todo carinho e que eles só pensariam na minha felicidade? Ela estava com medo de vir aqui e de encontrar a senhora, mamãe.*

— *Medo, por quê?*

— *Ela diz que é uma moça pobre e que a senhora não a aceitaria como minha namorada.*

— *Pois está muito enganada, Sofia. Eu, também, quando conheci o José Antônio, vinha de uma família humilde. Mesmo assim, fui aceita por toda a família e, ajudada por minha sogra, estudei, aprendi e, com isso, me tornei quem sou hoje. Por isso, a sua condição social não me incomoda. A única coisa que me importa é, como Pedro Henrique disse, a felicidade do meu filho. Ele, desde que a conheceu, está muito feliz.*

— *Mas eu não tenho estudo e não sei me comportar na presença das pessoas que fazem parte de suas amizades.*

— *Isso, para mim, não tem importância alguma e também, como aconteceu comigo, são coisas que, se quiser, poderá aprender. A única coisa que quero é que faça meu filho feliz.*

— *Ela fará, mamãe. Ela fará. Tenho certeza disso!*

José Antônio, que estava se despedindo de alguns amigos, se aproximou e ouviu uma parte da conversa. Assim que Maria Rita terminou de falar, ele disse:

— *Eu também estou feliz com você, Sofia. Enquanto fizer meu filho feliz, terá todo nosso carinho e apoio para fazer de sua vida o que quiser. Quanto ao estudo e às boas maneiras, como disse Maria Rita, terá todas as chances para aprender.*

Sofia ouviu aquelas pessoas que, para ela, sempre foram tão distantes e ficou emocionada. Apenas disse:

— *No que depender de mim, ele será o homem mais feliz deste mundo, dona Maria Rita.*

— *É isso o que importa. Agora, podemos ir embora, estou cansada, o dia foi muito agitado e eu não estou acostumada.*

— *Também estou cansado, mulher. Não temos mais idade para toda essa agitação.*

— *Vou levar Sofia até em casa e irei em seguida.*

— Eles foram embora. Você, Pedro Henrique, e Sofia saíram caminhando em direção à casa dela. Enquanto caminhavam, você disse:

— *Não falei que eles iam aceitar você sem problema algum? Minha mãe nunca escondeu sua origem e sempre fez questão de nos ensinar que as pessoas valiam por quem eram e não pelos bens que possuíam. Sei que ela, além de aceitar, irá ajudar você para que se torne a mulher que desejar ser.*

— *Não estou acreditando que tudo isso está acontecendo comigo...*

— *Mas está e, daqui para a frente, só terá felicidade em sua vida.*

— *Estou muito feliz e devo tudo isso a você.*

— *Também estou feliz, mas agora vamos descansar, a partir de amanhã, precisamos começar a pensar no nosso casamento.*

— *Casamento?*

— *Casamento, claro! Acha que eu vou ficar até quando só namorando? Quero você ao meu lado para o resto da minha vida! Dormir e acordar ao seu lado e ter você como minha mulher!*

— *Está falando sério?*

— *Estou, mas sei que você só vai acreditar no dia em que estivermos diante do juiz e, depois, diante do padre e me ouvir dizendo sim.*

— Ela sorriu. Você parou de andar e a puxou para junto de si, ia beijá-la, quando ouviu alguém tossindo. Era Romeu. Estavam tão distraídos, caminhando e conversando, que não perceberam que já estavam junto à cerca e bem perto da casa. Romeu disse:

— *Boa-noite, moço. A festa foi muito boa.*

— Foi sim, seu Romeu. Mas por que veio embora tão cedo?

— Eu tinha que preparar a mercadoria pra levar à feira amanhã bem cedo. Sabe que vivo do que planto.

— Sei disso, mas foi uma pena. A festa estava muito boa. Estou indo agora, mas voltarei amanhã, para conversarmos a respeito do nosso casamento.

— Casamento?

— Sim, casamento. Pretendo me casar o mais rápido possível com Sofia.

— Tem certeza disso, moço?

— Tenho, sim, mas só conversaremos amanhã.

— Seus pais estão de acordo?

— Claro que estão, mas é melhor deixarmos para amanhã. Hoje, bebi um pouco além da conta e estou cansado. Boa-noite.

— Boa-noite...disse Romeu, um pouco assustado com aquela conversa.

— Você passou a mão sobre os cabelos de Sofia, voltou para a casa da fazenda, montou em seu cavalo e foi embora.

— Lembro-me muito bem daquele dia, Gusmão, e de como estava feliz.

— Sofia entrou em casa. Estava muito feliz. Sua mãe, que ouviu a conversa, e com os olhos brilhantes, disse:

— Sofia! Ele quer mesmo se casar com você?

— Acho que sim, mãe! Ele disse que vai conversar com o pai e que quer marcar a data.

— A mãe dele concordou?

— A senhora não sabe, mas ela também era pobre! Ela disse que foi a sogra que a ajudou para que se tornasse a mulher que é hoje e que se eu quiser, ela vai fazer o mesmo comigo!

— Que bom, minha filha! Você vai ser uma mulher rica e vai poder fazer aquilo que sempre quis, sair desta casa e estudar.

— Eu não queria sair desta casa, mãe, eu queria sair deste lugar, desta vida...

— De qualquer maneira, precisa agradecer muito a Deus por tudo o que está fazendo com sua vida. Ele está

*lhe dando a oportunidade de cumprir sua missão. Acho
que ela está começando agora.*

— *Não estou entendendo o que a senhora está querendo dizer. Que missão? Que conversa é essa, mãe?*

— Parece que Nadir não estava ali. Como se estivesse
voltando de um lugar distante, respondeu:

— *Não sei... me deu vontade de falar isso...*

— Sofia, surpresa, olhou para a mãe e também não
entendeu de onde havia surgido aquela conversa. Sem que nos
vissem, eu e Matilde estávamos ao lado delas. Matilde,
retirando a mão que estava sobre a garganta de Nadir, disse:

— *É, Gusmão, ela está mesmo começando sua missão.*

— *Sei disso, Matilde. Vamos esperar que ela consiga,
sabemos que não será fácil. Mas, agora, já podemos ir
embora. O resto ficará por conta de Sofia...*

— Beijamos Sofia e Nadir e fomos embora.

O casamento

tela continuava dirigindo e tomando cuidado com os buracos da estrada. Percebeu que Sofia permaneceu o tempo todo calada. Estranhou, pois Sofia gostava muito de falar. Perguntou:

— O que está acontecendo, dona Sofia?

— Por que está perguntando isso?

— Estamos já, nesta estrada, há quase meia hora e a senhora permaneceu o tempo todo calada. No que está pensando?

— Não sei, Stela, mas desde que acordei, pela manhã, não paro de pensar na minha vida. De como ela foi, das pessoas que conheci e do rumo que ela tomou. Neste momento, estava me relembrando do meu casamento e como foi.

— A senhora nunca me contou como foi. Sei que era uma moça pobre e que se casou com o senhor Pedro Henrique, mas nunca soube como isso aconteceu. Parece que a senhora viveu um conto de fadas com príncipe encantado!

— Com cavalo branco e tudo! — Sofia disse, rindo. Um dia qualquer eu lhe conto como tudo aconteceu, mas não vai ser hoje. Preciso me concentrar no que vou pedir para o homem. O trabalho precisará ser muito bem feito. Tem de ser definitivo.

— A senhora não vai mudar mesmo de idéia?

— Claro que não, Stela! Não suporto aquela mulher! Ela precisa sair das nossas vidas!

Stela sabia que não adiantava continuar insistindo. Conhecia Sofia e sabia que, quando ela decidia alguma coisa, nada poderia ser feito para que mudasse de idéia. Resolveu se calar. Embora Sofia tivesse dito que não queria falar, ainda sob a influência de Gusmão, não conseguia parar de relembrar: *com o pedido de casamento de Pedro Henrique e, depois da festa, eu fiquei muito empolgada. Sabia que, agora, não tinha mais volta. Tudo estava acontecendo muito rápido em minha vida. A maneira como fui recebida por seus pais e, principalmente, por sua mãe me encorajou ainda mais. Em uma tarde, Pedro Henrique disse para meu pai:*

— *Senhor Romeu, minha mãe está convidando o senhor e sua família para um almoço no domingo. Ela quer combinar como será o nosso casamento.*

— *Casamento? Não é ainda muito cedo, vocês acabaram de se conhecer!*

— *Para mim, não é. Assim que vi Sofia pela primeira vez, soube que ela seria a mulher com quem quero viver para o resto da minha vida. E você, Sofia, acha que é muito cedo?*

Eu estava muito nervosa e, com a voz trêmula, respondi:

— *Não, também gosto muito de você, Pedro Henrique. Se você acha que já está na hora de a gente se casar, também quero. Vou fazer, sempre, tudo o que você quiser.*

— *Então, está bem. Pode avisar sua mãe que a gente vai no domingo. — disse meu pai.*

Stela a interrompeu:

— Dona Sofia, será que, se houver mesmo uma separação, Ricardo não vai sofrer muito?

Sofia voltou de seus pensamentos e respondeu:

— No começo, pode ser que sofra, mas encontrarei uma moça para lhe fazer companhia. Não se preocupe, Stela, tudo vai ficar bem.

Stela, outra vez se calou e continuou dirigindo. Gusmão voltou a falar e Sofia continuou relembrando:

— No domingo, todos se arrumaram da melhor maneira que conseguiram. Romeu preparou a carroça e foram, felizes, para a cidade. Você, Maria Rita, por entender a situação deles, pois já havia passado por uma igual, os recebeu com um largo sorriso, dizendo:

— Sejam bem-vindos. José Antônio não está em casa, foi visitar um amigo que está doente, mas voltará antes do almoço.

— Entraram naquela casa que só viam quando passavam pela rua e que sabiam ser a casa do prefeito, por isso nunca imaginaram que, um dia, iriam até lá. Estavam preocupados. Sofia estava com medo de que seus pais e Gustavo não soubessem se comportar. Queria mesmo se casar e, por isso, nada de errado podia acontecer. Você, Maria Rita, percebendo o nervosismo dela, tentou colocá-los à vontade, dizendo:

— Sei que estão nervosos, mas não precisa. Também sou de família humilde e, também, eu e meus pais ficamos nervosos quando fomos pela primeira vez na casa de José Antônio, mas, depois do casamento, a mãe dele fez questão de me ensinar tudo o que sei e de continuar a amizade com a minha família. Enquanto minha mãe e meu pai viveram, sempre nos visitaram e nós os visitamos também. Meus irmãos e a família sempre vêm aqui em casa. Ter dinheiro ou educação é só uma questão de momento. De repente, tudo pode mudar para melhor ou pior.

— Ao ouvir aquilo, Sofia e seus pais ficaram mais tranqüilos e, em pouco tempo, estavam conversando como se já se conhecessem há muito tempo. Combinaram tudo. Enxoval, roupas, igreja, festa e convidados. Marcaram o casamento para três meses depois, tempo que acharam suficiente para que tudo fosse preparado. Sofia ouvia os pais conversando e, enquanto isso, pensava: vou me casar mesmo! Mas, o melhor de tudo, é que vou sair daquele lugar, poder realizar o meu sonho de estudar...

— Depois de tudo combinado, voltaram para casa. Nadir e Romeu também estavam felizes. Sua filha iria se casar, o que sempre foi uma preocupação deles, pois temiam que ela ficasse solteirona. Ela estava com dezessete anos e seu tempo já estava passando. Nadir estava mais feliz do que todos, pois Sofia, além de se casar, o faria com um homem como você, Pedro Henrique, rico e poderoso.

— Nunca imaginei que isso estivesse acontecendo, Gusmão. Estava feliz demais, só pensava em Sofia e em quanto eu gostava dela...

— Sei disso, você estava completamente apaixonado. — Gusmão disse, rindo, e continuou:

— Faltava um mês para o casamento. Você disse:

— *Sofia, estive conversando com meu pai e disse que quero morar na fazenda.*

— *Na fazenda?*

— *Sim, na fazenda. Desde pequeno, sempre gostei de lidar com gado e lavoura. Por isso, fui estudar agronomia. Também, para você, vai ser bom, pois poderá continuar perto da sua família. Não quero ver você triste, sentindo saudade deles.*

— Ela levou um susto, mas disfarçou, apenas sorriu, pensando: *não era isso o que eu queria. Não quero morar em fazenda alguma! Quero morar na cidade, fazer parte da sociedade, ter roupas bonitas e freqüentar festas. Mas não posso dizer agora. Depois do casamento, encontrarei uma maneira de fazer com que ele mude de idéia.*

— Como que se adivinhasse o que ela estava pensando, você falou:

— *Talvez você esteja preocupada em não poder estudar, mas agora não será mais necessário. Terá muito trabalho, sendo mãe e esposa. Comprarei todos os livros que quiser ler.*

— Ela, com muita raiva por dentro, sorriu e disse:

— *Está bem, vou fazer tudo o que você quiser.*

— Nadir, que estava ao lado, ao ver o que Sofia disse, ficou olhando para ela e pensando: *sei que ela não quer morar aqui, ao contrário, quer ficar bem longe de toda esta pobreza, mas parece que está disposta a fazer tudo para se casar com Pedro Henrique. Fico feliz, pois sei que ele é um ótimo rapaz e que vai fazer tudo para que ela seja feliz.*

— Terminaram a conversa a esse respeito e começaram a falar sobre o casamento que estava se aproximando. Você, Maria Rita levou Sofia e Nadir a uma modista famosa na cidade. Lá, foram-lhes mostrados vários figurinos de vestidos de noiva. Sofia olhou, olhou, mas não conseguiu se decidir qual era o mais bonito. Perguntou:

— *Dona Maria Rita, qual a senhora acha que é o mais bonito?*

— *Eu já escolhi um, mas quem tem de decidir é você, Sofia.*

— *E a senhora, mãe? Qual é o mais bonito?*

— *Também não consegui escolher, são todos tão bonitos...*

— Depois de muito olhar, Sofia se decidiu por um feito com renda e cetim.

— Lembro-me muito bem daquele dia, Gusmão, e depois do modelo escolhido, eu as levei até à loja de tecidos que havia na cidade. Compramos o tecido e voltamos para a modista. Eu estava muito feliz, pois via como Pedro Henrique gostava daquela moça e só queria a sua felicidade. Ele sempre fora um ótimo filho e merecia ser feliz. — disse isso, olhando para Pedro Henrique que, emocionado, beijou-a na testa. Gusmão continuou:

— Em casa, à noite, quando se deitou, Sofia ficou pensando: *como vai ficar lindo o meu vestido... quando eu poderia imaginar que o meu casamento seria assim, tão grandioso. Mas, deve ser porque mereço...*

— Adormeceu, ainda pensando no vestido e na festa. No dia seguinte, continuaram a maratona de compras. Com a sua presença sempre constante, Maria Rita, compraram todo o enxoval, desde pano de prato até toalhas de banho, lençóis, fronhas, cobertores e colchas. O dia do casamento chegou. Sofia estava nervosa e ansiosa. Nadir ficou ao seu lado o tempo todo, tentando fazer com que ela se acalmasse, embora soubesse que era uma coisa quase impossível. A festa foi grandiosa e pessoas e políticos importantes da cidade e de outras localidades compareceram. Sofia, como toda noiva, estava feliz com aquela festa grandiosa. Embora tivesse, ao longo de sua vida, sonhado com esse dia, nunca imaginou que seria tão maravilhoso. Mas, mesmo assim, não se sentia segura o bastante para conversar com as pessoas. Recebia os cumprimentos, sorria e se afastava. Tinha medo de falar alguma coisa que não fosse do agrado das pessoas. Sabia que Pedro Henrique a amava. Sabia que havia sido bem recebida por toda a sua família. Sabia que seria feliz ao seu lado, mas sentia-se diminuída e, como nunca aceitou sua condição de humilde e pobre, mesmo vivendo aquele momento de felicidade, sentia medo. Nadir estava feliz por ver a filha se transformando em uma dama da sociedade. Sabia que, com aquele casamento, Sofia teria tudo com o que sempre sonhou. Tinha certeza de que você faria de tudo para que ela fosse feliz.

— Eu também estava muito feliz, Gusmão. Aquele casamento era tudo o que mais queria naquele momento.

— Mesmo antes de a festa terminar, vocês despediram-se e foram para o Rio de Janeiro passar a lua-de-mel. Você já conhecia a cidade, mas Sofia não, e era um de seus sonhos. Quando ela falou de sua vontade, você, sorrindo, disse:

— *É uma vontade sua, pois será a primeira de muitas que vou realizar. Só quero que seja feliz.*

— Eu, naquele tempo e durante toda a nossa vida juntos, sempre fiz todas as suas vontades. Queria realmente fazê-la feliz. Ir para o Rio de Janeiro era o mínimo que poderia fazer. Lembro-me de como ela exultou de felicidade e como me beijou carinhosamente.

— Isso é verdade, ela estava realmente muito feliz e essa felicidade duraria para sempre se ela, apesar de saber o quanto você gostava dela, não confiasse o bastante nesse amor.

— Por que está dizendo isso, Gusmão? Que mais aconteceu que eu não fiquei sabendo?

— Muita coisa, Pedro Henrique... muita coisa.., mas deixemos para depois. Neste momento, estamos aqui para tentar fazer com que ela não cometa mais um erro. Vamos aguardar.

Muito mais do que um sonho

ofia, enquanto pensava, ficava nervosa com a demora em chegar à casa do homem. Ela balançava a cabeça, tentando afastar os pensamentos, mas não conseguia. Stela também estava ficando cansada e nervosa, pois, quando aceitou acompanhar Sofia, não pensou que a casa ficasse tão longe. Além disso, não imaginou que teria de passar por uma estrada como aquela, o que tornava a viagem mais demorada. Mesmo assim, não haveria mais volta, deviam estar chegando. Gusmão continuou falando:

— Vocês ficaram viajando por mais de um mês. A lua-de-mel foi maravilhosa. Você, Pedro Henrique, sempre carinhoso, parecia que adivinhava todos os desejos de Sofia. Quando lhe mostrou o Pão-de-Açúcar e disse que tomariam aquele bondinho que, no momento, passava por sobre suas cabeças, ela ficou com medo e disse que não queria ir, mas você a convenceu e foram para a estação. Quando o bondinho começou a subir, ela segurou firme no seu braço, mas, aos poucos, foi se encantando com a beleza que se deslumbrava e foi se soltando. Em poucos minutos, olhava para aquela paisagem linda e ria de satisfação. Foram ao Corcovado e, outra vez, ela se encantou. Para ela, que nunca havia saído daquela cidade em que nasceu e o lugar mais longe a que tinha ido era o centro da cidade, tudo aquilo era um deslumbramento. Ficou mais encantada ainda, quando viu o mar e entrou nele. Aquela água salgada batendo em seu corpo a fazia rir como se fosse uma criança. Tudo estava perfeito. Ela não parava para pensar em tudo o que estava acontecendo em sua vida e quase não se lembrava mais daquela menina pobre que havia sido até então. Chegaram à cidade e foram para a sua casa, Maria Rita. Você sabia que eles chegariam naquele dia, por isso mandou preparar um almoço bem do gosto de Pedro Henrique. Eles chegaram cansados da viagem, mas felizes. Você, Maria Rita, perguntou como havia sido a viagem e os dois, falando quase ao mesmo tempo, foram contando tudo. Durante o almoço, você, Pedro Henrique deu ao seu pai um cachimbo com cabo em marfim que havia comprado para ele. Sofia deu à Maria Rita algumas miniaturas do Corcovado e do Pão-de-Açúcar que havia comprado para ela. Ficaram o tempo todo falando sobre a viagem. Depois do almoço, mostraram todas as fotografias que haviam tirado. Quando estavam se despedindo, você, Maria Rita, disse:

— *Pedro Henrique, vou organizar um almoço no domingo, assim, suas irmãs poderão vir. Elas e as crianças estão morrendo de saudade e, também, querendo saber como foi a viagem. Convide seus pais, Sofia.*

— *Obrigada, dona Maria Rita, vou convidar, mas não sei se eles vão querer vir. A senhora sabe como eles são...*

— *Sei, sim. No começo é assim, para mim também foi difícil fazer com que a minha família começasse a freqüentar a nossa casa. Mas, com o tempo, e com muita paciência, você vai conseguir fazê-los entender que, agora, eles fazem parte da nossa família e que serão sempre bem-vindos à nossa casa. Tente, Sofia, verá que logo estaremos todos juntos almoçando em uma mesma mesa.*

— *Vou tentar...*

— Lembro-me desse dia e aceitei o que Sofia disse, pois, realmente, havia passado por aquilo e, talvez, por isso, não tenha dado tanta importância. Sabia que seria só uma questão de tempo.

— Você pensava assim, mas Sofia não. Pensava exatamente o contrário. Despediram-se e foram para a casa na fazenda, que ficava distante mais ou menos quarenta minutos da cidade. Por ser longe da cidade, a estrada que levava até ela era de terra, por isso Pedro Henrique ia sempre a cavalo. Agora que Sofia também teria de ir, eles foram em uma jipe. Quando chegaram, já estava quase anoitecendo. Estavam cansados e sujos da poeira da estrada. Sofia entrou naquela casa que, daquele dia em diante, seria sua. Já tinha estado lá muitas vezes, mas só naquele momento olhou tudo mais detalhadamente. Por ser recém-construída, os móveis e a decoração eram todos novos e de muito bom gosto. Quem escolheu tudo foi você, Maria Rita. A casa era enorme. Fora construída para a sua família, Maria Rita, por isso tinha oito quartos. Um para você e José Antônio, outros três para cada uma das suas filhas e seus maridos, dois para as crianças, um para Pedro Henrique e o outro para hóspedes. Sofia caminhou por todos os compartimentos da casa. A cada quarto em que entrava, ia se encantando com o tamanho e a decoração. Ao entrar naquele que seria o seu, parou à porta e ficou olhando. Durante a viagem, você havia mandado decorá-lo. Aquele que seria um quarto de solteiro se transformou em um lindo quarto de casal, digno de uma noiva. Sofia ficou sem saber o que dizer. Pedro Henrique, que estava ao seu lado, começou a rir e disse:

— *Este é o nosso quarto, Sofia. Gostou?*

— Ela, quase sem conseguir falar, respondeu com a voz entrecortada pela emoção.

— *É lindo, Pedro Henrique...*

— *Não mais do que você. Minha mãe me perguntou se podia decorar o quarto, eu disse que sim. Sei que ela tem muito bom gosto, mas, confesso que até eu estou abismado. Está realmente muito bonito.*

— *Bonito? Está maravilhoso! Sua mãe é também uma mulher maravilhosa!*

— *É, sim, a melhor mãe do mundo. Mas, agora, vamos tomar um banho e tirar toda essa poeira do corpo. Depois vamos jantar. Estou morrendo de fome.*

— *Jantar? É mesmo preciso fazer o jantar. Será que sua mãe fez compras de mantimentos? Deve ter feito. Ela pensa em tudo. Enquanto você toma banho, vou começar a preparar a comida. Depois, enquanto as panelas ficam no fogo, vou também tomar banho.*

— Você sorriu e disse:

— *Você ainda não visitou todas as dependências da casa, falta a cozinha. Se quiser começar a preparar o jantar, é melhor ir até lá.*

— Ela começou a rir:

— *Está bem, vou até lá e vou começar o jantar. Vá*
para o banheiro.

— Você beijou-a. Ela saiu rindo. Quando estava se
aproximando, sentiu cheiro de comida, que, por sinal, estava
muito bom. Entrou na cozinha e uma mulher sorridente disse:

— *Boa-noite, senhora. O jantar está quase pronto.*
Espero que goste do meu tempero.

— Sofia, com a boca aberta, ficou parada à porta. Sentiu
braços em seus ombros, se voltou e Ricardo disse:

— *Esta é a Delzira, ela é mulher de um dos emprega-*
dos da fazenda. Eles moram em uma das casas que manda-
mos construir para os empregados. Ela vai cuidar da cozi-
nha e da nossa alimentação.

— Sofia olhou para aquela mulher, que sorria. Ficou sem
poder falar por alguns segundos, depois, disse:

— *Muito prazer, Delzira. Tenho certeza de que vou*
gostar muito da sua comida.

— Estavam ali, quando, pela porta, entrou uma outra
mulher, que ao ver vocês, se assustou e tentou sair novamente,
mas você disse:

— *Não precisa se assustar, Noélia, não vamos comer*
você. Sofia, esta é Noélia. Ela e Delzira cuidarão da casa
e de tudo por aqui.

— Sofia olhou para ela e sorriu. Não sabia o que fazer,
pois, durante toda sua vida foi quem cuidou da casa e da
alimentação de sua família. Não conseguia acreditar que, dali
para a frente, teria quem cuidasse dela e de tudo. Emocionada
não conseguiu falar, apenas sorriu. Você, ao perceber que ela
estava emocionada, disse;

— *Agora, enquanto elas terminam o jantar, vamos*
tomar o nosso banho.

— Saíram abraçados. Jantaram e não tiveram o que reclamar. A comida estava realmente muito boa. Após o jantar,
foram para a varanda que rodeava toda a casa. Em frente à
porta da sala, havia duas poltronas em vime. Uma maior e a
outra, menor. Abraçados, sentaram-se na maior. Sofia colocou
a cabeça sobre as suas pernas e ficaram olhando para o céu.

Estava uma noite linda, fresca e com um luar que convidava ao romance. O céu, muito estrelado, tanto que parecia que uma estrela estava a dois centímetros da outra. Sofia fechou os olhos e ficou se lembrando de como era sua vida até ter conhecido você e no que ela se transformara. Você, acariciando seus cabelos, disse;

— *Espero que você seja muito feliz aqui, Sofia, mas se alguma coisa a incomodar, basta só me dizer.*

— *Estou e sei que vou ser feliz aqui, Pedro Henrique. Eu amo você, isso é o que me dá a certeza de que vou ser feliz.*

— *Você beijou seus cabelos.*

— *Também amo você... agora, não acha que está na hora de irmos dormir?*

— *Queria ficar mais um pouco de tempo aqui, Pedro Henrique. Pode ir, daqui a pouco vou também.*

— *Estou cansado. Amanhã preciso acordar cedo. Tenho muito trabalho a fazer. As férias terminaram.*

—Você se levantou, deu um beijo em sua testa e entrou em casa. Sofia continuou ali, sentada, olhando para o céu e para as estrelas. Seu coração estava feliz. Eu e Matilde, embora não pudéssemos ser vistos, estávamos lá. Matilde disse:

— Apesar de Sofia ter mudado o planejado, está tudo caminhando bem, Gusmão. Eles se encontraram e embora Sofia tenha escolhido Pedro Henrique, desta vez, também está tendo toda a oportunidade de se redimir. Espero que ela consiga.

— Também espero, Matilde, também espero...

— Sofia, sem imaginar que nós estávamos ali, levantou-se e encostou-se na grade que separava a varanda do quintal. Olhou ao longe e viu uma luz, muito fraca, acesa. Sabia que aquela era a sua casa, onde seus pais e irmão, naquele momento, deveriam estar dormindo. Pensou: *dona Maria Rita quer que eu os convide para o almoço em família, mas como posso fazer isso? Eles não sabem se comportar, nunca viram uma mesa daquele tamanho e com tudo colocado em seu lugar. Já imaginou o que vão fazer quando virem* todos aqueles copos e talheres? Eu mesma me confundo e só começo a comer quando todos já estão comendo. Eu tenho esse cuidado, pois não quero parecer um bicho do mato, mas eles não vão se preocupar com isso. Também sei que dona Maria Rita não está preocupada em unir nossas famílias. O que ela quer mesmo é me humilhar. Ela pensa que não sei o que ela quer desde quando me viu? Quer que Pedro Henrique descubra que eu não presto pra ele! Por isso vem com todo aquele carinho e toda aquela bondade! Tudo mentira, não pode existir alguém tão bom assim! Ela, desde que me conheceu, sabendo que eu era humilde e pobre, tomou conta de tudo! Foi ela quem escolheu meu vestido o meu enxoval e como e onde seria a festa. Decorou o meu quarto. Colocou comida na minha dispensa e até contratou as empregadas! Acha, mesmo, que eu não tenho capacidade!

— Matilde olhou para mim e, com a voz triste, disse:

— *Gusmão, parece que tudo vai se repetir...*

— *Esperemos que não, Matilde. Isso é um pensamento de momento.*

— Matilde elevou a sua mão e estendeu-a sobre a cabeça de Sofia que, imediatamente, pensou: *bem, o meu vestido não, ela não quis escolher, deixou que eu escolhesse e, pensando bem, o resto também. Acho que ela não é tão ruim assim. Só muito preocupada com os filhos. Por isso mesmo, não deve estar contente com a escolha de Pedro Henrique. Mas, agora, não adianta pensar, Pedro Henrique está no quarto me esperando.*

— Sofia respirou fundo, olhou mais uma vez para sua casa e para o céu e entrou. Quando ela entrou no quarto, Pedro Henrique a recebeu com um sorriso. Ela se deitou e tiveram uma noite de amor. Olhei para Matilde, sorri e disse:

— *Desta vez, Matilde, acho que conseguiremos fazer com que ela aja diferente.*

— *Espero que sim, mas sabe muito bem que só podemos intuir bons pensamentos, não podemos interferir nas suas decisões.*

— Ela estava totalmente errada, Gusmão! Eu a recebi com carinho e gostei dela desde a primeira vez que a vi. Sabia que meu filho gostava dela e só queria a sua felicidade. Nunca pensei que, ao ajudá-la a escolher o vestido de noiva, cuidar da festa e da decoração tivesse causado essa impressão — Maria Rita disse, com a voz triste.

— Não precisa ficar triste, Maria Rita, você fez o que achou ser o certo. Sofia é quem era insegura, por isso precisava achar um culpado para seu possível fracasso no casamento. Mas, como sabemos, nada disso aconteceu. Ela e Pedro Henrique continuaram casados por muito tempo. Em parte, ela conseguiu se livrar daquela insegurança.

— Realmente, isso aconteceu. Neste momento, vamos torcer para que tudo caminhe como o combinado. Quando ela entrou em minha família, foi recebida como uma filha e irmã.

— Sim, como acontece com todos os espíritos encarnados ou não, quando o caminho está certo, todas as oportunidades são dadas.

— Ao contrário, aprendi que se o caminho está errado, por mais que se faça, nada dá certo. Se todos soubessem disso, não insistiriam e escolheriam outro caminho, não é, Gusmão?

— Talvez, mas o importante é o aprendizado que se adquire com os acertos e erros. Essa é a razão principal da vida de um espírito. O aprendizado...

— É tudo muito complicado, Gusmão...

— Não é, não, Maria Rita, é tudo muito simples. O espírito é quem complica.

— Por que está dizendo isso?

— A vida será como o planejado. No final, embora o caminho possa ser desviado, tudo voltará ao rumo. O que sempre estragou e ainda estraga é a ansiedade, a falta de fé na bondade de Deus que nunca abandona seus filhos. Todos, independentes de religião, raça ou condição social têm sempre espíritos amigos ao seu lado. Basta apenas confiar.

Pedro Henrique começou a rir. Gusmão estranhou e perguntou:

— Por que está rindo, Pedro Henrique?

— Desculpe, Gusmão, mas ao ouvi-lo falando assim, só posso pensar que esse entendimento só é adquirido depois da morte, pois quando estamos encarnados e nos momentos de dificuldade, jamais teremos tempo para pensarmos assim. A vida, muitas vezes, se torna muito difícil e é quase impossível acreditar no que está dizendo.

— Tem razão, isso acontece muitas vezes, mas, se prestar atenção, verá que tenho razão e que, no final, tudo sempre dará certo, Pedro Henrique, basta se ter paciência e a certeza de que o nosso Criador não nos abandona nunca.

Pedro Henrique se calou e ficou refletindo sobre o que Gusmão havia dito.

Sofia e Stela continuavam na estradinha repleta de buracos.

Discriminação

Stela estava cada vez mais nervosa e arrependida por haver aceitado o convite, mas ficou calada. Sabia que não podia nem devia afrontar Sofia. Anita tentou se impor e tornara-se inimiga e alvo principal do ódio dela. Estava dirigindo quando, na estrada, diante delas, apareceu um pedaço completamente tomado por água. Stela parou e disse:

— Nesse pedaço tem muita água, o que vamos fazer?

Sofia, assim como ela, estava nervosa, mas sua vontade de chegar logo e resolver o assunto fez com que respondesse:

— Não podemos ficar parada, Stela. Atravesse.

— Se houver um buraco e o carro encalhar?

— Isso não vai acontecer. De qualquer maneira, precisamos continuar, não podemos fazer outra coisa. Atravesse, Stela!

— A senhora tem certeza? Não seria melhor esperarmos alguém que conheça a estrada ou que passe primeiro para vermos se não há problema?

— Nada disso! Você não viu quanto tempo tivemos de esperar até que alguém chegasse e nos ajudasse a trocar o pneu? Não podemos esperar mais, estamos muito atrasadas!

Stela, sabendo que não havia outra coisa a fazer, colocou o carro na primeira marcha e entrou na água. O carro começou a andar, mas logo depois de passar a primeira roda, encalhou. Stela se desesperou, acelerou com mais força, o carro derrapou e afundou mais no buraco. Ela, depois de tentar muito, desligou o carro e disse:

— Não tem jeito, dona Sofia, não vamos conseguir passar. Se eu tentar mais, o carro vai atolar sempre mais. O que vamos fazer?

— Não sei, Stela! Só sei que não podemos ficar paradas! Você precisa sair desse buraco!

— Não tem como, dona Sofia! Se eu tentar mais, vai ficar pior!

— Precisa tentar!

Stela estava muito nervosa e arrependida de ter acompanhado Sofia. Quase gritando, disse:

— Que coisa, parece que alguém está querendo impedir que cheguemos à casa do tal homem! Não será melhor, assim que conseguirmos sair deste buraco, voltar, dona Sofia?

Pedro Henrique e Maria Rita olharam para Gusmão que sorriu e disse:

— Stela tem toda razão. Alguém está tentando fazê-las voltar. Estão no caminho errado. Isso sempre acontece, mas é difícil entendermos.

— Não estou entendendo, Gusmão.

— Neste momento, está acontecendo com elas aquilo que eu havia dito. Nesta viagem, por estarem no rumo errado, muita coisa aconteceu e talvez ainda aconteça. Sofia não deve fazer o que está pretendendo. Como Deus nunca nos abandona, está colocando alguns empecilhos em seu caminho para que pare o que está fazendo e reflita. Isso sempre acontece em muitas ocasiões. Ela deveria parar, refletir no que está fazendo e mudar de atitude. É assim que o plano espiritual trabalha.

— Deixando a pessoa desesperada, sem saber o que fazer ou que caminho tomar? Isso não é justo, por que não é mostrado o caminho certo, Gusmão!

— Está se esquecendo do livre-arbítrio, da lei da escolha? Sofia não tinha o direito de interferir na vida do filho. Ela, se não fosse o orgulho e o ódio que sente por Anita, deveria deixar que vivessem em paz. Está fazendo esta viagem com a intenção de praticar o mal.

— Neste caso, você tem razão, mas, há outros, quando o desejo não é de fazer o mal, mas simplesmente de se conseguir algo na vida. Um trabalho, um negócio, enfim, um modo de sobreviver. Por que o caminho não é mostrado? Se isso acontecesse, muito sofrimento e desespero seriam evitados....

— No momento em que as coisas começam a não dar certo, é hora de parar, refletir no que está fazendo e, com certeza, se entenderá o que está errado e, assim, pode-se mudar. Se a mudança for a certa, tudo começará a caminhar e não haverá empecilho algum. Esse é o único caminho que se tem para seguir. Se estiver perdido em algum lugar e começar a andar sem rumo, vai rodar, rodar e voltar sempre ao mesmo lugar. Só vai conseguir encontrar o caminho se parar, olhar à volta com atenção. Assim acontece com a vida.

— Isso é fácil de dizer, mas quando os problemas são muitos, não se consegue pensar com clareza e muito menos parar.

— Por isso, é preciso deixar a ansiedade de lado, acreditar em Deus e caminhar. A vida sempre vai dar toda a oportunidade para se encontrar o caminho, o resto deverá ser feito pelo indivíduo. É preciso aprender a confiar...

— Continuo dizendo que é muito difícil, Gusmão...

— Difícil, sim, Pedro Henrique, mas não impossível. Por mais que demore, sempre o caminho será encontrado.

— O que vai acontecer agora com Sofia e Stela?

— Terão de ficar um bom tempo aqui, paradas. O tempo suficiente para que reflitam no que estão fazendo e, se Deus quiser, quando forem tiradas desse buraco, retornem e não façam o que estão pretendendo.

— Acha que isso pode acontecer? Sabe que Sofia sempre foi muito determinada.

— É mais uma chance que está tendo. Está acontecendo o que lhe disse. Existe um ditado muito antigo que diz: "A vida, quando o caminho está errado, coloca empecilhos, mas quando está certo, faz com que tudo dê certo, mas sempre respeitando o livre-arbítrio de cada um". Nada mais podemos fazer a não ser que ela mesma decida. Está tendo um tempo para refletir. Vamos esperar, pois aconteça o que acontecer, como diz o ditado, a vida ensina.

Stela olhou para fora e viu que a água estava no meio do pneu. Disse:

— Dona Sofia, não podemos descer, a água está no meio do pneu. Precisamos ficar aqui dentro.

Sofia, irritadíssima, disse:

— Já percebi isso, o que vamos fazer, Stela?

— Nada temos para fazer a não ser esperar que alguém apareça e nos ajude a sair daqui.

— Não sei, dona Sofia. A senhora sabe que não sou muito religiosa, mas estou impressionada com tudo o que está acontecendo. Será que Deus não está nos mostrando algo? Não está tentando nos mostrar que será melhor, assim que alguém nos ajudar, voltar para casa?

— Nada do que está acontecendo estava em meus planos e isso me deixa muito irritada! Sempre conduzi minha vida como quis e nunca permiti que nada me afastasse de meus planos. Esses incidentes de hoje não vão fazer com que mude de idéia! Nem que seja meia-noite, vou chegar à casa do homem e fazer o que tem de ser feito!

Stela, conhecendo Sofia, se calou. Olhou para trás e no banco havia alguns livros. Pegou um deles e disse:

— Já que temos de esperar, vou ver se consigo terminar de ler este livro. Ele é muito interessante e já estou quase no fim. Se a senhora quiser ler, tem mais alguns e todos são muito bons.

Dizendo isso, abriu o livro na página que estava marcada e começou a ler. Sofia olhou para os livros, escolheu um e começou a ler também, mas logo nas primeiras páginas percebeu que não estava conseguindo acompanhar a leitura. Seu pensamento, ainda pela influência de Gusmão, continuou voltado para o passado. Gusmão e outros que acompanhavam todos os seus movimentos olharam para elas, sorriram. Gusmão disse:

— Agora posso continuar, pois elas ficarão aqui, paradas, por um bom tempo. No dia seguinte, após aquela primeira noite que passaram na casa nova, você, Pedro Henrique, acordou cedo. Olhou para o lado e viu que Sofia dormia profundamente. Sorriu, se levantou e saiu, bem devagar, do quarto. Ela, embora parecesse estar dormindo, ouviu você saindo, mas estava com muito sono, virou-se na cama e voltou a dormir. Você foi para a sala, onde a mesa do café já estava servida. Tomou seu café e foi se encontrar com Josias, o capataz da fazenda. Uma hora depois, Sofia acordou. O quarto estava escuro. Ela olhou para o relógio que estava sobre o criado-mudo e espantou-se ao ver que eram quase nove horas da manhã. Sentou-se na cama e pensou, assustada: *Nossa, são quase nove horas! Como dormi! Sempre acordei muito cedo para poder cuidar de tudo lá em casa. Definitivamente, minha vida mudou muito. Ainda bem que foi para melhor.*

— Levantou-se, trocou-se e saiu do quarto. Quando chegou, percebeu que a mesa estava colocada, mas, mesmo assim, foi para a cozinha. Viu Delzira junto ao fogão.

— *Bom-dia, Delzira.*

— Delzira se voltou e, ao ver Sofia, sorriu e disse:

— *Bom-dia, senhora. Pode se sentar lá na sala, já vou levar o café.*

— Sofia começou a rir. Delzira, sem entender, perguntou:

— *Por que a senhora está rindo?*

— Sofia queria responder, mas não conseguia. Delzira, ainda sem entender, continuou olhando para ela, que, depois de algum tempo, parou de rir e disse:

— *É disso que estou rindo. Uma senhora da sua idade me chamando de senhora. Como pode?*

— *Ah, é disso. A senhora é a mulher do patrão e dona da casa...*

— *Sei que deve ser assim, mas, para mim, é muito estranho...*

— Delzira, calada, ficou olhando para ela sem saber o que dizer. Saber ela sabia, mas não tinha como falar, apenas pensou: *tem razão, é ainda uma menina e já é dona de tudo por aqui e muito mais. Eta menina de sorte...*

— Sofia saiu da cozinha e foi para a sala. Sentou-se e ficou esperando que Delzira trouxesse café e leite, pois os pães e bolos já estavam sobre a mesa. Delzira entrou logo em seguida e colocou o que faltava sobre a mesa, depois saiu. Sofia, enquanto comia, pensava: *é muito estranho tudo o que está acontecendo. Ainda não consigo acreditar que sou, realmente, a dona de tudo. Pensar que, há pouco tempo, eu vivia em toda aquela pobreza. Tenho, mesmo, uma grande sorte...*

— Terminou de tomar o café, saiu para a varanda e ficou olhando a imensa paisagem. Até onde podia ver, tudo pertencia à fazenda e, portanto, a ela. Caminhou pela varanda e logo estava do outro lado, de onde podia ver a sua casa. Ficou olhando para aquela que, durante tanto tempo, havia lhe servido como abrigo. Pequena, simples, muito diferente da sua, agora: *eles devem estar na lavoura...que vida é essa que levam. Ainda bem que a minha mudou. Dona Maria Rita quer que eu convide todos para o almoço, mas como posso fazer isso? Eles, com certeza, vão me envergonhar. Preciso ir até lá para conversar com minha mãe. Ela deve estar curiosa para saber como foi a viagem. Vou até lá, mas não direi nada sobre o almoço. Agora, a minha vida mudou e eu não posso me arriscar a pôr tudo a perder por causa deles. Eles não podem fazer parte das minhas amizades, agora sou uma outra pessoa.*

— Entrou em casa. Pegou um dos chapéus que havia comprado na viagem, colocou na cabeça e foi até a cozinha. Entrou, dizendo:

— *Delzira, vou para a minha casa, se o Pedro Henrique chegar, diga a ele.*

— *Está bem, senhora.*

— Ela saiu, montou em um cavalo que Pedro Henrique havia lhe dado e cavalgou em direção à casa de seus pais. Como previra, a casa estava vazia, mas não trancada. Entrou e ficou olhando tudo. Foi até o seu antigo quarto, olhou e saiu. Tudo aquilo, para ela, agora era passado. Saiu e foi até a roça, onde sabia que seu pai e sua mãe estavam. Gustavo, naquela hora, devia estar na escola. Seus pais, assim que a viram chegando, correram para encontrá-la. Abraçaram-se e Nadir, abraçada a ela, foi para casa. Romeu ficou olhando até que desaparecessem e voltou para o seu trabalho. Assim que chegaram à cozinha, Nadir começou a preparar o almoço e a fazer perguntas sobre a viagem.

— *Vou preparar um suco. Sofia, você precisa me contar tudo, como foi a viagem e os lugares que viu. Pode imaginar como estou curiosa. Eu, que nunca saí daqui.*

— *Está bem, mãe, foi para isso que vim.*

— Nadir pegou uma jarra e a encheu com o suco de laranja que havia espremido. Sofia começou a contar. Falou sobre a viagem e sobre os lugares que conheceu. Terminou, dizendo:

— *O Rio de Janeiro é muito bonito. Por mais que eu tente dizer como é, não consigo, mãe. Tem umas montanhas lindas... e o mar! É lindo! Eu não sabia que a água era salgada. Adorei tudo!*

— *Você vai levar a gente pra conhecer tudo isso, Sofia?*

— Ela demorou um pouco para responder, depois, disse:

— *Claro que vou! Quero que a senhora, o pai e Gustavo conheçam tudo o que vi. Mas, agora, preciso ir. O Pedro Henrique deve estar chegando para o almoço. Depois eu volto.*

— Montou no cavalo novamente, abanou a mão e se afastou. Enquanto cavalgava, ia pensando: *nunca percebi como eles são ignorantes. Não sabem conversar. Como posso deixar que participem da minha nova vida? Não tem como. Vou tentar ajudar de alguma maneira, mas não convivendo com eles. Agora sou outra pessoa. Minha vida mudou e a vida que tive aqui, ao lado deles, ficou para trás e preciso esquecer...*

— O domingo chegou. — continuou Gusmão — Bem cedo, você, Pedro Henrique, e Sofia foram para a cidade, montados em cavalos. Ela adorava cavalgar. Quando estavam saindo da propriedade, encontraram Romeu que vinha do outro lado, montado em um cavalo e que, assim que os viu, parou e disse:

— *Bons-dias! Estão indo passear?*

— *Bom-dia, seu Romeu! Estamos indo almoçar na casa dos meus pais. Minha mãe convidou o senhor e sua família para irem também. Sofia não lhes disse?*

— Romeu olhou para Sofia e viu, em seus olhos, desespero. No mesmo instante, percebeu o que estava acontecendo. Sorriu e respondeu:

— *Ela disse, sim, mas a gente não quis ir. Sabe como é, moço, a gente tem muito trabalho, a família é grande,* não dá pra ir, não. Peça desculpa pra sua mãe. Um outro dia, a gente vai.

— Está bem, seu Romeu, mas não esqueça que a nossa família, agora, é uma só. Minha mãe ficará muito feliz em recebê-los.

— Obrigado, a gente vai sim. Até mais.

— Você sorriu, acenou com o braço e colocou o cavalo em movimento. Sofia olhou para o pai e, calada, também colocou seu cavalo em movimento. Foram para a cidade. Romeu os acompanhou, com os olhos, até que sumissem na estrada. Enquanto olhava, pensava: *por que ela não disse que dona Maria Rita tinha convidado a gente pro almoço? Não sei... essa menina mudou muito...*

— Ainda intrigado, foi para casa. Nadir, assim que o viu chegar, foi ao seu encontro.

— *Romeu, estive pensando, vou pegar duas galinhas e fazer um almoço bem bom. Acho que vou mandar um dos meninos chamar a Sofia e o Pedro Henrique.*

— *Não, Nadir.*

— *Não, por quê?*

— *Encontrei com eles agorinha mesmo. Eles estão indo pra cidade. Vão almoçar na casa da dona Maria Rita.* — disse, enquanto prendia o cavalo em uma árvore.

— *A Sofia não me disse que ia almoçar na cidade.*

— Romeu ficou calado por um tempo, só pensando: *não posso dizer pra ela que a Sofia não disse pra gente que dona Maria Rita queria que a gente fosse na casa dela. A Nadir, assim como eu, não vai entender. É melhor deixar pra lá...* — disse:

— *Quem sabe ela mesma não sabia, Nadir. O Pedro Henrique só deve ter avisado ontem à noite e não deu tempo. Mas, mesmo assim, está na hora de você fazer o almoço. Estou ficando com fome.*

— *É, deve de ter sido isso que aconteceu. Vou começar o almoço. Logo vai ficar pronto.*

— Eu me lembro desse dia, Gusmão. Não entendo por que Sofia pensava daquela maneira. Eu e minha família sabíamos que ela pertencia a uma família humilde. Nunca houve qualquer preconceito. Quando minha mãe os convidou, foi para que houvesse uma integração.

— Tem razão, meu filho. Sem saber o que Sofia pensava, pedi a ela que os convidasse várias vezes.

— Nunca podemos imaginar o que o outro pensa realmente. Já imaginou se isso fosse possível? Gusmão perguntou, rindo.

— Os outros também riram, pois, realmente, se todos os pensamentos pudessem ser ouvidos, o mundo se tornaria uma balburdia. Gusmão continuou:

— *Enquanto Nadir depenava as galinhas, pensava: será que foi isso mesmo que aconteceu? Será que a Sofia não teve tempo de avisar a gente ou será que a dona Maria Rita não quer a gente na casa dela? Acho que é isso mesmo... a gente é muito simples... já pensou, almoçar na casa do prefeito? Não ia dar certo, não. No outro dia, quando fomos pra tratar do casamento, foi difícil conseguir comer. Acho que eu ou o Romeu deve ter feito alguma coisa de errado e ela não quer mais a gente na casa dela. Que pena...eu queria tanto...*

— Romeu, depois de prender o cavalo, foi até a cozinha. Viu Nadir preparando o almoço. Viu, também, que ela estava pensativa. Pegou uma garrafa, um copo e voltou para o quintal. Abriu a garrafa, colocou um pouco de cachaça nele e começou a beber bem devagar e a pensar: *acho que a Sofia tem vergonha da gente. A dona Maria Rita não... ela disse que também era de família humilde e por isso entendia a nossa situação. Não, não foi ela, foi a Sofia mesmo quem não quis levar a gente. Não posso contar pra Nadir... ela não ia entender...*

— Continuou bebendo e pensando. Enquanto isso, Sofia cavalgava ao seu lado, Pedro Henrique. Cavalgavam em um passo lento. Você olhava, com orgulho, aquela imensidão de terra que pertencia à fazenda. Sofia ia pensando: *notei o olhar do meu pai. Será que ele percebeu que eu não quis que eles fossem para o almoço? Acho que não. Mas, se percebeu, sei que não vai entender. Eu sempre disse que, embora tenha nascido naquela casa, nunca senti que fazia parte de tudo aquilo. Sempre soube que, um dia, eu seria rica e poderosa. Toda essa terra, agora, é minha. Moro em uma casa maravilhosa, com todo conforto, e tenho ao meu lado um homem também maravilhoso. Não posso me deixar influenciar pelo sentimentalismo. Quero esquecer o tempo em que fui pobre. Em que podia ler só livros emprestados. Hoje, posso ter quantos livros eu quiser para ler. Não acredito que alguém que consegue sair da pobreza, queira lembrar desse tempo. Só mesmo a dona Maria Rita faz questão de não esquecer e fica dizendo, a toda hora, de como era sua vida, antes de conhecer o prefeito. Acho que ela fala isso só para me humilhar! Ela convidou a minha família para esse almoço, só para mostrar para os outros como eles são sem educação. Ela sabe que eles não sabem se comportar. Sei o que ela queria! Queria que todos vissem como eles são chucros, para, depois, quando a gente saísse, ela e os convidados morressem de rir às nossas custas! Mas isso eu não vou permitir! Ela pensa que é esperta, mas eu sou muito mais!*

Maria Rita, ao ouvir Gusmão dizer isso, ficou horrorizada e disse:

— Não posso acreditar que ela tenha pensado isso, Gusmão. Nunca passou pela minha cabeça humilhá-los. Queria realmente que as famílias se unissem. Queria que não houvesse empecilho algum para que meu filho fosse feliz...

— Sei disso. Sofia não sabia e nem sabe que você escolheu nascer alguém que a ajudaria na sua caminhada. Isso acontece muito, Maria Rita, nem sempre sabemos valorizar as pessoas que estão ao nosso lado.

— Tem razão, Gusmão. Quantas pessoas passaram por nossa vida e nos ajudaram, sem termos muita convivência ou até, nenhuma. Elas aparecem do nada, nos ajudam e, da mesma maneira que chegaram, desaparecem...

— Sim, Maria Rita, sabe que todos temos uma missão, mas, algumas vezes, por um pouco de tempo, nos afastamos dela, para ajudarmos alguém e retornamos em seguida. A maioria dá e recebe ajuda sem perceber e, por isso, não dá valor. Isso acontece com o espírito na sua caminhada de aprendizado.

Maria Rita sorriu, Gusmão continuou:

— Você, alheio a tudo o que Sofia pensava, disse:

— *Vamos apostar corrida, Sofia?*

— Sofia voltou de seus pensamentos e olhou para você. Sorriu, apertou as esporas e saiu cavalgando rapidamente. Você, também, feliz, tentou alcançá-la, mas não conseguiu. Ela havia sido criada no sítio e desde criança cavalgava. Você, ao contrário, quando criança, sempre morou na cidade e quando cresceu foi estudar fora. Vocês cavalgavam e riam. Sofia estava tendo uma vida que nunca pensou existir, por mais que tivesse imaginado e desejado. Ela tinha tudo para ser feliz e era.

— Eu também, nesse tempo, fui muito feliz, Gusmão.

Gusmão sorriu e continuou falando:

— Vocês continuaram cavalgando e rindo. Quando estavam chegando perto da cidade, pararam os cavalos, desceram e continuaram o caminho abraçados, cada um conduzindo, pelas rédeas, seu cavalo. Você beijava os cabelos de Sofia e a abraçava sempre com mais força. Quando chegaram a sua casa, Maria Rita, o almoço já estava pronto e as mesas, colocadas. Uma para os adultos e outra para as crianças. Assim que entraram, você perguntou:

— *Seus pais não vieram, Sofia?*

— Você foi quem respondeu, Pedro Henrique:

— *Eles não quiseram vir, mamãe. Sabe como é. O senhor Romeu disse que vai ficar para uma outra vez.*

— *É uma pena. Sei como eles se sentem. Não fique triste, Sofia. Com o tempo e com muita paciência, sei que vai conseguir convencê-los de que fazemos parte de uma mesma família e que serão sempre bem-vindos aqui em casa. Tenha fé, você vai conseguir.*

— Sofia ficou calada, apenas sorriu. Suas irmãs, Pedro Henrique, chegaram acompanhadas pelos maridos e pelos filhos. Em pouco tempo, aquela casa se tornou uma balbúrdia com todos falando ao mesmo tempo. Sofia observava cada gesto que faziam. Ficou, quase o tempo todo, calada. Tinha medo de dizer alguma palavra errada e, quando fosse embora, servir de chacota. Na hora da refeição, foi a mesma coisa. Ela só se servia depois dos outros, não queria cometer deslize algum. Suas irmãs fizeram um esforço tremendo para que ela fizesse parte da conversa, mas foi em vão, Sofia se limitava a dizer sim ou não. Você, Maria Rita, observava e, calada, pensava: *ela é igualzinha a mim quando tinha sua idade e quando, pela primeira vez, fui almoçar com a família de José Antônio. Sei muito bem o que está sentindo. Mas, com o tempo, entenderá e aceitará que faz parte de nossa família e que não há diferença alguma entre nós. Deixará de ter preconceito.*

— Era isso exatamente o que eu pensava, Gusmão. Que pena que não consegui convencê-la disso.

—Sofia foi sempre muito teimosa, por isso não se culpe. Ela teve a oportunidade, e ainda está tendo, de deixar todos esses sentimentos destrutivos. Vamos torcer para que, desta vez, consiga...

A mensagem

tela e Sofia continuavam dentro do carro, fingindo ler. Stela, embora estivesse gostando da leitura, assim como Sofia, não conseguia se concentrar, lia e relia sempre a mesma página. Estava exausta, irritada com Sofia por tê-la praticamente obrigado a acompanhá-la. Com o livro nas mãos, pensava: *eu não devia estar aqui, sei que dona Sofia, quando quer alguma coisa, consegue e, por isso, sempre procurei fazer tudo o que me pediu, mas agora, parada neste lugar perdido, estou tendo tempo para refletir no que me tornei. Sou a sua sombra, aquela que sempre obedece sem reclamar. Muita coisa já fiz contra minha vontade, somente para que ela não ficasse nervosa e não fizesse comigo o que tem feito com Anita, somente porque nunca conseguiu e sabe que não conseguirá dominá-la. Quando conheci o Maurício e ele me apresentou à sua família, de pronto percebi a influência que ela exercia junto ao marido e, principalmente, aos filhos. Achei melhor tê-la como amiga, por isso, me submeti, mas agora estou ficando cansada e isso não pode continuar. Esta é a última vez que a acompanho em seus desmandos. O que ela quer fazer com Anita e Ricardo, somente por um capricho, não é certo, penso até que todos esses problemas que estão aparecendo é para que ela tenha tempo de refletir, mas parece que não está adiantando. Parece que, a cada momento que passa, fica com mais raiva de Anita e com mais vontade de prejudicá-la. Não sei o que fazer para impedi-la, só sei que esta será a última vez!*

Sofia também fingia ler, porém, desde o início, não conseguia. E, como estava acontecendo desde quando acordou, pela manhã, pensava em como havia sido sua vida. Gusmão, olhando, primeiro para elas e depois, para os outros, continuou falando:

— O tempo foi passando. Sofia, aos poucos, foi se acostumando com sua nova vida. Sentia-se feliz por estar ao seu lado, Pedro Henrique, que fazia o impossível para que todos os seus desejos fossem atendidos. Ela gostava de se sentir dona de tudo aquilo e, principalmente, em ser servida. Não ia visitar sua família. Quem sempre vinha visitá-la era Nadir. Em uma manhã, Sofia caminhava pela varanda, olhando as flores que havia plantado, quando ouviu uma voz:

— *Olá, Sofia, parece que você está muito bem.*

— Ela se voltou e viu Nadir, que sorria, enquanto continuava falando:

— *Suas flores estão lindas!*

— *Estão mesmo, não é, mãe? Mas, o que traz a senhora até aqui?*

— *Desde aquele dia em que foi lá em casa, quando voltou da viagem, nunca mais voltou. Fiquei preocupada e queria saber como você está. O Pedro Henrique não quer deixar você ir lá em casa?*

— Sofia ficou olhando para sua mãe sem saber o que responder. Mas, até que aquela seria uma boa desculpa. Forçando um sorriso, respondeu:

— *Não é que ele não deixa, mãe, mas sei que não gosta que eu saia de casa, por isso eu evito. Não quero brigar com ele.*

— *Está certo, você não deve mesmo brigar com o seu marido, mas não é certo ele proibir você de visitar a sua família! Vou falar com ele!*

— *Não, mãe! A senhora não pode fazer isso! Eu disse que não quero brigar com meu marido e, se falar com ele, isso vai acontecer! Ele é um bom marido, gosta muito de mim, só tem um pouco de ciúmes. Sempre que puder, eu irei lá em casa e a senhora ou qualquer um poderá vir sempre que quiser. Mas não fale com o Pedro Henrique, por favor!*

— *Está bem, não vou falar, mas que não está certo, não está, Sofia.*

— Com o tempo, isso tudo vai passar, mãe. A senhora não quer beber um suco? Está muito quente.

— Quero sim. Posso entrar?

— Claro que pode. Vamos?

— Entraram. Nadir já tinha ido lá, mas só antes do casamento. Maria Rita providenciou tudo, ela não havia visto o quarto nem as cortinas da sala. Disse:

— As cortinas da sala estão bonitas, Sofia. Foi você quem escolheu?

— Não, quando voltei da viagem, estavam todas colocadas. Também foi dona Maria Rita quem decorou meu quarto. Venha ver como está bonito!

— Pegou a mãe pela mão e a levou até o quarto. Assim que abriu a porta, Nadir ficou parada, apenas olhando. Colocou a mão sobre a boca e, depois de alguns segundos, disse, abismada:

— Está muito lindo, Sofia! Nunca vi nem imaginei que pudesse existir um quarto assim! Olhe só a cama! Parece que é muito macia!

— É macia mesmo, mãe! Também nunca pude imaginar que, um dia, pudesse dormir em um quarto como esse e em uma cama como essa!

— Sofia, você disse que foi a dona Maria Rita que escolheu tudo?

— Foi mãe. Quando voltei da viagem, estava tudo assim.

— Você acha que está certo ela cuidar da sua vida assim?

— No começo, fiquei um pouco nervosa, mas, depois, entendi. Ela sabe que não sei decorar uma casa e só quis me ajudar.

— É, pensando bem, você tem razão. Não pode mesmo brigar com o seu marido... ele lhe deu coisas que nunca pude imaginar... ele não quer que você vá visitar a gente, não tem problema. O que importa é que você esteja feliz e, depois de tudo o que estou vendo, acho que isso está acontecendo. Você está feliz, não está minha filha?

— Estou, mãe. Ele é um marido maravilhoso, mas a senhora me conhece e sabe que eu gostaria muito mais de estar vivendo na cidade, mas, enfim, estou hoje muito melhor do que estive durante toda minha vida, não é?

— É, sim, Sofia. Não fique triste por ele não querer se misturar com a gente, sempre que eu sentir saudade, eu venho ver como você está. Eu queria tanto poder freqüentar a casa do prefeito, ir às festas... pensei que, quando você se casasse, eu ia poder fazer isso, mas, pelo visto, não vai dar. Estou triste, mas não tem importância. O que importa é que você está feliz e que seu marido, além de lhe dar tudo isso, ainda gosta de você.

— Ele gosta mesmo, mãe. Eu também gosto dele e estou muito feliz.

— É isso que importa, Sofia. Só a sua felicidade. Agora, vamos tomar o suco?

— Vamos, sim, mãe.

— Voltaram para a sala. Sofia chamou Noélia, pediu o suco e, em poucos minutos, ela voltou trazendo uma bandeja que colocou sobre uma mesinha. Sofia colocou o suco nos dois copos. Enquanto tomavam o suco, Nadir disse:

— Estou aqui imaginando uma coisa, Sofia.

— O quê, mãe?

— Por que será que Deus lhe deu tudo isso?

— Não entendi. Por que está dizendo isso, mãe?

— Não sei, só estou pensando. Como sua vida mudou tão de repente. Você, agora, é uma moça rica. Tem uma linda casa e até uma empregada que a serve. Logo você que, até pouco tempo, era quem fazia a comida e cuidava da casa... será que não existe um motivo maior? Será que você não tem que fazer alguma coisa em troca?

— Credo, mãe! Não estou gostando dessa conversa. Não sei por que minha vida mudou tanto. Também não quero saber, mas acho que se for pensar da maneira como a senhora está pensando, devo ter algum merecimento. Sempre fui uma pessoa boa, nunca desejei o mal pra ninguém...

— Tem razão, minha filha. Não sei por que disse isso...

— Ela não sabia, mas eu e Matilde estávamos lá e sabíamos. Matilde sorriu enquanto retirou a mão da garganta de Nadir. Assim que terminou de tomar o suco, Nadir se levantou, dizendo:

— *Agora preciso ir. Preciso fazer o almoço. Sabe como eles chegam morrendo de fome e se a comida não estiver pronta, seu pai vai brigar.*

— *Sei, sim e como sei...*

— Nadir beijou a filha e saiu andando em direção à sua casa. Sofia ficou olhando a mãe se afastar. Estava intrigada: *por que será que ela disse aquilo? Nunca parei para pensar nisso. Já sei, ela está com inveja da minha vida! Sei que sempre sonhou com uma vida melhor do que a que tem! Não vou me deixar levar por sua conversa! Se Deus me deu tudo isso é porque mereço ou porque nunca aceitei aquela vida que levava.*

— Eu olhei para Matilde, que, desanimada, balançou a cabeça, dizendo:

— *Vai ser mais difícil do que pensávamos, Gusmão. Ela, apesar do nosso esforço, insiste em não nos ouvir. Por enquanto, vamos embora, precisamos acompanhar a Nadir. Mais tarde, voltaremos e tentaremos novamente.*

— Foi o que fizemos. Nadir continuou andando, quando estava chegando em sua casa, olhou para trás, não podia ver Sofia, mas sabia que ela estava lá e feliz. Ela não imaginava que quem não queria ter contato com eles era Sofia e que tanto Pedro Henrique como sua mãe não tinham preconceito e pensavam justamente o contrário.

— Não consigo aceitar que vivi tanto tempo ao lado dela, sem imaginar que pensasse assim, Gusmão. Na realidade, nem eu nem minha família tínhamos preconceito. Quem estava tendo era Sofia.

Maria Rita balançou a cabeça, concordando com o filho. Gusmão disse:

— Isso acontece muito, Pedro Henrique. O preconceito está implícito no ser humano, mas Sofia não agia assim por preconceito, e sim pelo seu sentimento de inferioridade. Ela queria esquecer quem fora e a presença de sua família, na sua opinião, impedia que isso acontecesse. Matilde, através de Nadir, lhe enviou uma mensagem no sentido de que pensasse bem em tudo o que estava acontecendo em sua vida. A nossa intenção era de que ela, embora estivesse tendo tudo com o que sempre sonhou, não se afastasse daquela que, até agora, fora sua família, que não deixasse de ampará-la e que tentasse, de algum modo, retribuir tudo o que havia recebido das mãos de Deus. Contudo, como viram, ela não entendeu a mensagem e, olhando a mãe se afastar, pensou: *será que ela nunca vai entender que agora sou uma outra pessoa? Será que não vai entender que minha vida não tem mais nada a ver com a deles? Não sei, mas acho que, a qualquer momento, vou ter de dizer. Meu pai nunca veio aqui. Ele, naquela manhã, quando nos viu indo para a cidade, deve ter entendido. Tomara que minha mãe também entenda. Eu gosto deles, só que nunca se comportarão como se deve. Dona Maria Rita vive dizendo para eu levar todos para almoçar, mas eu sei que ela só quer humilhar a gente! Não acredito na bondade dela...*

— Estava tão distraída em seus pensamentos que não viu quando você chegou, se aproximou e abraçou-a por trás, perguntando:

— *Não é sua mãe que está indo ali, Sofia?*

— Ela se voltou para você e, enquanto o beijava no rosto, respondeu:

— *É sim. Ela veio me visitar.*

— *Que bom. Sei que sente falta deles. Falou do convite que minha mãe vive fazendo para irem lá em casa?*

— *Falei, mas ela disse que não quer ir. Ela acha que eles não saberiam se comportar na casa do prefeito.*

— *Que bobagem é essa? Lá não é a casa do prefeito, é a casa dos meus pais! Vocês todos, agora, fazem parte da minha família. Depois do almoço, vou até lá falar com ela e com seu pai. Eles precisam deixar essa besteira para lá, Sofia!*

— Ela estremeceu, não podia deixar que aquilo acontecesse. Forçando um sorriso, disse:

— *Por favor, não faça isso, Pedro Henrique! Eles iam se sentir mais humilhados ainda! Vamos dar tempo ao tempo. Sei que vou conseguir convencê-los. Sua mãe mesma disse que só precisamos ter paciência...*

— Você sorriu, beijou-a nos lábios e disse:

— *Tem razão. Vamos dar tempo ao tempo. Minha mãe sempre disse que demorou muito para que seus pais aceitassem a nova vida dela e que só aceitaram quando eu nasci. Ela diz que, quando minha avó me viu, se apaixonou e até se esqueceu de quem eu era filho!* — você disse, piscando um olho e rindo alto. Ela também riu, dizendo:

— *Você deve ter sido um neném lindo...*

— *Fui não, sou!*

— *Você é muito vaidoso! Agora vou até a cozinha ver como está o almoço.*

— *Faça isso, levantei muito cedo e estou com fome. Quando saí, você estava dormindo e não viu.*

— *Claro que vi. Só que estava com tanto sono...*

— Entraram abraçados. Enquanto iam para a cozinha, você perguntou:

— *Será que quando tivermos o nosso filho, sua mãe vai fazer igual à minha avó?*

— Ela estremeceu. Não queria um filho, pelo menos não naquele tempo, mas respondeu:

— *Não sei, acho que sim. O nosso filho vai ser lindo! Também, filho de quem é...*

— Você sorriu, apertou seu ombro com mais força. Entraram na cozinha.

— Ela era tão doce, Gusmão, por isso me custa muito acreditar que ela pensasse daquela maneira...

Gusmão novamente sorriu e entendendo o que Pedro Henrique estava sentindo, continuou:

— Nadir chegou a casa e foi diretamente para a cozinha. Estava atrasada com o almoço. Sabia que logo mais seu marido e Gustavo chegariam. Realmente, logo depois, chegaram. O almoço estava um pouco atrasado, o que fez com que Romeu perguntasse:

— *Atrasou o almoço, Nadir. Que aconteceu?*

— *É, atrasei, mas já está quase pronto. Fui à casa da fazenda visitar a Sofia.*

— *Por que fez isso?*

— Ela, estranhando o tom de voz do marido, perguntou:

— *Fui ver a minha filha! Por que está tão nervoso?*

— *Não estou nervoso. Só acho que você não devia ter ido lá.*

— *Por que não? Ela é minha filha!*

— *Quantas vezes ela veio aqui, depois do casamento? Somos a sua família, mas ela parece não se importar. Sua filha mudou, Nadir. Ela não quer mais saber da gente.*

— *Que bobagem você está dizendo, Romeu! Ela continua sendo a nossa filha, só que o Pedro Henrique não gosta que ela saia de casa e ela, pra não brigar com ele, obedece.*

— Romeu se lembrou do dia em que encontrou Sofia e Pedro Henrique indo para a cidade almoçar na casa de Maria Rita e como Sofia ficou, quando ele perguntou se ela havia convidado os pais para o almoço. Percebeu, naquele momento, que ela não queria unir as famílias. Não entendia o motivo, mas sabia que deveria ficar o mais longe possível dela. Pensou: *eu devia contar para Nadir o que aconteceu naquele dia, mas ela não vai acreditar. Parece que a Sofia encontrou uma boa desculpa pra manter a gente distante.*

— Nadir, nervosa por ele ter dito aquelas coisas da filha, disse:

— *Como pode dizer uma coisa dessa, Romeu. Ela é nossa filha! Fiquei tão feliz de ter ido lá. A casa dela é linda! O Pedro Henrique gosta muito dela! Quando eu estava lá, fiquei pensando. Você lembra o dia em que ela nasceu? A gente era tão jovem... eu tinha dezessete anos e você dezenove. A gente não entendia nada da vida.*

— *Claro que me lembro, Nadir. A gente se conheceu naquele baile que tinha todo fim de semana e se casou logo depois. Quando você me disse que estava esperando criança, fiquei assustado. A gente era muito pobre. Eu trabalhava como pedreiro e morávamos na casa da minha mãe. Eu não tinha como levar você pra um outro lugar.*

— *Eu também me assustei, mas também fiquei muito contente. Ainda bem que, naquele tempo, a gente morava na cidade. Foi muito difícil. Eu passei muito mal durante todo o tempo em que fiquei esperando por ela. Quantas vezes o médico disse que ela, talvez, não conseguisse nascer...*

— Mas ela nasceu, Nadir! Foi sempre uma menina muito doente. Quantas noites a gente passou cuidando dela, com medo de que morresse...

— Ela não morreu, Romeu. Foi sempre uma lutadora. Acho que tinha muita coisa pra fazer nesta Terra. Por isso Deus não levou ela. Agora, está aí, casada e muito bem. Morando em uma casa linda e tendo tudo o que jamais imaginou.

— Tem razão. Ela sempre foi uma lutadora. Mesmo quando não podia estudar porque precisava ajudar aqui em casa, pegava os livros emprestados e ainda ensinava o irmão.

— Está vendo, Romeu? Ela é muito boa e merece tudo o que está recebendo de Deus...

— Acho que você tem razão. Mas, agora, ela tem outra vida. A gente não faz mais parte do mundo dela. Deixe-a viver a vida dela e a gente vai continuar vivendo a nossa...

— Como você pode dizer isso? Ela está rica, mas ainda é nossa filha. Mesmo que o marido dela não queira que ela venha aqui em casa, eu vou sempre lá. Preciso ter certeza de que ela continua feliz.

— Romeu, sentindo-se impotente e não querendo contar o que havia acontecido para que a mulher não ficasse triste, se calou e perguntou:

— Está bem, mas esse almoço vai ficar pronto ou não?

— Está pronto, sim. Pode se sentar. Vou lá no quintal chamar o Gustavo. Ele deve estar trepado na árvore.

— Ele se sentou, ela saiu e voltou logo depois, acompanhada de Gustavo. Almoçaram.

Notícia inesperada

Sofia levantou os olhos do livro que tentava ler e viu à sua frente um cavalo se aproximando e, sobre ele, um homem. Disse, eufórica:

— Olhe lá, Stela, um homem está se aproximando.

Stela, ao ouvi-la, levantou os olhos e também viu o cavalo. Disse:

— Ainda bem, dona Sofia, mas ele está a cavalo, como vai poder nos ajudar?

— Não sei, mas já é alguma coisa. Se tiver uma corda, talvez o cavalo consiga nos tirar deste buraco.

— Vamos esperar que chegue. Só assim poderemos saber.

Depois de alguns minutos, o homem se aproximou, olhou a água que estava por todo lado, com cuidado entrou e fez o cavalo parar junto à janela do lado de Stela. Perguntou:

— Bom-dia, moça. Encalhou, *né*, moça?

Stela, embora morasse na cidade, havia sido criada na capital e não tinha muito contato com pessoas que moravam na área rural, por isso estranhou um pouco a maneira como ele falava. Olhou para Sofia e depois para o homem e respondeu:

— Bom-dia, não sei como isso foi acontecer, quando cheguei vi a água, fiquei com medo de entrar, temendo justamente isso, mas como precisamos continuar, arrisquei e parece que não deu certo. Será que o senhor pode nos ajudar?

— Acho que não, moça. Meu cavalo não vai conseguir puxar o carro. A única coisa que posso fazer é ir até a cidade e conseguir alguma ajuda. Meu compadre tem um jipe, vou ver se ele pode vir ajudar a senhora.

— Faça isso, por favor. Estamos ficando desesperadas.

O homem olhou para Sofia que também o olhava, sorriu, fez um movimento no cavalo que saiu andando. Sofia e Stela ficaram vendo-o se afastar.

Quando não conseguiam mais ver o homem, Sofia perguntou:

— Será que ele vai mesmo nos ajudar, Stela?

Gusmão levou a mão em direção à garganta de Stela que respondeu:

— Não sei, dona Sofia, mas por enquanto é a única esperança que temos. Quanto mais o tempo passa, mais estou arrependida de ter vindo com a senhora.

— Pois não devia estar! Estamos quase chegando, vamos até a casa do homem, depois voltamos.

— Ainda bem que disse ao Maurício que ia sair com a senhora e não sabia se voltaria para o almoço.

— Disse aonde íamos?

— Claro que não, dona Sofia. Ele não ia permitir. Sabe como gosta do irmão e de Anita. Ele sempre diz que eles se amam e que merecem a felicidade que demonstram.

— Maurício não sabe de nada! Não sei como ainda não desconfiou de como aquela mulher é dissimulada e mentirosa!

— Não sei, dona Sofia. Acho que a senhora tem raiva dela sem motivo. Ela nunca me fez nada que me levasse a pensar assim. Sabe que não temos uma grande convivência, mas todas as vezes que nos encontramos, ela sempre foi gentil e atenciosa, comigo e com as crianças.

— Você também, Stela? Não vai me dizer que gosta dela...

— Não gosto nem desgosto. Acho que, por sua causa, nunca me aproximei o suficiente para conhecê-la melhor.

— Você acha que poderia ser diferente? Claro que não! Já disse que ela é dissimulada. Pode ter certeza de que, enquanto sorri, está imaginando uma maneira de me ferir.

— Estou achando que isso já se transformou em paranóia, dona Sofia.

Gusmão sorriu e disse:

— Stela, com a nossa ajuda, está começando a enxergar o que tem feito de sua vida desde que começou a fazer tudo o que Sofia mandava. Esta viagem, apesar de ter começado com o intuito de prejudicar Anita, está se tornando uma fonte de aprendizado para as duas. Sofia acusa Anita daquilo que ela sempre foi, dissimulada e mentirosa. Como um dia fez um trabalho e, achando que ele foi o responsável por ter se casado com você e, por conseqüência, sua vida ter mudado de uma forma radical, sabe, acha e acredita que Anita tenha feito a mesma coisa. É igual àquele velho ditado: "quem usa, acusa". Ela sabe que, se teve coragem de fazer qualquer coisa para ter você, Anita também, se precisasse, faria o mesmo. Esperamos que, durante a viagem e antes que cheguem, mude de idéia.

— Acredita que isso possa acontecer, Gusmão? Parece que ela está mesmo determinada e que nada fará com que mude de idéia.

— Estamos aqui justamente para isso. Este é o nosso trabalho, Pedro Henrique.

— Essa mudança de pensamento de Stela está acontecendo porque estamos aqui, mas e, se não estivéssemos, acredita que o resultado seria o mesmo, Gusmão?

— O resultado não sei, mas a tentativa sim, Maria Rita, pois se não estivéssemos, outros estariam. Toda decisão, quando errada e que poderá trazer arrependimento, é sempre acompanhada pelo plano espiritual na tentativa de evitar um mal maior.

— Tomara que consigamos.

Sofia estava mais irritada ainda, pois começou a perceber que Stela estava mudando de atitude. Para evitar que mais palavras fossem ditas e que elas brigassem, voltou seu olhar para o livro. Stela percebeu e fez o mesmo. Sabia que não tinham mais o que conversar.

Sofia começou, novamente, a relembrar seu passado. Gusmão continuou contando:

— O tempo foi passando. Fazia quase um ano que vocês estavam casados. Ela, que sempre fora acostumada a uma vida de muito trabalho, aos poucos, foi ficando entediada com tudo aquilo. O deslumbramento inicial estava passando e ela já não achava a casa tão bonita e muito menos seu quarto. Passava o dia sem ter o que fazer a não ser ler, mas, até disso, já estava enjoada. Nadir vinha duas ou três vezes por semana visitar a filha, mas Sofia nunca mais voltou à sua casa antiga. Odiava tudo aquilo e, por isso, não queria nem chegar perto. Sempre se sentava em uma poltrona de vime que havia na varanda e pensava: *agora, sou uma outra pessoa, não pertenço mais àquele mundo! Se não fosse minha mãe vir tanto aqui, eu já teria esquecido. Poderia pedir ao Pedro Henrique que reformasse a casa. Sei que ele não se incomodaria, mas não posso fazer isso, minha mãe descobriria que não é ele quem não me deixa ir até lá e isso eu não quero! É melhor que as coisas continuem assim como estão.*

— Os almoços de domingo, na casa de Maria Rita, continuavam e sempre que Sofia estava lá, as irmãs de Pedro Henrique e você, Maria Rita, comentavam da última festa a que haviam comparecido, dos chás da tarde na companhia de outras senhoras e da nova roupa que haviam comprado. Sofia ouvia tudo e ficava pensando: *por que não posso ter a mesma vida que elas? Sou esposa de Pedro Henrique! Pertenço a esta família!*

— Pensava, mas não dizia. Sabia que você não era muito chegado a essas coisas. Era simples e gostava da vida na fazenda. Aos poucos, ela foi ficando triste e não achava mais graça em nada na fazenda. Dormia muito e não tinha ânimo para nada. Em uma manhã em que estava sentada na sua poltrona de vime, olhando para o horizonte, viu que sua mãe se aproximava. Novamente, sentiu aquele mal-estar que sempre sentia quando a mãe vinha visitá-la. Temia que ela o encontrasse, Pedro Henrique, e que você a recriminasse por não querer visitar sua mãe. Mas isso dificilmente aconteceria, pois Nadir só vinha no horário em que sabia que você estava trabalhando. Nadir se aproximou. Estava cansada, pois embora a sua casa não ficasse longe da casa de Sofia, era uma boa caminhada. Subiu os degraus da escada e sentou-se em outra poltrona ao lado da que Sofia estava sentada. Respirando fundo, disse:

— *Bom-dia, Sofia. Está tudo bem com você?*

— *Está, mãe. Tudo igual como estava no outro dia em que a senhora veio aqui...*

162

— Nossa, Sofia, que cara é essa? Que aconteceu? O Pedro Henrique a maltratou?

— Não, mãe! Claro que não! Ele é um marido perfeito! Perfeito até demais!

— Então, por que essa cara? Você tem tudo para ser feliz!

— Deveria ter, mas não tenho...

— Como não? Tem esta casa linda! Pessoas que a servem e acho que Pedro Henrique atende a todos os seus desejos. O que mais pode querer?

— Está certo que tenho, hoje, o que nunca imaginei, mas, agora que cheguei até aqui, queria e sei que posso realizar outros sonhos.

— Que sonhos? O que está lhe faltando?

— Queria ser uma dama da sociedade, freqüentar as festas e ser admirada por todos. Isso sim, que deve ser uma vida feliz! Não esta que estou tendo aqui na fazenda, neste fim do mundo! Não sei como Pedro Henrique pode gostar tanto daqui! Ele é um marido perfeito, pena que não goste de festas nem de roupas bonitas. Quando reclamo, ele diz:

— Você não precisa ter outras roupas mais bonitas, você é linda por natureza!

— Nisso ele tem razão, você é mesmo muito bonita!

— Sei que sou bonita, mas poderei ficar mais bonita ainda com belas roupas. Se eu morasse na cidade, poderia andar sempre de salto alto, com o cabelo arrumado e maquiada. Sei que isso é quase impossível de acontecer. Pedro Henrique nunca vai querer morar na cidade. Ele ama tudo aqui.

— Nadir não conseguia acreditar no que estava ouvindo. Disse, nervosa:

— Não pode estar falando sério, Sofia! Não consigo acreditar! Sempre tive vontade de ser uma mulher rica, assim como você é hoje, e se tivesse tido a mesma sorte que você, não ia reclamar nunca! Nunca mesmo!

— Talvez a senhora tenha razão, mas é mais forte que eu. Estou cansada desta vida.

— Como pode dizer isso, Sofia? Tem uma casa linda, vive como uma princesa e, além disso, tem um marido que, apesar de não querer você perto da gente, trata-a muito bem! Não consigo entender... não consigo mesmo...

— Também, às vezes, não consigo, mas é isso que estou sentindo neste momento. Pedro Henrique é bom demais, mãe. Queria que ele me desse um motivo para brigar, mas ele não dá! Isso me deixa nervosa!

— Você deve estar ficando louca, Sofia! Acho que precisa ir a uma igreja se benzer! Onde já se viu uma coisa dessa! Uma mulher reclamar porque o marido a trata com carinho?

— Sei disso, mãe, também não entendo, mas, apesar de ele me tratar com carinho, insiste em continuar morando aqui e não era isso que eu queria para minha vida! Sempre quis ir embora deste lugar! Sempre quis estudar, ser alguém!

— Você já conversou com ele a esse respeito?

— Não...

— Por que não?

— Não adianta, sei que ele não quer morar na cidade! Ele gosta muito daqui, desta vida...

— Converse com ele, Sofia, diga o que está sentindo, talvez ele entenda e mude de idéia.

— Vou tentar, mas sei que não vai adiantar, mãe.

— A dona Maria Rita sabe o que está acontecendo?

— Não, ela, desde que voltamos da viagem, nunca mais veio até aqui e eu só a vejo nos domingos, quando a gente vai almoçar lá.

— Ela não está mais se metendo na sua vida? Escolhendo as coisas para sua casa, como fez antes do casamento?

— Não, nunca mais disse nada. Só disse que, como o Pedro Henrique está feliz, para ela está tudo bem.

— Como ela trata você?

— Muito bem, mãe. Quando estou na casa dela, não consigo conversar. Ela e as irmãs do Pedro Henrique falam das festas e dos vestidos que compraram. Eu fico junto delas, calada, com medo de dizer alguma palavra errada. Elas, até que, no começo, insistiram em conversar, mas como eu só respondia com um sim ou um não, pararam de falar comigo e só falam o necessário. Tenho muito medo de envergonhar o Pedro Henrique...

— Isso não está certo, Sofia! Você, agora, faz parte da família! Todos sabem quem você é e a aceitaram! Você tem de se esforçar pra demonstrar que não se sente inferior!

— Sei que sou inferior, mãe!

— Você não é inferior, Sofia! Apesar de não ter muita escola, sempre leu muito e sabe falar bem. Além do mais, ele a escolheu pra ser sua mulher! Deixa disso! Durante toda nossa vida, temos, sempre, dois caminhos para seguir. O certo e o errado. Não existe outro. Você precisa escolher que caminho quer tomar.

— Não sei, mãe. Sei que deveria estar feliz. Sempre soube que a minha vida seria diferente da que a senhora teve, mas nunca imaginei que fosse assim. Por isso, não entendo por que não estou feliz. Não sei qual é o caminho certo...

— Como não sabe, Sofia? Você não gosta do Pedro Henrique?

— Não sei...

— O que está dizendo? Como não sabe?

— No começo, achei que gostava. Depois, quando soube quem ele era, percebi que ficaria rica se me casasse com ele. Hoje que consegui, não sei se valeu a pena meu sacrifício...

— Está dizendo que viver em uma casa como esta, com um marido que a adora, é um sacrifício? Você está louca mesmo, Sofia! Precisa ir a um médico ou à igreja se benzer!

— Não estou louca, mãe! Só estou entediada!

— Entediada? Entediada? Está precisando arrumar alguma coisa pra fazer! Já está há quase um ano casada e até agora não teve um filho! É isso que está faltando na sua vida! Quando tiver uma criança pra cuidar, não vai ter tempo de pensar nessas bobagens!

— *Crianças?* — Sofia perguntou, indignada. — *A se-nhora é quem está louca! Não quero filhos! Não quero es-tragar o meu corpo e muito menos ficar presa, cuidando de uma criança!*

— *Pois eu acho que é isso que está faltando em sua vida. Algo para fazer, alguém com quem se preocupar que não seja você mesma!*

— *Nem pensar, mãe! Nem pensar!*

— *Está bem, sei que não posso mais interferir em sua vida. Você, agora, é uma mulher casada e deve resolver seus problemas com seu marido. Se ele não fosse tão orgulhoso e não quisesse afastar você da gente, eu mesma conversaria, mas já que ele não aceita a gente como família, não tenho o que fazer, a não ser rezar para que recupere o seu juízo.*

— *Não se preocupe, mãe, estou bem. Isso que estou sentindo vai passar. Vou conversar com Pedro Henrique e ver se consigo convencê-lo a ir morar na cidade. Por favor, não converse com ele. Isso só iria piorar tudo.*

— *Está bem, tomara que consiga superar tudo isso. Pense bem na vida que tem e na que tinha. Não deixe tudo isso escapar.*

— *Pode ficar calma. Tudo vai se arranjar.*

— *Tomara que se arranje mesmo. Vim aqui pra con-tar-lhe uma coisa e quando a vi assim, esqueci.*

— *Contar o quê?*

— *Você não imagina quem convidou a gente pro casamento!*

— *Quem, mãe!*

— *O Osmar foi lá em casa, convidar a gente pro casamento.*

— *O Osmar vai se casar?* — Sofia perguntou, gritan-do.

— *Vai, sim. Imagine, parecia que gostava tanto de você.*

— *Ele não pode fazer isso, mãe!*

— *Não pode, por quê?*

— *Ele sempre disse que gostava de mim e que nunca se casaria com ninguém!*

— Você se casou, Sofia. O que queria que ele fizesse, ficasse solteiro pro resto da vida?

— Eu me casei porque queria mudar de vida, mas nunca disse que não gostava do Osmar, mãe! Nunca pensei que ele me esquecesse tão rapidamente! Ele não podia ter feito isso!

— Talvez ele tenha pensado o mesmo que você, também quer mudar a vida.

— Por que está dizendo isso?

— Ele vai se casar com a Beatriz Lins de Souza e Souza.

— Sofia ficou pálida e perguntou, ainda descontrolada. — continuou Gusmão.

— A filha do dono de todas aquelas lojas? A família dela é muito rica!

— Ela mesma. Eu e seu pai também ficamos abismados. Nunca pensamos que ele poderia se casar com uma moça como aquela. A família dela é muito rica! É verdade, Sofia, se não for mais rica do que o prefeito, é igual. A família, além de todas aquelas lojas, tem várias propriedades e fazendas de gado de leite e corte. O Osmar, casando-se com ela, será igual ou até mais rico do que você.

— Não pode ser, mãe! Como ele se aproximou dela?

— Isso eu não sei, só sei que o casamento vai ser no dia vinte e cinco do mês que vem.

— Sofia ficou desesperada. Como sempre, só pensou em si mesma, não podia admitir que Osmar houvesse tido tanta sorte. Não quis se casar com ele, mas não queria que se casasse com outra, muito menos com uma moça tão rica e bonita — disse Gusmão. — Nadir não entendeu aquela reação de Sofia e, depois de algum tempo, foi embora. Sofia ficou irritada e pensou:

— Estou muito triste, nunca pensei que ele fizesse isso.

— Assim como Nadir, também não entendo essa reação, Gusmão. Estávamos casados e, para mim, parecia que tudo corria bem. Nunca imaginei que ela estivesse entediada ou que ainda pensasse em Osmar. Sabia como sua vida havia mudado e pensava que agora, vivendo muito melhor, fosse feliz.

— Estava enganado, Pedro Henrique, ela estava entediada, triste e, agora, com a notícia que Nadir lhe trouxera, ficou decepcionada e com muita raiva.

— Gusmão, não estou entendendo por que está me contando tudo isso. Confesso que estou ficando com muita raiva de Sofia e esse é um sentimento que não sentia desde que cheguei ao plano espiritual.

— Também estou sentindo isso, Gusmão. Quando Sofia se casou, fiquei feliz e nunca poderia imaginar que ela era infeliz e pensava em outro homem. Pedro Henrique sempre foi o melhor marido do mundo, só se comparando com o pai. Não quero sentir o que estou sentindo. — Maria Rita disse, também, muito nervosa.

— Sabia que esse sentimento poderia aflorar em vocês, mas já lhes disse que estamos aqui para tentar ajudar Sofia a modificar seu comportamento. Não seria justo que a ajudassem, sem saber o que ela fez, realmente, de certo e de errado. Como estão vendo, toda a dificuldade que está enfrentando nesta viagem está servindo como oportunidade de repensar sua vida, se arrepender dos muitos erros que teve e mudar sua faixa de pensamento. Só assim, ela poderá nos acompanhar para esferas mais altas, para missões de socorro. Do contrário, terá de continuar a jornada sem a nossa companhia.

— Já havíamos concordado em não deixá-la sozinha.

— Sim, Maria Rita, isso é verdade, mas não podem atrasar a sua caminhada, sem saber se realmente ela merece que esse sacrifício seja feito. Outros chegarão aqui para nos acompanhar nessas lembranças. No final, depois de tudo esclarecido, resolveremos o que fazer.

— Está bem, Gusmão. Acredito que saiba o que está fazendo. O que mais Sofia fez?

— Vou continuar contando, mas acho melhor que antes de recomeçar, façamos uma oração para nos acalmarmos, pois o que vem por aí é bem pior e vocês nunca imaginaram.

— Também acho que seja o melhor. Estou sentindo que todos nós precisamos de ajuda para não nos desviarmos da faixa de pensamento em que nos encontramos.

Entraram em oração.

Revelações

Após terminarem a oração e Gusmão perceber que eles estavam tranqüilos, olharam para Sofia que, no carro, continuava tentando ler. Ela se lembrou daquele dia em que soube que Osmar ia se casar, ficou mais nervosa do que estava. Disse:

— Stela, já faz um bom tempo que aquele homem passou por aqui. Será que ele vai trazer ajuda?

— Tomara que sim, dona Sofia, pois se ele não voltar, não sei por quanto tempo vamos ficar aqui.

Impotente com aquela situação, Sofia voltou a olhar para a página do livro que estava lendo, mas, mesmo sem querer e, sob a influência de Gusmão, continuou pensando:

Eu não podia aceitar aquilo! Osmar não poderia se casar com ninguém, muito menos com uma moça rica como Beatriz. Precisava fazer alguma coisa e fiz!

— O que ela fez, Gusmão?

— Tudo isso aconteceu no tempo em que seu pai ficou doente, você se lembra, Pedro Henrique?

— Sim, ele teve um problema muito sério no coração. Na cidade, não havia recursos para o tratamento, por isso eu o acompanhei até a capital.

— Sim, isso aconteceu e você ficou por lá por mais de dois meses, não foi? Depois daquele dia em que Nadir lhe contou sobre o casamento de Osmar, Sofia não pensava em outra coisa. No mesmo dia em que, pela manhã, você partiu acompanhando seu pai, ela, à tarde, foi até o sítio de Osmar. Não sabia se ele ainda estava trabalhando, mas mesmo assim, tentou. Quando chegou e olhou em direção à plantação, não viu ninguém. Foi em direção à casa que seria deles quando se casassem. Ao ver a casa, ficou emocionada, pois estava pronta, pintada de branco e muito bonita. Ela se aproximou, bateu à porta que estava aberta. Osmar saiu da cozinha onde estava tomando café e se admirou ao vê-la lá. Perguntou:

— O que está fazendo aqui, Sofia?

— Precisamos conversar, Osmar.

— Não temos nada para conversar.

— Temos, sim! — ela disse, transtornada.

— Não, Sofia, não temos!

— Minha mãe me disse que você vai se casar. Quero saber se é verdade?

— É verdade, só não entendo o que você tem a ver com isso.

— Você não pode se casar, Osmar!

— Não posso, por quê?

— Sempre disse que gostava de mim e que não se casaria com ninguém que não fosse eu!

— Osmar, a princípio, ficou olhando para ela sem entender o que estava acontecendo. Depois, começou a rir. Ela, nervosa ao ver a sua reação, gritou:

— Por que está rindo, Osmar?

— Não entendo você, Sofia. Tem razão, sempre disse que gostava de você e que queria me casar, tanto isso é verdade que construí esta casa, mas você não quis, você me abandonou, fazendo com que eu ficasse em uma situação muito difícil perante meus amigos e minha família. Agora, vem com essa conversa. Não estou entendendo, não está feliz com seu marido rico? Não está feliz com a vida que leva?

— Sei que errei, devia ter ficado com você, só quando minha mãe me contou que você ia se casar foi que descobri isso. Não quero que se case, Osmar!

— Quer o quê? Que eu fique solteiro para o resto da minha vida, esperando que seu marido morra? Não, Sofia, desde criança fui apaixonado por você, sempre achei que a gente ia se casar e ser feliz, mas me enganei. Agora que conheci Beatriz, descobri o que é o verdadeiro amor. Vou me casar e sei que vou ser muito feliz. Agora, descobri que estive enganado esse tempo todo.

— Sofia ficou desesperada ao ouvi-lo dizer aquilo. — continuou Gusmão — Fez com que ele entrasse na sala e, sem que esperasse, o abraçou e beijou com loucura. Ele, a princípio, tentou resistir, mas não conseguiu e se entregou àquele desejo reprimido por tanto tempo. Amaram-se.

Pedro Henrique, ao ouvir Gusmão contando aquilo, balançou a cabeça de um lado para outro e, nervoso, saiu do carro. Maria Rita quis ir atrás, mais foi impedida por Gusmão, que disse:

— Não faça isso, Maria Rita. Ele precisa ficar sozinho.

— Não posso, Gusmão! Ele está sofrendo muito! Por que tinha de contar tudo isso? É maldade! — ela disse, quase gritando e muito nervosa

— Por que está dizendo isso, Maria Rita?

— Você acompanhou a nossa vida! Sabe o quanto Pedro Henrique gostava de Sofia e como foi feliz enquanto esteve casado com ela. Sabe também que ele não queria morrer e que, quando teve aquele infarto e morreu, não estava preparado, tinha muitos projetos.

— Isso acontece com quase a maioria dos espíritos que estão renascidos. Nunca estão preparados para morrer e todos têm muitos projetos e isso é muito bom. Já pensou o que seria se todos soubessem o dia em que iriam morrer? Estariam procurando uma maneira de enganar a morte e adiar esse dia para sempre.

— Por que acontece isso, Gusmão?

— Porque, desde que renasce, o espírito começa a ter os primeiros conhecimentos de sua nova situação, começa a temer a morte, pois ela é mostrada como algo ruim e triste, quando, na realidade, não é.

— Como não, Gusmão? Para muitos, ela afasta as pessoas a quem se ama.

— Isso acontece muito, como aconteceu com Pedro Henrique, que não tinha religião alguma e nunca se preocupou com a vida após a morte. Ele sabia que era uma pessoa boa, que nunca havia feito mal algum para ninguém e que, ao contrário, só tinha feito o bem; por isso, a vida, após a morte, não lhe causava preocupação. Não aceitou a morte e muito menos ter deixado Sofia a quem amava com loucura. Se ele tivesse tido algum aprendizado, quando chegou deste lado, tudo teria sido mais fácil. Saberia que aquela situação era de momento, pois todos, inclusive Sofia, também, um dia, chegariam.

— Isso é verdade, quando ele chegou, demorou muito para aceitar. Tivemos muito trabalho para convencê-lo de que estava tudo certo e bem. Hoje, depois de tanto tempo, ele estava muito bem e ficou feliz por poder nos acompanhar. Agora, ele está sofrendo e poderá se revoltar novamente. Não precisava ter contado, Gusmão. Ele estava preparado para, ao nosso lado, seguir para outra esfera da espiritualidade. Agora, já não sei...

— Como você disse, acompanhei tudo e pensei que ele estivesse preparado para continuar a caminhada, mas será que estava mesmo, Maria Rita? Será que ele já deixou de lado todos os sentimentos de ódio e apego? Não sei. Por isso, ele precisava saber como tudo aconteceu realmente. Precisava conhecer a verdadeira Sofia para poder decidir se quer continuar a seu lado ou seguir. Por isso, também, ele, neste momento, precisa ficar sozinho e decidir que caminho quer tomar. Ele tem esse direito e não podemos evitar nem interferir. Só ele pode decidir o que vai fazer.

— É muito difícil, Gusmão. Eu mesma, que achava já ter superado todos esses sentimentos, confesso que também fiquei com raiva de Sofia. Sei que isso não deveria acontecer, mas aconteceu.

— Essas revelações estão servindo de teste para todos nós, Maria Rita. Vamos ver se nós, também, estamos preparados e esperar que Pedro Henrique reflita bem e, quando voltar, saberemos se ele está pronto para ouvir o resto.

— Ainda tem mais, Gusmão?

— Sim, muito mais, Maria Rita e prepare-se, pois o que ouvirá, talvez faça com que os sentimentos aflorem com mais força.

— Estou ficando com medo, Gusmão...

— Medo do quê, Maria Rita?

— De não estar preparada para seguir em frente, de ainda ter de renascer muitas vezes para conseguir superar os sentimentos destrutivos do espírito.

— É um risco que corremos, Maria Rita. Por enquanto, vamos orar, pedindo ajuda para todos nós...

Assim fizeram. Colocaram-se em oração.

Crime planejado

Pedro Henrique correu muito. Não conseguia evitar as lágrimas que corriam por seu rosto. Sua vida toda, ao lado de Sofia, passou por seu pensamento. Chorou muito, tentou colocar os pensamentos em ordem. Quando morreu não conhecia nada sobre a vida espiritual, mas, agora, conhecia. Sabia que todos os espíritos têm muitas oportunidades para entenderem e resgatarem aquilo que, para eles, é considerado como erro. Aprendeu que, para Deus, o erro não existe, o que existe são apenas aprendizados. Sabia tudo isso, mas, naquele momento, após aquelas revelações, estava sendo muito difícil aceitar. Continuou ali, olhando para a imensa plantação de cana de açúcar. O sol estava forte e seus raios faziam com que a plantação tivesse um brilho estonteante e maravilhoso, demonstrando uma das maravilhas da criação. Enquanto isso, Sofia, sem imaginar o que estava acontecendo, continuava dentro do carro, esperando pela ajuda para poder sair daquele buraco onde o carro encalhara. Levantou os olhos do livro que tentava ler e disse:

— Stela, o homem está demorando muito. Acho que ele não vai conseguir ajuda.

Stela também levantou os olhos do livro, olhou para Sofia e respondeu:

— Tomara que ele volte, dona Sofia. Também não faz tanto tempo assim. Não se passaram nem quinze minutos. A senhora sabe quanto tempo ficamos na estrada, depois que passamos pelo centro da cidade, e estamos de carro. Imagine quanto tempo ele vai demorar estando a cavalo! Vamos ter paciência. A única coisa que precisamos fazer é esperar e rezar para que ele volte.

Ao ouvir aquilo, Sofia pensou: *rezar? Quanto tempo faz que não rezo? Acho que a última vez foi quando eu era ainda uma criança e meu cachorrinho ficou doente. Mesmo depois de rezar muito, ele morreu e eu nunca mais rezei. Nunca pensei ou tive tempo para rezar. Minha vida tomava todo o meu tempo. Além disso, depois de tudo o que fiz, será que Deus ouviria as minhas orações? Acho que não. Ele não me ouviu quando meu cachorrinho morreu, por que ouviria agora?*

Voltou novamente os olhos para o livro.

Pedro Henrique, após chorar e pensar muito, voltou para o carro e sentou-se. Olhou para a mãe e Gusmão e disse:

— Desculpem-me pelo meu comportamento, mas não consegui me conter. Tudo o que ouvi, me deixou transtornado. Sei que isso não devia acontecer, mas aconteceu.

— Tudo bem, Pedro Henrique, mas como você está agora?

— Mais calmo, mas sinto que não posso ir para uma esfera mais alta da espiritualidade, ainda não estou pronto.

— Por que está dizendo isso?

— Ora, Gusmão, como posso seguir se ainda estou preso a sentimentos destrutivos?

— Isso aconteceu e acontecerá muitas vezes com todos os espíritos a caminho da Luz. O espírito está sempre sujeito a uma situação como essa. Por isso, é importante que estejamos sempre em alerta.

— Os espíritos iluminados também?

— Claro, Maria Rita. O espírito, por mais que tenha aprendido e recebido luz, sempre encontrará, à sua frente, problemas com outros a quem ama e, muitas vezes, se deixará envolver. Por isso, é preciso estar alerta e vigiar sempre. Jesus já nos ensinou isso há muito, muito tempo, não foi?

— É verdade... é verdade...

— Como vê, Pedro Henrique, o que aconteceu com você estava previsto. Viemos até aqui para tentar fazer com que Sofia, que pertence ao nosso grupo há muito tempo, possa nos acompanhar a esferas mais altas, mas para que isso seja possível, é necessário que esteja à altura. Sei que você, há muitas encarnações, esteve ao lado dela, dando-lhe o apoio que ela nunca reconheceu, mas, desta vez, talvez seja a última e você, só você, deverá decidir o que deseja.

— Confesso que estou confuso, Gusmão, e queria pedir, se fosse possível, para deixarmos para outro dia. Sei que não deveria, mas não estou conseguindo perdoar e entender por que ela me enganou dessa maneira.

— Está bem, vamos deixar para outro dia o resto. Peço que se prepare, através de muita oração, pois o que tem para ouvir é muito grave, muito mais do que possa imaginar.

— Estou preocupado, Gusmão.

— Por quê, Pedro Henrique?

— Achei que já tinha ouvido tudo e não consigo imaginar que haja algo pior.

— Infelizmente, há. Mas é preciso que conheça toda a verdade, pois, só assim, poderá tomar uma decisão da qual não se arrependa depois.

— Sendo assim, acredito que não devemos esperar. Já que preciso tomar uma decisão, é melhor que tudo seja esclarecido o mais rápido possível. Estou pronto para conhecer o resto. Confesso que, depois do que ouvi, nada mais poderá me afetar.

— Receio que esteja errado, mas já que tem de ser feito, que seja. Vou continuar.

Maria Rita e Pedro Henrique acomodaram-se no assento do carro. Gusmão começou a falar:

— Naquela tarde, quando saiu da casa de Osmar, estava ao mesmo tempo feliz e desesperada. Feliz por ter a certeza de que ele ainda gostava dela e infeliz por saber que havia cometido algo errado. Osmar, também por sua vez, não estava entendendo o que havia acontecido. Feliz por ver Sofia em seus braços e triste por ter enganado a noiva de quem pensava gostar. Os sentimentos estavam confusos. Ambos prometeram a si mesmos que aquilo não tornaria a se repetir.

— Não se repetiu, Gusmão?

— A vontade era essa, mas o desejo foi maior. Daquele dia em diante, Sofia, todos os fins de tarde, montava em seu cavalo e ia ao encontro de Osmar que, a princípio, tentou evitar, mas não conseguiu. Embora não quisesse admitir, amava Sofia com todas as forças de seu coração.

— Continuou, Gusmão? — Pedro Henrique perguntou, com lágrimas nos olhos.

— Sim, até o dia em que você retornou e haviam se passado quase dois meses. Em uma das vezes, após terminarem de se amar, Osmar disse:

— *Não podemos continuar nos vendo, Sofia.*

— *Por quê, Osmar?*

— *Está se aproximando o dia do meu casamento e você está casada. Isso está errado, precisamos parar...*

— *Você não pode se casar, Osmar. Você ainda gosta de mim e não vai ser feliz!*

— *Até certo ponto você tem razão, mas não existe alternativa. Talvez não goste de Beatriz como gosto de você, mas sinto por ela um carinho imenso e sei que, se me esforçar, poderei ser muito feliz. O que não está certo é continuarmos nos enganando e enganando aos dois. Esta foi a última vez.*

— *Você está errado, Osmar! Podemos ficar juntos, a gente pode ser feliz. Quando Pedro Henrique voltar, vou lhe dizer que não gosto mais dele e que quero a separação!*

— *Vai fazer isso, Sofia?*

— *Vou, Osmar. Não vou conseguir viver ao lado dele, tendo a certeza de que não gosto mais. Preciso fazer isso e vou fazer!*

— *Pense bem, Sofia. A meu lado, vai ter de viver aqui para sempre e morar nesta casa simples. Não vai ter ninguém para servir você e, ao contrário, vai ter de fazer todo o serviço da casa. Não sei se vai se acostumar com isso.*

— *Nada disso importa, já percebi que o dinheiro, a boa casa e a boa vida não trazem a felicidade. Nunca me senti tão feliz nos braços de Pedro Henrique como me sinto com você e isso não tem preço. Gosto de você e quero viver ao seu lado para sempre.*

— Isso não aconteceu, Gusmão. Quando voltei, ela me recebeu com beijos e abraços que, para mim, eram de saudade. Eu estava ansioso para voltar. Meu pai, depois de um longo tratamento, melhorou e, por isso, os médicos que o atendiam, deram-lhe alta e pudemos voltar. Lembro-me, como se fosse hoje, da felicidade que senti por estar novamente em casa e ao lado de Sofia.

— Sim, isso realmente aconteceu. Sofia, embora estivesse feliz com sua volta, também ficou preocupada, pois não poderia mais se encontrar com Osmar. Mesmo assim, recebeu você com muito carinho. Tanto que você nunca poderia imaginar o que havia acontecido.

— Não poderia mesmo.

— Um dia antes de você voltar, quando estava retornando da casa de Osmar, encontrou Gustavo que vinha do rio, carregando uma vara de pesca. Ela sabia que, para que ele voltasse do rio, teria de passar pela casa de Osmar. Preocupada, parou o cavalo e perguntou ao menino.

— *Estava pescando, Gustavo?*

— *Estava, Sofia, olha quanto peixe pesquei. Hoje, a mãe vai poder fritar e a gente vai comer muito bem.*

— *Que bom que pescou bastante.*

— *O que você estava fazendo na casa do Osmar, Sofia?*

— *Eu não estava lá...*

— *Claro que estava, vi o seu cavalo parado na frente da porta. Não tinha certeza se era o seu cavalo, mas, agora, estou vendo que era ele mesmo.*

— *Você está enganado, Gustavo. Deve ser um cavalo igual ao meu. Eu não estava lá.*

— *O menino olhou para ela e para o cavalo repetidas vezes. Depois, passando a mão pela testa, disse:*

— *Não sei não... mas acho que era o seu cavalo, sim...*

— *Não era não, Gustavo*

— Sofia, muito nervosa, disse isso e com a espora fez com que o cavalo saísse em disparada. Gustavo, sem entender por que ela estava tão nervosa, continuou andando em direção à sua casa:

— Gusmão, por favor, diga que aquilo que estou pensando não aconteceu...

— Infelizmente, acredito que não vou poder atender a isso que está me pedindo, Pedro Henrique.

— Não pode ser, Gusmão, ela não pode ter feito uma coisa como essa!

— Ela fez, Pedro Henrique... ela fez...

— Estão falando do quê? — Maria Rita perguntou, assustada ao notar a tristeza nos olhos deles.

— Logo saberá, Maria Rita. Naquela mesma noite, sabendo que você chegaria no dia seguinte, Sofia foi se deitar, mas não conseguia dormir. Sabia que, com a sua volta, precisava tomar uma decisão. Sabia que a decisão mais certa era a de lhe contar toda a verdade, pedir a separação, para, assim, poder ficar ao lado de Osmar a quem sabia amar realmente. Não conseguiu dormir por muito tempo. Pensou nas conseqüências de seu ato. Sabia, como Osmar havia dito, que se houvesse a separação, haveria um custo. Teria de voltar a ter a mesma vida da qual fez questão de fugir. Teria de viver na pobreza e na esperança de, um dia, ele conseguir montar a distribuição de frutas e legumes com que tanto sonhava. Ela poderia ser feliz ao lado dele, por quanto tempo? Seria feliz, mesmo sem dinheiro, após ter conhecido uma vida de riqueza? Desesperada, pensou: *não posso fazer isso! Sei que meu amor por Osmar não vai resistir à pobreza e à vida sacrificada. Não posso abandonar Pedro Henrique e tudo o que ele pode me dar. Nunca mais vou procurar o Osmar. Ele que se case e seja feliz. O preço é muito alto e eu não estou disposta a pagar. Vou continuar com Pedro Henrique...*

Gusmão sorriu e, com a voz triste, continuou:

— Após tomar essa decisão, lembrou-se de que Gustavo a havia visto na casa de Osmar. Ficou com medo e, à tarde, quando você saiu para ver como estava tudo na fazenda, ela montou no cavalo e foi até a casa de Romeu. Sabia que, naquela hora, Gustavo estaria em casa sozinho, pois Nadir deveria estar na roça ao lado do marido. Tinha razão. Assim que chegou, encontrou Gustavo, que estava pegando a vara de pescar. Quando a viu, perguntou, admirado:

— *O que está fazendo aqui, Sofia?*

— *Vim ver como vocês estão. A mãe está em casa?*

— Não, ela está lá na roça com o pai.

— Ela se aproximou do menino e perguntou com a voz carinhosa:

— Gustavo, você contou pra mãe que viu meu cavalo na casa do Osmar?

— Não, até me esqueci, mas por que está perguntando isso?

— Por nada. Não conta, estou combinando com o Osmar pra gente fazer uma festa surpresa no aniversário da mãe. Ela não pode saber. Promete que não vai estragar a surpresa?

— Se é pra ter uma festa, não vou contar. Eu não ia contar mesmo. O que quero mesmo, é ir pescar.

— Já que você não vai estragar a festa, vou lhe dar uma vara de pesca nova. Igual àquela que o Pedro Henrique usa, você quer?

— Claro que quero, Sofia!

— Amanhã eu volto com a vara, está bem assim?

— Você não pode imaginar como estou feliz! Obrigado, Sofia.

— Sofia sorriu e disse:

— Agora vou até a roça conversar com o pai e com a mãe. Quer ir também?

— Não, vou pescar! Tchau, Sofia.

— Tchau, Gustavo, tomara que pesque muito! Eu trouxe pra você um pedaço de bolo de chocolate, sei que gosta muito!

— Agora, não estou com vontade de comer.

— Leve e, enquanto estiver pescando, sei que vai ficar com fome.

— Acho que vou mesmo. Agora, preciso ir. Tem muito peixe lá no rio.

— Gustavo saiu carregando a vara de pescar. Sofia, com os olhos, o acompanhou até que desaparecesse. Depois, foi até a roça encontrar com os pais, que se admiraram por vê-la ali. Nadir, ao vê-la, perguntou, intrigada:

— O que está fazendo aqui, Sofia?

— O Pedro Henrique voltou, mãe.

— *Que bom, como está o pai dele?*

— *Parece que está fora de perigo, só vai ter de continuar tomando os remédios.*

— *Também estou estranhando, desde que se casou nunca mais voltou pra visitar a gente. O que está acontecendo, Sofia?*

— *Não está acontecendo nada, pai. O Pedro Henrique quer, no domingo, fazer um churrasco e pediu que eu viesse até aqui para convidar o senhor, a mãe e o Gustavo. Vai ser uma festa muito boa.*

— *Ele fez isso? Ele quer que a gente vá mesmo?*

— *Claro que quer, mãe. Ele está muito feliz por seu pai estar bem e por ter voltado para casa. Quer que todos os parentes e amigos venham para a festa.*

— *Não sei, não, isso está estranho. Ele nunca quis se misturar com a gente...*

— *Isso já passou, mãe. Ele, agora, depois de quase perder o pai, entendeu como me sinto por ficar longe da minha família e quer consertar tudo o que fez de errado. Quer mesmo que a senhora, o pai e o Gustavo vão à festa.*

— *Está bem, vou pensar, conversar com sua mãe e vamos ver o que a gente vai fazer.*

— *Não tem o que pensar, pai! Só precisa ir, comer e beber muito!*

— Romeu ficou calado. Sofia beijou os dois e voltou para casa, onde havia deixado o cavalo, olhou em direção ao rio e foi embora.

Maria Rita arregalou os olhos e disse:

— Agora estou entendendo por que você ficou desconfiado, Pedro Henrique. Ela não pode ter feito aquilo!

— Ela fez, mamãe, ela fez...

— Infelizmente, fez. Você se lembra daquela noite, Pedro Henrique?

— Como poderia me esquecer, Gusmão? Estávamos jantando quando Romeu chegou desesperado em casa. Ele estava muito cansado, pois viera correndo da sua casa até a nossa e quase não conseguia falar. Ao vê-lo naquele estado, assustado, perguntei:

— *Que aconteceu, seu Romeu?*

— *O Gustavo não voltou para o jantar. Eu fui procurar e encontrei-o perto do rio. Ele está muito mal, preciso ir pra cidade, mas não pode ser a cavalo, vim até aqui ver se você pode me levar no seu jipe!*

— Fiquei apavorado e, no mesmo instante, fui, acompanhado por ele, até a garagem, peguei meu jipe e fomos até a sua casa.

— Foi assim mesmo que aconteceu. Você sequer perguntou o que Romeu achava que havia acontecido e saíram em disparada. Sofia, apavorada, ficou em casa, morrendo de medo de que Gustavo contasse que ela havia estado lá e lhe dado o bolo de chocolate, pois fora ela quem o havia preparado e colocado no meio um veneno muito forte que você usava na fazenda. Estava tão apavorada que não teve coragem de pedir para ir junto.

— Agora estou me lembrando daquela noite. Vi que ela chorava muito, mas pensei que fosse por causa do irmão, não por medo.

— Mas era de medo, sim. Com medo de ser descoberta na sua traição com Osmar, ela decidiu matar o menino.

— Não pode ser, Gusmão!

— Não poderia ser, mas foi, Maria Rita.

— Quando eu e o senhor Romeu chegamos a sua casa, percebi que não havia mais nada para ser feito. O menino estava morto. Foi um desespero enorme. Nadir chorava muito abraçada ao filho. Romeu saiu da casa, foi para o quintal e também começou a chorar sem parar. Logo em seguida, Sofia chegou, montada no cavalo, desceu e, correndo, entrou em casa. Precisava ver se Gustavo tinha dito alguma coisa. Ao ver que ele estava morto, respirou fundo e começou a gritar, demonstrando muita dor. Eu a abracei, dizendo:

— *Não fique assim, Sofia.*

— *O que aconteceu, Pedro Henrique? Ele não disse nada?*

— *Não sei, Sofia. Quando chegamos, ele já estava morto. Não tenho a menor idéia.*

— Sofia se aproximou da mãe, para ver se ela sabia de alguma coisa. Abraçando-a, perguntou:

— *Que aconteceu, mãe?*

— Nadir, chorando, desesperada, respondeu:

— *Não sei, Sofia. Na hora do almoço, ele estava muito bem. Disse que ia pescar e trazer muito peixe pra eu fritar na hora da janta.*

— *Ele não disse nada?*

— *Não, quando seu pai o encontrou, embora estivesse vivo, já estava desmaiado. Seu pai pegou-o no colo, veio aqui pra casa e foi até a sua casa pedir ajuda. Quando eles voltaram com o jipe, Gustavo já estava morto.*

— *O que a senhora acha que aconteceu?*

— *Não sei, pode ter sido picado por algum bicho ou comido alguma erva venenosa. Não sei.*

— Sofia continuou chorando não de dor pela morte do irmão, mas com medo de que descobrissem ter sido ela a culpada, aquela que deu o veneno para o menino. — Gusmão continuou falando — Ela estava apavorada. Você a consolou o tempo todo, Pedro Henrique.

— Sim, eu entendia todo aquele sofrimento. Não sabia, até hoje, que Gustavo não era seu irmão legítimo, para mim, ele era o único irmão que ela tinha e, portanto, devia gostar muito dele.

— Também fui avisada e, como todos, fiquei chocada com aquela tragédia e também com pena de Sofia e de sua família. Nunca poderia imaginar que Sofia havia sido a responsável por aquela tragédia.

— Você nem ninguém Maria Rita. A cidade era pequena, não havia histórias de crimes, por isso só havia dois soldados e um único médico que cuidavam de todos. Como ninguém desconfiasse de crime, o médico deu o atestado de óbito, dizendo que Gustavo havia morrido por picada de algum bicho. O corpo foi velado na sua casa, Pedro Henrique.

— Sim, durante o tempo todo, Sofia ficou acordada o que, para todos, foi considerado como um ato de amor, mas na realidade não era. Ela queria ter a certeza de que ninguém descobrisse o que realmente havia acontecido. Osmar e toda sua família compareceram ao enterro. Assim que chegou, cumprimentou Romeu, Nadir e Sofia, que o recebeu com frieza e, àquela hora, ele percebeu que, com sua volta, tudo entre ele e Sofia havia terminado. Percebeu que ela não deixaria a segurança que tinha, vivendo ao seu lado, Pedro Henrique, por uma vida incerta ao lado dele. Saiu dali, com a certeza de que toda aquela loucura havia terminado e que deveria se casar com Beatriz e tentar ser feliz. O enterro foi realizado e, depois, todos voltaram para suas casas. Sofia entrou em casa e foi tomar um banho. Esteve o tempo todo sobre uma tensão muito forte, agora, poderia descansar, aliviada.

— Gusmão, essa não é a Sofia que conheci e com quem fiquei casado por tanto tempo. Jamais poderia imaginar que ela fosse capaz de cometer um crime tão bárbaro. O pior é que ficou impune. Nunca ninguém desconfiou de coisa alguma. Isso não pode ser, Gusmão! Ela precisa ser desmascarada! Precisa pagar por tudo o que fez!

— Embora, perante as leis dos homens, ela não tenha sido descoberta e tenha ficado impune, pelas leis de Deus será condenada e terá de pagar.

— O que aconteceu com Gustavo, depois da morte?

— Ele foi amparado por amigos espirituais e levado em segurança para uma das colônias que existem espalhadas em volta da Terra. Está muito bem, preparando-se para uma nova encarnação. Quando ele renasceu como irmão de Sofia, era para ambos resgatarem erros passados. Sofia teria a chance de resgatar todo o mal que havia lhe feito em encarnações passadas. Sempre houve o risco de que ela não fizesse isso, mas era preciso ser tentado. Porém, outra vez, ela não conseguiu.

— Não entendo, Gusmão, por que depois de tudo isso que ela fez, estamos aqui tentando fazer com que ela se arrependa e possa nos acompanhar? Ela não está pronta para ir a uma esfera mais alta da espiritualidade, muito menos fazer parte de uma equipe e prestar socorro.

— Sim, tem razão, Maria Rita. Ela não está pronta, mas vocês estavam dispostos a continuarem aqui, pois não queriam deixá-la para trás, por esse motivo é que estou aqui para lhes mostrar a verdadeira Sofia e, só assim, poderem tomar essa decisão que influenciará suas vidas espirituais. Lembre-se de que todos, bons ou maus, somos filhos de um mesmo Deus e que Ele nos ama a todos, da mesma maneira e com o mesmo amor, por isso sempre nos dará todas as chances para que possamos encontrar Sua Luz. Sofia está tendo mais uma chance, tomara que a receba com carinho.

Pedro Henrique e Maria Rita se olharam, abaixaram os olhos e fizeram uma prece, agradecendo a Deus por toda sua bondade.

O erro maior

Naquele instante, sem saber o porquê, Sofia se lembrou de Gustavo e do dia da sua morte. Um arrepio percorreu todo o seu corpo. Ela, embora não quisesse, lembrava-se dele todos os dias. Lembrava-se do dia em que Romeu o trouxera para sua casa e da felicidade que Nadir sentiu quando pegou aquela criança no colo. Lembrava-se de como o ensinou a ler e escrever e do ódio que sentiu no dia em que Romeu deu uma bofetada em seu rosto por ter dito que ele não era seu irmão. Sempre que se lembrava do dia da morte dele, fazia um esforço enorme para mudar o pensamento. Em sua opinião, ele havia sido picado por um bicho qualquer. Se todos haviam acreditado naquilo, por que ela não acreditaria? Sua alma doentia tentava se enganar. Não queria ser e não se sentia responsável pela morte do menino. Mesmo assim, enquanto andava pela casa, via vultos e, à noite, sonhava com o rosto de Gustavo disforme, com a aparência de um monstro que a atacava e acusava. Acordava suando muito e em terror.

— Era ele, Gusmão?

— Não, Gustavo estava protegido por amigos espirituais. O que fazia com que aquelas imagens surgissem era o sentimento de culpa, a consciência culpada, pois dela, ninguém consegue escapar. Por isso, embora ela quisesse afastar, as imagens a perseguiam a todo instante.

Naquele momento, sob a influência de Gusmão, Stela perguntou:

— Dona Sofia, fiquei sabendo que a senhora teve um irmão. Por que não fala sobre ele?

Sofia respirou fundo, sentou-se melhor no acento do carro e, sabendo que não teria como evitar a resposta, respondeu:

— Sim, tive um irmão que morreu ainda criança.

— Do que ele morreu?

Sofia, visivelmente incomodada, respondeu:

— Ele foi picado por um bicho, que não sabemos qual é.

Stela ia fazer uma outra pergunta, mas Sofia a interrompeu:

— Por favor, Stela, não quero continuar com esse assunto. Ele me traz lembranças dolorosas e me faz muito mal.

Stela conhecia Sofia o suficiente para saber que deveria terminar aquela conversa. Tornou a voltar os olhos para a estrada. Percebendo que não havia movimento algum, começou a ler novamente. Sofia fez o mesmo e, como estava fazendo desde que o carro atolou, também voltou a ler, mas não conseguiu. Stela, com aquela pergunta, fez com que ela se voltasse totalmente para o dia em que Gustavo morreu e ela começou a pensar: *nos dias que sucederam à morte de Gustavo, tive de ter muita força para não contar a Pedro Henrique o que havia acontecido realmente. A única maneira que encontrei para me livrar, foi ficar dentro do meu quarto, esperando o tempo passar. Sabia que ele estava preocupado comigo e que, por isso, evitaria tocar no assunto.*

— Realmente, ela estava certa, Gusmão. Eu queria me aproximar, mas achava que ela não estava em condições e que estava sofrendo muito. Deixei os dias passarem.

— Eu acompanhei todo o seu sofrimento, meu filho. Nós também, embora não fôssemos da família, sentimos muito por toda aquela tragédia que se abateu sobre a família de Sofia. Nunca, por um minuto sequer, pensamos que ela poderia ter sido a autora de todo aquele sofrimento e de tanta maldade. Gusmão, nem sei dizer o que estou pensando. Estou muito abalada com todas essas revelações que está nos fazendo.

— Entendo como estão se sentindo, mas ainda não terminou, tem muito mais, Maria Rita.

— Ainda tem mais, Gusmão? Não posso acreditar que fui tão enganado!

— Você estava apaixonado, Pedro Henrique, e a paixão, muitas vezes, faz com que não se enxergue a realidade. Além do mais, Sofia planejou muito bem, por isso, jamais seria, como não foi, desmascarada. Lembra-se do que mais aconteceu naquele tempo?

— Sim, eu estava muito preocupado, pois Sofia não dormia bem nem se alimentava e, muitas vezes, sentia enjôos e quase desmaiava, por isso, propus levá-la ao médico. A princípio, ela não queria ir, mas, diante de minha insistência, fomos para a cidade. O médico, após examiná-la, disse:

— *Bem, vou precisar fazer alguns exames, mas, desde já, posso dizer que a senhora está grávida, dona Sofia.*

— Sofia pareceu assustada. Eu, sem nada perceber, achei que fosse por que ela não queria ter um filho. Mesmo sabendo disso, não consegui esconder minha felicidade:

— *Sofia, vamos ter um filho! Já imaginou como isso vai ser bom! A fazenda está precisando muito de uma criança! Estou muito feliz, meu amor.*

— Sofia começou a chorar, achei que fosse de felicidade, mas por tudo o que nos contou, o motivo era outro, não era, Gusmão?

— Realmente, Pedro Henrique, as lágrimas que ela deixou que caíssem pelo seu rosto eram por saber que aquele filho que esperava não era seu, mas de Osmar. Você ficou fora de casa por quase dois meses e, nesse tempo, ela se encontrou com Osmar quase todos os dias. Chorou com medo de que você desconfiasse e descobrisse. Lembra-se de que ela disse, chorando:

— *Eu estava desconfiada mesmo antes de você ir viajar, só não tinha certeza.*

— Eu acreditei nela, Gusmão! Agora estou descobrindo que Maurício não é meu filho e isso, para mim, não tem a maior importância.

— Não poderia esperar outra coisa de você, Pedro Henrique. Sempre foi um pai dedicado. Amou aos dois da mesma maneira, mas Sofia, não; sempre que olhava, e ainda olha, para Maurício, lembra-se da traição que praticou, mas, como não poderia deixar de ser, culpou Osmar por isso. Julgou-se uma vítima dele, quando, na realidade, sabemos que, ao contrário, ele foi o menos culpado.

— Tem razão. Mas por mais que eu queira, não consigo esquecer a felicidade que senti ao saber que ia ter um filho. Maurício foi, e ainda é, um excelente filho, dedicado e amigo, talvez toda essa amizade e dedicação tenha herdado do pai, pois, embora não tenha conhecido Osmar, estou percebendo que, assim como eu, também foi uma vítima de Sofia.

— Eu, também, meu filho, nunca imaginei que Maurício não fosse meu neto verdadeiro e sempre o amei da mesma maneira que amei Ricardo. Porém, agora que nos contou a verdade, Gusmão, entendo muita coisa que não entendia na atitude de Sofia.

— O quê, mamãe?

— Ela sempre demonstrou e nunca fez questão de ocultar a diferença com que tratava os dois. Todo seu carinho e dedicação sempre foram *pra* Ricardo. Com Maurício, ela me parecia fria e distante. Eu não entendia qual era o motivo. Hoje, sei.

— Tem razão, Maria Rita. A presença de Maurício era a lembrança de sua traição e de todos os crimes que cometeu.

— Além de matar o irmão, ela cometeu outros crimes, Gusmão?

— Infelizmente, sim, Pedro Henrique. Depois que Gustavo morreu, Sofia ficou muitos dias em seu quarto e só começou a sair depois que percebeu que seu crime não seria descoberto. O menino foi enterrado, a missa de sétimo dia foi realizada e quase um mês se passou. Depois disso, você voltou ao trabalho e tudo voltou a ser como antes. Todos tinham suas obrigações para cumprir. Você, em especial, tinha muito trabalho, pois estava começando a criação de bezerros e, por isso, precisava ter muito cuidado com suas mães e isso lhe tomava muito tempo. Mas, depois que Gustavo morreu e preocupado com Sofia, procurava chegar mais cedo para poder ficar ao lado dela.

— Sim, Gusmão, eu me lembro daquele tempo, estava mesmo muito preocupado. Lembra-se de uma tarde em que estava com Sofia, sentado na varanda, e viu Romeu se aproximando?

Pedro Henrique fechou os olhos para poder se lembrar daquele dia. Após alguns segundos, respondeu:

— Sim, estou me lembrando, Gusmão. Ele se aproximou e logo percebi que estava muito preocupado. Assim que ele chegou perto, eu disse?

— *Como está, senhor Romeu? Que surpresa!*

— Ele, parecendo muito nervoso, respondeu:

— *Não estou bem, não.*

— *Por quê, aconteceu alguma coisa?*

— *A Nadir não está bem, estou muito preocupado, por isso vim até aqui. Preciso ir com ela lá na cidade para ver o médico, mas acho que na carroça vai ser muito demorado e cansativo, por isso vim até aqui para ver se o senhor pode levar a gente no seu jipe.*

— Sofia quando viu o pai, começou a tremer, temendo que ele houvesse ido lá por ter descoberto alguma coisa. Forçou e conseguiu que algumas lágrimas caíssem de seu rosto. Perguntou, demonstrando uma preocupação que, na realidade, não sentia:

— *O que ela tem, pai?*

— *Desde que Gustavo morreu, ela ficou muito triste, não quis mais voltar para a roça, fica o tempo todo deitada, não se alimenta e está muito fraca. Quando cheguei a casa, agora há pouco, ela estava desmaiada junto ao fogão, por isso estou aqui. Preciso da ajuda de vocês para levá-la ao médico.*

— *Claro que sim, senhor Romeu! Devia ter vindo antes!*

— *Vi que ela estava triste, mas achei que era por causa do Gustavo e que ia passar logo, mas não passou...*

— *Bem, vamos agora mesmo! Sofia, você quer ir?*

— Sofia, ainda preocupada, não queria deixar você sozinho com ele. Respondeu:

— *Claro que quero, Pedro Henrique!*

— *Está bem, vou até os fundos da casa pegar o jipe.*

— Você saiu e ela ficou sozinha com o pai. Ele, com o olhar triste e preocupado, perguntou:

— *Você está bem, Sofia?*

— Ela, querendo saber se o pai desconfiava de alguma coisa, com a voz trêmula, respondeu:

— Estou tentando continuar minha vida, pai, mas está sendo difícil, até agora não entendo como Gustavo pôde morrer. Ele era ainda uma criança...

— Também não entendo, mas foi a vontade de Deus e, contra isso, a gente não tem nada a fazer, não é mesmo?

—Também fiquei muito triste com a morte do Gustavo, mas Pedro Henrique me mostrou que de nada adianta. Como o senhor mesmo disse, deve ter sido a vontade de Deus.

— Ela, com a mão, enxugou as lágrimas e, aliviada por perceber que o pai não desconfiava do que realmente havia acontecido, disse:

— O senhor deve ter razão...

— Você voltou, Pedro Henrique, e, juntos, foram até a casa de Romeu. Encontraram Nadir deitada sobre a cama. O que menos Sofia queria era voltar para aquela casa onde havia cometido o crime, mas, como sempre, pensou em tudo, sabia que, se recusasse, poderia levantar suspeitas. Resolveu ir. Quando chegaram e entraram na casa, seu corpo todo tremeu ao lembrar-se do irmão, mas logo se controlou. Nadir estava muito abatida, Sofia se aproximou. Ao vê-la, Nadir começou a chorar. Sofia perguntou:

— O que a senhora tem, mãe?

— Nadir olhou para ela e, com muita dificuldade para falar, respondeu:

— Seu pai ficou preocupado à toa, Sofia... não tenho nada, só estou muito triste...

— Com a morte do Gustavo?

— Também...

— Também, como, Nadir? Tem mais alguma coisa?

— Nadir olhou para ela e respondeu:

— Não sei, Sofia... nem sei o que estou pensando...

— Você, Pedro Henrique, que acompanhou toda a conversa, pensando que Nadir dizia aquilo por estar muito fraca e, portanto, sem conseguir pensar direito, disse:

— Não vamos perder tempo conversando, vamos agora mesmo para a cidade! Sofia, prepare sua mãe, troque sua roupa. Eu e seu pai vamos esperar lá fora.

Senhor Romeu, ainda tem aquela da boa? Preciso tomar um trago.

— Eu disse aquilo não porque gostasse de beber, mas sabia que ele gostava e precisava, de alguma maneira, acalmá-lo.

— Vocês saíram, Sofia sentou-se na cama em que Nadir estava deitada e disse:

— *Mãe, a senhora precisa se levantar, tomar um banho e trocar sua roupa. Depois, vamos ao médico, ele vai lhe dar algum remédio e a senhora vai ficar bem novamente. Sei o que está sofrendo por causa do Gustavo, mas nada mais pode se fazer. Ele foi embora. Nós estamos aqui e precisamos continuar.*

— *Estou muito triste, sim, Sofia. Gustavo era tudo o que tinha. Fico esperando que a qualquer momento ele vai entrar, feliz, trazendo os peixes que tanto gostava de pescar.*

— *Sei que a senhora pensa muito nele, mas, agora, precisa continuar vivendo e deve ficar muito feliz. Estou grávida, vou ter um filho, mãe!*

— Nadir, sem que Sofia esperasse, segurou o braço dela com muita força e disse, chorando — continuou Gusmão:

— *Era disso que eu tinha medo, Sofia!*

— *Medo do quê, mãe!*

— *De quanto tempo você está grávida, Sofia?*

— Sofia não esperava aquela pergunta e ficou sem saber o que responder. Depois, respondeu:

— *Não sei, mãe, não tenho certeza...não sei, mãe, e não entendo por que está me fazendo essa pergunta!*

— *Você sabe, Sofia. Toda mulher sabe quando está esperando um filho.*

— *Não sei, mas o que isso tem a ver com a minha felicidade em estar esperando uma criança? Pedro Henrique também está muito feliz. Por que está fazendo isso, mãe? Não está feliz em ter um neto?*

— *Quando o Gustavo me disse que viu seu cavalo na casa de Osmar, aquela em que vocês iam morar depois de casados, fiquei com medo que isso se espalhasse e que todos ficassem sabendo, principalmente seu marido, e pedi a ele pra não contar pra ninguém, nem mesmo pra você.*

— *Não estou entendendo, mãe! O que é isso que está falando?*

— *Eu sei que, enquanto seu marido esteve viajando, você se encontrou, várias vezes, com Osmar. Pelo tempo que ele ficou fora, se você estiver com um pouco mais de um mês, tenho certeza que essa criança que vai nascer não é filha dele, Sofia...*

— Sofia começou a se desesperar, quando percebeu que havia sido descoberta e que Gustavo havia contado para sua mãe. Contudo, controlou-se rapidamente e disse:

— *Mãe, isso não é verdade! Gustavo mentiu!*

— *Não, Sofia, ele não mentiu. Era uma criança e falou com toda sua inocência. Sei que estava dizendo a verdade.*

— *Como pode saber? Gustavo mentiu!*

— *Depois que ele me disse que via sempre o seu cavalo lá, eu mesma, em uma tarde, fui até lá e também vi. Você se encontrou, sim, várias vezes, com Osmar.*

— Ao ouvir aquilo, Sofia se desesperou mais ainda e, chorando muito, disse:

— *Mãe, por favor, esquece tudo isso, já passou! Não comente com ninguém! Sabe que, se Pedro Henrique descobrir o que aconteceu, nem sei o que pode fazer! Foi uma loucura, mas prometo que não vai se repetir! Por favor, mãe!*

— Nadir, desolada, olhou para Sofia e, também chorando, perguntou:

— *Por que fez isso, Sofia? Sei que seu marido não gosta da gente, mas gosta muito de você e faz de tudo pra que você seja feliz! Ele não merecia que você o traísse...*

— *Eu sei disso, mãe, mas não sei o que aconteceu! Quando soube que o Osmar ia se casar com uma moça que tinha muito dinheiro, me desesperei e fiz essa loucura!*

— *Sempre o dinheiro, Sofia... sempre o dinheiro. Por causa dele, abandonou Osmar e, agora, para não perder tudo o que conseguiu, vai continuar mentindo e enganando?*

— *Acabou, mãe! Acabou!* — Sofia *disse, chorando,* *desesperada.*

— *Não acabou, Sofia. Está apenas começando...*

— *Acabou, mãe! Nunca mais vou ver o Osmar!*

— *Talvez isso seja verdade, mas sempre que olhar para essa criança que vai nascer, vai, também, mesmo sem querer, se lembrar dele e de sua traição. O melhor que tem a fazer é contar a verdade para o seu marido. Ele é um bom homem, gosta muito de você e vai entender...*

— *Não posso fazer isso, mãe! Não posso, ele nunca vai entender e vai me abandonar junto com a criança que vai nascer! Não posso fazer isso, mãe!*

—*Precisa, minha filha, pois só assim tem uma chance de viver em paz. Se você não contar, eu mesma vou ser obrigada a fazer isso...*

—Sofia, desesperada e sem saber o que fazer, ficou calada por um tempo. Depois de pensar um pouco, disse:

— *A senhora tem razão, mãe. Preciso contar e vou fazer isso, mas não agora. A senhora precisa ficar bem para, se o Pedro Henrique me abandonar, me ajudar a criar essa criança que vai nascer.*

— Nadir sorriu e disse:

— *Sou sua mãe, Sofia, e sempre vou estar disposta a ajudar você. Por isso, pode contar tudo ao seu marido. Sei que ele vai perdoar o que fez, sabe que você é muito nova e, por isso, se deixou levar, mas se ele não entender e abandonar você, pode voltar aqui para casa. Eu e seu pai vamos ajudar você a criar essa criança.*

— Sofia respirou fundo. Abraçou a mãe, dizendo:

— *Obrigada, mãe. A senhora, como sempre, tem razão, vou fazer tudo como a senhora disse, mas não pode ser hoje. A senhora precisa ir ao médico. Está muito fraca, precisa tomar alguma vitamina pra ficar forte de novo. Pedro Henrique e o pai estão aí fora esperando. A senhora vai no médico e, quando a gente voltar, à noite, eu converso com o Pedro Henrique e só aí é que a gente vai ver como tudo vai ficar. Está bem assim?*

— Está bem, minha filha. Vamos esperar, com muito carinho, essa criança e fazer tudo pra que seja muito feliz.

— Sofia ficou tranqüila, sabia que havia conseguido convencer a mãe de que falaria com você. Ajudou-a se vestir e, antes de saírem, você perguntou:

— Também quer ir, Sofia, ou prefere ficar em casa?

— Ela, demonstrando preocupação, respondeu:

— Claro que quero, Pedro Henrique! Só vou ficar tranqüila quando souber que minha mãe está bem!

— Sim, foi isso que aconteceu, Gusmão. Falando daquela maneira, ela me convenceu de que estava mesmo preocupada com a mãe.

— Na realidade, o que ela não queria era deixar que você e a mãe ficassem sozinhos. Temia que a mãe, até sem perceber, deixasse escapar alguma coisa que levantasse suspeita. Vocês foram para a cidade. Depois que o médico examinou Nadir, disse:

— Dona Nadir, a senhora está muito fraca, vou receitar algumas vitaminas e um calmante para que possa reagir. Lembre-se de que posso cuidar de seu físico, mas de sua alma, a senhora mesma é quem tem de curar. Hoje, já está tarde, mas, mesmo assim, vou conversar com Mauro, o farmacêutico. Ele mora perto da minha casa. Vou pedir que manipule a receita. Amanhã cedo, podem vir buscar.

— Eu olhei para Nadir e depois para Sofia e disse:

— Faça isso, por favor, doutor e não se preocupe que amanhã, bem cedo, vou estar aqui e esperar que o remédio fique pronto. Depois, eu mesmo levo para dona Nadir.

— Está bem, Pedro Henrique, mas preciso voltar a dizer para a senhora, dona Nadir, que este remédio é muito forte, por isso só pode tomar vinte gotas durante as refeições. Ele vai ajudar a senhora a se livrar dessa depressão, mas isso só acontecerá se entender que tudo na vida é sempre como tem de ser. Seu filho morreu, sei que a dor e a saudade são muito fortes, mas a vida continua. A senhora tem seu marido e sua filha que precisam muito de carinho, *além do mais, Sofia está esperando uma criança que vai encher sua vida de felicidade. Pense nisso, dona Nadir...*

— Vocês voltaram para casa, deixaram Nadir e Romeu em casa e, depois, foram para a sua. Sofia estava inquieta, você achou que era por preocupação com a doença da mãe, quando, na realidade, ela estava com muito medo de perder tudo o que havia conseguido.

— Nunca poderia imaginar que ela estivesse agindo daquela maneira estranha por causa disso, Gusmão. Achei que, realmente, ela estava preocupada com a mãe. Ela não pensou em acatar o que a mãe havia dito e me contar tudo o que havia acontecido?

— Nem por um minuto, isso era o que mais temia. Durante toda aquela noite, quase não dormiu e ficou imaginando uma maneira de evitar que isso acontecesse. Pela manhã, enquanto tomavam café, ela disse:

— *Pedro Henrique, o médico só levou a receita à noite para o seu Mauro, por isso, acho que o remédio só vai ficar pronto lá pelas dez ou onze horas. É muito tempo para você ficar esperando. Acho melhor você mandar o Tião. Ele pode ficar o tempo que for preciso. Peça para ele trazer o remédio aqui em casa, eu vou com ele na carroça levar para minha mãe.*

— *Não precisa, Sofia, ele mesmo pode levar.*

— *Eu quero ir para ver como minha mãe está.*

— *Tudo bem, se você quer, vou conversar com ele.*

— Foi o que fiz, Gusmão, conversei com Tião e ele foi para a cidade.

— Quando voltou, já era quase meio-dia, assim que chegou, Sofia pediu para que ele lhe mostrasse o remédio. Ele lhe deu dois vidrinhos, um com um líquido escuro e outro com líquido branco. Ela pegou os vidrinhos, dizendo:

— *Vou pegar um pedaço de carne para que minha mãe ou meu pai prepare para o almoço.*

— Tião, sem desconfiar, sorriu e, enquanto ela entrava com os vidrinhos, ficou esperando. Logo depois, ela voltou, trazendo em suas mãos um pacote e os dois vidrinhos. Foram para a casa de Romeu que, quando eles chegaram, não estava lá. Sofia entrou e conversou com a mãe.

— *Mãe, eu trouxe um pedaço de carne para o almoço e o remédio que o doutor Xavier receitou. Precisa tomar direitinho. Não se esqueça de que não pode ser mais de vinte gotas de cada um.*

— *Não vou me esquecer, Sofia.*

— *Quer que eu prepare o almoço?*

— *Não precisa, seu marido já deve estar chegando para comer. Estou bem e vou preparar a comida do seu pai.*

— *Está bem, então já vou indo.*

— Ela estava saindo da casa, quando Nadir perguntou:

— *Já conversou com seu marido, Sofia?*

— Sofia queria evitar aquela pergunta, por isso estava saindo apressada, mas diante da insistência da mãe, respondeu:

— *Ainda não, mãe. Ontem, quando chegamos, ele estava muito cansado, tomou um banho e adormeceu logo. Hoje, pela manhã, saiu antes de eu acordar, mas não se preocupe, vou conversar com ele. A senhora me convenceu de que esse era o melhor caminho.*

— *Faça isso, Sofia, vai ser bom pra você e pro seu casamento.*

— *Vou fazer, mãe... estou com medo, mas vou fazer...*

— Nadir sorriu, Sofia subiu na carroça onde Tião estava e foram embora. Quando você chegou para o almoço, a primeira coisa que perguntou foi:

— *O Tião trouxe o remédio, Sofia?*

— *Trouxe e eu fui com ele até a casa da minha mãe.*

— *Como ela está?*

— Ela, com um ar de tristeza e preocupação, respondeu:

— *Não está bem, não, Pedro Henrique. Estava chorando muito e não queria se levantar da cama, tive de brigar com ela.*

— *Ela se levantou?*

— *Depois de eu falar muito. Quis preparar o almoço, mas ela não deixou. Disse que ia preparar. Prometeu que vai tomar os remédios, direitinho, como o doutor Xavier mandou.*

— Ela vai ficar bem, Sofia. Isso que ela está sentindo é normal. Afinal de contas, perdeu um filho e isso não deve ser fácil...

— Com os olhos cheios de água, ela disse:

— Vai, sim, Pedro Henrique, tenho fé que isso vai acontecer logo...

— Três dias se passaram, vocês estavam tomando café, quando Romeu, logo pela manhã, chegou desesperado e chorando muito. Ao vê-lo chegando daquela maneira, você se levantou e preocupado, perguntou:

— Que aconteceu, senhor Romeu?

— Ele chorava muito, tanto que estava com dificuldade para responder. Você se aproximou dele, colocou o braço em volta de suas costas e disse:

— Tente se acalmar para que possa nos contar o que aconteceu, parece que foi algo muito grave.

— Ele respirou fundo e disse:

— Hoje pela manhã, quando acordei, estranhei que Nadir ainda não havia acordado. Mexi nela e percebi que ela estava morta...

— Morta? Como? — você perguntou, abismado.

— Não sei, ela, mesmo tomando os remédios, não melhorou...

— Sofia começou a chorar e perguntou:

— O senhor tem certeza de que ela tomou, mesmo, o remédio, pai?

— Tomou, sim, eu mesmo fiz questão de dar. Mas acho que ela não conseguiu se livrar da tristeza que sentia. Vocês se lembram de que o doutor Xavier disse que só os remédios não iam adiantar se ela não reagisse? Ela não reagiu. Meu Deus do céu, o que vou fazer agora com a minha vida? Perdi meu filho de uma maneira idiota que nem sei como foi e, agora, a minha mulher...

— Lembro-me daquele dia, Gusmão, e de como Sofia chorava sem parar. Eu não sabia qual dos dois devia consolar primeiro, pois, assim como eles, não estava acreditando como tudo aquilo estava acontecendo. Como tanta desgraça podia se abater em uma família?

— Você ficou apavorado e demorou um pouco para dizer:

— *Precisamos levá-la para a cidade. O doutor Xavier precisa vê-la e descobrir o que aconteceu.*

— Sofia estremeceu e, ainda chorando, perguntou?

— *Vai ser preciso, mesmo, Pedro Henrique?*

— *Vai, Sofia. Ele precisa dar o atestado de óbito.*

— *Não posso ir, quero ver minha mãe.*

— Ela gritou desesperada e você ficou preocupado com ela. Achava que estava daquele jeito pelo choque da morte da mãe, quando, na realidade, não era.

— Como não era, Gusmão? Por que ela estava daquela maneira?

— Por medo, Pedro Henrique, por medo...

— Medo do quê, Gusmão?

— Quando Tião lhe entregou os dois vidrinhos e ela disse que ia pegar um pedaço de carne, na realidade, foi pegar o veneno que havia colocado no bolo de chocolate que deu a Gustavo. Derramou um pouco do remédio na pia do banheiro e completou com o veneno. Ela não sabia quanto tempo ia demorar, mas arriscou. Sabia que o veneno agiria. Seu único medo era de que fosse descoberta.

— Ela não fez isso, Gusmão! Ela não matou a própria mãe!

— Infelizmente, fez, Maria Rita. Estava com muito medo de que a mãe contasse para o pai aquilo que sabia.

— Meu Deus, Gusmão! Conhecendo Sofia, custa-me acreditar. Ela me pareceu humilde e também sempre foi muito dedicada ao Pedro Henrique...

— Ela sempre soube o que fazia. Planejava qualquer coisa para não perder o que tinha conquistado...

— Sabemos que ela não foi descoberta. Como isso pôde acontecer? Será que ninguém desconfiou que Gustavo e Nadir morreram de uma maneira estranha?

— Pedro Henrique, lembra-se de que resolveu ir até a cidade para pedir que o médico e o delegado viessem até a casa de Romeu?

— Sim, achei melhor para que pudessem constatar que ela estava morta e, assim, pudéssemos enterrá-la.

— Eles foram. A cidade era muito pequena e não havia recurso algum. Doutor Xavier, por saber que Nadir estava muito fraca e em uma depressão profunda, não estranhou que houvesse morrido e até achou que havia sido de inanição.

— Como isso pôde acontecer, Gusmão?

— Ainda hoje, existem cidades como aquela. Pequenas, sem recursos e sem maldade, com dois soldados e um só médico para cuidar da população.

— Naquele dia, depois que foi constatada a morte de Nadir, Sofia chorou o tempo inteiro, até a hora em que a mãe foi enterrada. Foi confortada por muitas pessoas. Eu mesmo fiquei muito preocupado, por ela estar esperando criança, tentei acalmá-la várias vezes. Insisti para que fosse se deitar, mas ela se recusou...

— Ela não podia se afastar. Precisava ter a certeza de que ninguém desconfiaria. Depois do enterro, foi para casa, comeu, tomou um banho e dormiu a noite inteira.

— Não sei o que estamos fazendo aqui, Gusmão! — Pedro Henrique disse, muito nervoso:

— Estamos aqui na tentativa de que ela mude de idéia, se arrependa e confesse todos os seus crimes.

— Ela não vai fazer isso, nunca! É um espírito embrutecido! Mesmo que confesse, não está pronta para nos acompanhar, terá de resgatar tudo o que fez...

— Sim, Maria Rita, isso é verdade, mas, quando viemos para junto dela, foi porque vocês sabiam que ela precisava de ajuda. Queriam se sacrificar e continuar ao lado dela. Por isso, é preciso que conheçam toda a verdade para, no fim, se ainda desejarem, continuarem com esse propósito.

— Não sei, Gusmão, continuo achando que estamos perdendo tempo. Ela não vai mudar...

— Lembre-se, Pedro Henrique, de que todo espírito terá seu momento de lucidez. Sofia, por mais delitos que tenha cometido, ainda é filha de um Pai amoroso e que está disposto a perdoar sempre e que, para isso, dará todas as oportunidades. Por isso, vou dizer mais uma vez, ficaremos aqui até que todos os recursos sejam usados e não reste mais esperança alguma...

— Mesmo com um espírito como o de Sofia?

— Com um espírito como o dela, principalmente. Você não se lembra da parábola do filho pródigo ou do pastor que abandonou suas ovelhas para ir em busca de uma desgarrada? Deus é assim, muito mais do que um pai, aqui na Terra, que sempre perdoa os filhos, Ele perdoa muitas vezes mais e, embora possa dar algum corretivo, estará sempre pronto para receber, com muito carinho, um filho seu perdido.

Pedro Henrique e Maria Rita levantaram a cabeça e, em silêncio, fizeram uma oração.

Outra chance para repensar

ofia, sentada dentro do carro, ao relembrar o dia em que Nadir morreu, começou a tremer. Seu rosto foi ficando pálido e sua cabeça tombou para a frente. Sentia dificuldade para respirar. Com esforço, tocou no braço de Stela que, ao vê-la daquela maneira, muito nervosa, disse:

— O que a senhora tem, dona Sofia?

— Quase sem poder falar, respondeu, com a voz fraca e baixa:

— Não sei, de repente comecei a passar mal. Estou me sentindo muito fraca.

Stela, desesperada e sem saber o que fazer, olhou para a frente e para trás, na esperança de ver alguém se aproximando, mas não havia ninguém. Maria Rita e Pedro Henrique também estranharam aquilo. Maria Rita perguntou:

— O que ela tem, Gusmão?

— Tudo isso que conversamos se passou há muito tempo. Sofia, no princípio, ficou com medo de ser descoberta, mas, com o tempo, percebeu que ninguém havia desconfiado. Sentiu-se segura e continuou vivendo. Ela nunca soube, mas energias pesadas grudaram-se em seu corpo. Sempre sentiu essa ou aquela dor, mas nunca deu atenção. Hoje, está, desde cedo, relembrando o passado e todos os seus crimes. Sua energia enfraqueceu e as energias pesadas que estavam com ela ficaram mais fortes e a estão atacando.

— Por que isso só aconteceu agora?

— O corpo é uma extensão do espírito. Se o espírito não estiver bem, o corpo também não estará. Sofia, ao relembrar, teve um sentimento que há muito havia esquecido. Sentimento de culpa que é o que contém maior força de destruição.

— Ela não tem como lutar contra isso?

— Tem e pode se livrar dessas energias, mas vai demorar muito para que entenda. O sentimento de culpa acompanha um espírito que realmente cometeu algum delito ou julga ter cometido.

— Não estou entendendo.

— Muitas vezes, um espírito comete algo que seja errado, mas que na realidade não é. O simples fato de pensar que é, já o torna realidade. A única maneira de reparar o estrago que esse sentimento pode causar é tentar remediar o que foi feito. Algumas vezes dá; outras, como no caso de Sofia, não há como reparar, pois Gustavo e Nadir não voltarão a viver ao seu lado.

— Então, ela não tem chance alguma?

— Tem, bastaria que confessasse tudo o que praticou e se arrependesse com sinceridade, mas ela sabe que precisaria pagar aqui, na Terra, por seus crimes e isso é muito difícil de acontecer.

— Se ela não fizer isso até o dia da sua morte física?

— Infelizmente, Pedro Henrique, essas energias pesadas que a acompanham tomarão conta de seu espírito e ela será atormentada por muito tempo, até o dia em que o plano espiritual entenda que deve parar. Será resgatada e preparada para uma nova encarnação, que, como podem imaginar, não será das mais fáceis.

— A Lei é justa, não é, Gusmão?

— Sim, Pedro Henrique. Na Terra ou em outro lugar onde o espírito viva, pode haver impunidade, mas no plano espiritual, não. A Lei se encarregará de fazer justiça e de quanto tempo vai durar, sem nos esquecermos, de que sempre o espírito poderá encontrar a luz.

— Você disse que ela está envolvida por energias pesadas, mas não estamos vendo.

— Isso acontece porque nossas energias são diferentes. Se quisermos ver, precisamos baixar nossas energias.

— Isso pode ser feito?

— Sim, vou fazer isso para que possam ver.

Gusmão fechou os olhos e, em poucos minutos, começaram a ver as energias em volta de todo o corpo de Sofia. Eram pequenas porções de nuvens escuras no formato de flechas. Algumas pareciam ser atirados com muita força e iam grudando no coração de Sofia. A cena era grotesca. Maria Rita colocou as mãos sobre os olhos e perguntou:

— Gusmão, como ela suporta isso? Parece que machuca!

— Neste momento, ela está sentindo muita dor e, se fosse a hora de morrer, nada poderia evitar, mas, olhem bem e vejam aquela pequena luz branca quase totalmente apagada.

Os dois olharam mais atentamente e viram. Pedro Henrique perguntou, curioso:

— Que luz é aquela, Gusmão?

— Todo espírito, encarnado ou não, tem, em algum lugar, alguém a quem ama e por quem é amado. Por incrível que possa parecer, essa luz é resultado dos pedidos de Nadir, que ama Sofia com todos os seus defeitos. Há muito tempo já lhe perdoou e quer que seja resgatada.

— Não pode ser, Gusmão! Nadir?

— Sim, Pedro Henrique, Nadir. Ela está muito bem e tem luz que pode iluminar a nós todos. Só conseguiu essa luz através de muito esforço, perdão e amor. Essa pequena luz está conseguindo fazer com que as energias pesadas não fiquem muito tempo sobre Sofia. Elas, através do amor de Nadir, são afastadas por algum tempo, mas voltam, assim que Sofia relembra o que fez e não se arrepende, como está acontecendo agora, mas, mesmo assim, Nadir não desiste. Prestem atenção como a luz branca está aumentando e as pequenas flechas estão sendo retiradas. Isso é somente o resultado do amor e perdão de Nadir.

Pedro Henrique, com a cabeça, disse que havia entendido e olhou para Sofia que ainda continuava muito branca e com dificuldade para respirar. Perguntou:

— Ela vai morrer, Gusmão?

— Não, Pedro Henrique, se isso fosse acontecer, depois de tudo o que ela fez, não estaríamos aqui e, em nosso lugar, estariam outras companhias que ela atraiu para o seu lado, durante toda sua vida, aqui na Terra. Por isso, se ainda estamos aqui, significa que ela ainda tem uma chance. Esse mal-estar vai passar dentro de instantes.

Olharam para Sofia que pareceu estar melhorando. Aos poucos, a cor de seu rosto começou a voltar e sentiu que podia respirar com mais tranqüilidade. Stela, muito preocupada por não saber o que fazer, olhou para ela e percebeu o que estava acontecendo. Disse:

— Graças a Deus! Parece que a senhora está melhorando, dona Sofia...

— Estou sim, o mal-estar que eu estava sentindo já passou.

— O que será que aconteceu?

— Deve ser a tensão, esta viagem está sendo muito complicada. Aconteceu muita coisa, devo ter ficado nervosa. Mas, agora, estou bem. Vamos torcer para que aquele homem volte logo, se é que vai voltar...

— Ele vai voltar, sim, dona Sofia, mas se não voltar, alguém deve passar por aqui e vai nos ajudar. O importante é que a senhora esteja bem, fiquei muito preocupada...

Sofia, ainda fraca, começou a rir. Stela não entendeu e perguntou:

— Por que a senhora está rindo? O que aconteceu?

— Você disse que ficou preocupada, acredito que sim, mas o que queria mesmo era que eu morresse...

— O quê? A senhora não sabe o que está dizendo. Por que acha que eu queria sua morte?

— Ora, Stela. Acha que não sei a imensa fortuna que tenho? Acha que não sabe que, se eu morrer, vocês vão herdar tudo o que é meu?

— Dona Sofia, não acredito que a senhora está pensando em uma coisa como essa! Sabe muito bem que nem o Maurício nem o Ricardo precisam do seu dinheiro! Fiquei preocupada, sim, por estarmos aqui nesse fim de mundo e por não saber o que fazer... nada além disso...

Sofia, com ironia na voz, disse:

— Está bem, Stela. Acredito que esteja dizendo a verdade.

Stela, demonstrando muita raiva, se calou, mas pensou: *sempre soube que essa mulher é uma cobra, mas nunca pensei que fosse tanto, embora ela não deixe de ter um pouco de razão. Se morresse, o Maurício ia herdar um bom dinheiro, que daria para muitas coisas, além de podermos comprar aquela casa de praia que tanto desejo. Quando ela morrer, não vai fazer falta alguma, só não quero que seja hoje, sozinha comigo, aqui neste fim de mundo. Por que, se isso acontece, vou ter de explicar o que estávamos fazendo aqui e isso, não quero...*

Em poucos minutos, Sofia estava bem. Nem parecia que havia passado tão mal. Gusmão apontou para a luz que vinha de Nadir e disse:

— Olhem a força do amor. De todos nós, Nadir é quem se preocupa mais com Sofia.

— É difícil de se acreditar nisso, mas estou vendo acontecer, Gusmão...

— Tem razão, Maria Rita. Amar a quem nos ama é fácil, o difícil é amar a um inimigo. Sabendo disso, Jesus já nos disse: perdoai setenta vezes sete, não foi?

— Foi, sim, Gusmão. Ele sabia o que dizia...

— O amor, embora possa não acreditar, tem muita força. Essa luz, quando chega, modifica qualquer situação. O mesmo acontece com alguém que morre. Normalmente, quando isso acontece e ela retorna para o plano, fica assustada e preocupada com aqueles que aqui ficaram e sofrem muito quando sabem que estes estão sofrendo e inconformados. Querem voltar e ficar ao lado deles, o que pode trazer muitos transtornos para a vida do encarnado. Por isso, muitas vezes, são impedidos de voltar, mas quando essa proibição se torna um problema para o recém desencarnado, ele recebe autorização para voltar, nem que seja por um período muito curto. A simples presença ao lado daqueles que deixou, por sua energia ser diferente, causa muitos problemas. Muitas doenças de difícil diagnóstico ou até bem diagnosticadas são causadas pela presença desses espíritos que, embora sejam amigos, sem saber ou compreender, causam muito mal. A maioria das depressões que existem são causadas por esses espíritos. Como sabem, quando desencarnamos, levamos conosco todas as nossas qualidades e os nossos defeitos. Se, ao desencarnarmos, não aceitarmos a morte e, por isso, entrarmos em depressão, continuaremos assim e aqueles de quem nos aproximarmos, também, sem saber ou ter um motivo aparente, entrarão em depressão, o que poderá causar problemas muito sérios, levando, algumas vezes, até o desencarne.

— Isso pode mesmo acontecer, Gusmão?

— Sim, muito mais do que possa calcular. O espírito desencarnado sofre muito com o sofrimento daqueles que aqui deixaram.

— Nada se pode fazer para que isso não aconteça?

— O aprendizado é longo, mas, aos poucos, todos os espíritos encarnados entenderão que a morte não é um fim, pois, mais cedo ou mais tarde, todos terão de morrer. Quando isso acontecer, reencontrarão aqueles que foram na sua frente. Aprenderão que a morte, muitas vezes, é um bem.

— Quando?

— Quando a pessoa sofre de uma doença que lhe causa muita dor ou sofrimento. Deus, que é um Pai amoroso, manda a morte para que o espírito possa se livrar da dor e continuar evoluindo. Quando isso acontece, o corpo que serviu de abrigo por muito ou pouco tempo para o espírito, desaparece, mas ele, não. O espírito continua na sua evolução, no seu aprendizado.

— Está dizendo que, quando alguém morre, não devemos chorar nem nos desesperar?

— Mais ou menos isso. Claro que, quando alguém morre, sentimos muita dor e sofrimento, pois estamos acostumados com aquela pessoa sempre ao nosso lado, mas, se acreditarmos que a vida continua, essa dor, aos poucos, vai desaparecendo, restando somente uma saudade, que sabemos, um dia, passará, pois estaremos novamente ao lado daquele que se foi.

— Isso é fácil de se dizer, mas, quando acontece, não é tão fácil. Lembro-me de como fiquei triste quando a senhora, mamãe, morreu.

— Tem razão, Pedro Henrique. Assim que me dei conta de que havia morrido, sentia muita dor no peito, como se uma lança o perfurasse. Quando perguntei qual era o motivo, me disseram que aquelas pequenas flechas vinham do coração daqueles que eu havia deixado na Terra. Depois de algum tempo, permitiram que voltasse para visitá-los e com tristeza constatei o quanto vocês estavam sofrendo. Fiquei muito triste, não sabia o que fazer, mas Isaura, que estava me acompanhando, disse:

— Não fique assim, Maria Rita, a vida se encarregará para que todos fiquem bem.

— Como assim?

— A vida vem acompanhada de situações difíceis. O ser humano precisa continuar vivendo ou sobrevivendo, por isso, os problemas, com o tempo, farão que a sua imagem ou presença vá ficando cada vez mais distante.

— Se pensarmos bem, mamãe, isso é verdade. Depois que a senhora e o papai morreram, fiquei triste e sofri muito, mas as crianças eram pequenas, Sofia insistia para que eu me tornasse político, coisa que eu nunca quis. Aquilo me tomou muito tempo e preocupação. Sem perceber, acho que esqueci os dois. Esqueci, não, lembrava-me com menos freqüência.

— É isso que estou dizendo, Pedro Henrique, a vida nos ajuda sempre, tanto na nossa evolução, como no nosso aprendizado, por isso, o espírito, quando está desencarnado, sente tanta vontade de renascer para que isso possa acontecer.

— O que o encarnado pode fazer para ajudar aqueles que partiram na frente?

— Embora não possa esquecer definitivamente, sempre que se lembrar daquele que foi, embora sinta saudade, não pode sentir dor. Deve tentar relembrar os momentos bons que passaram juntos, as coisas boas, fechar os olhos e imaginar que bolas de luz estão saindo de seu corpo e sendo enviadas para aqueles que se foram. Essas bolas de luz encontrarão aquele a quem foram destinadas em qualquer lugar em que estejam e lhes causa um bem enorme, pois, ao invés de flechas que lhe causam dor, estas se transformarão em bolas de luz que só lhes causam muita paz e felicidade.

— A espiritualidade é sábia, mesmo.

— É sim, Pedro Henrique. Tudo está sob controle e todas as chances para que o espírito possa evoluir em paz serão dadas.

Stela não sentia vontade de conversar. Ao ver que Sofia estava bem, continuou olhando para os dois lados da estrada, na esperança de que alguém aparecesse para ajudá-las. Sofia, embora estivesse bem, continuava preocupada com o que havia acontecido e também olhava para os dois lados da estrada com o mesmo pensamento de Stela. Precisavam sair daquele lugar. Já era quase uma hora da tarde, o tempo estava passando e logo a tarde chegaria e, quando isso acontecesse já deveriam estar em casa. No mesmo instante em que olharam, viram que, pela parte da frente, vinha em sua direção, o homem que havia passado por elas e dito que voltaria com ajuda. Stela disse, eufórica:

— Olhe lá, dona Sofia, o homem voltou e está acompanhado!

— Estou vendo, Stela, já não era sem tempo. Estou cansada de ficar aqui e temos um compromisso que não pode ser adiado. Stela ia falar algo, mas o homem se aproximou. Ele vinha montado em seu cavalo, mas logo atrás, o acompanhava um jipe. Ele se aproximou da janela onde Stela estava e disse:

— Eu falei que ia voltar. Demorei um pouco porque tive de ir até a fazenda do meu compadre e fica um pouco distante, mas ele aceitou em ajudar as senhoras.

As duas olharam para eles e Stela disse:

— Só posso agradecer por tanta gentileza, realmente estamos muito preocupadas e precisamos sair daqui.

— Não precisa agradecer, a gente está neste mundo para ajudar um ao outro, não é mesmo?

Stela sorriu. Nunca havia pensado naquilo e, talvez, se estivesse no lugar dele, teria passado sem sequer pensar em ajudar. Teria ido embora e se esquecido dele e de seu problema. Ele olhou para o compadre e disse:

— Acho que a gente precisa colocar as correntes aí no chassi do carro e puxar, não vai ser difícil, não é compadre?

O compadre sorriu, saiu do jipe, foi até a carroceria, pegou algumas correntes e entrou na água. Ele e o homem estavam com botas altas e, por isso, não havia perigo de se molharem. Antes de amarrarem as correntes, o homem disse:

— Sei que as senhoras não são da cidade, por isso preciso perguntar para que lado querem que puxemos o carro.

— Por quê? — Stela perguntou.

— Por que, se seguirem em frente, terão de voltar por esta mesma estrada e vão atolar novamente, por isso acho melhor puxar para trás, aí as senhoras poderão voltar por onde vieram.

Ao ouvir aquilo, Sofia ficou muito nervosa e disse:

— Não podemos voltar, Stela! Temos um encontro marcado. Precisamos seguir em frente!

— Não sei, dona Sofia, esta viagem já teve tantos problemas, acho que é um aviso para que voltemos. Além do mais, como este senhor disse, se continuarmos, teremos de voltar por esta estrada e encontraremos novamente este pedaço, onde ficaremos presas outra vez...

— Não podemos voltar, Stela! Precisamos continuar! Senhor, não existe outra estrada por onde poderemos voltar?

— Tem, só que ela aumenta o caminho em mais de uma hora.

— Está em boas condições?

— Está, é totalmente asfaltada.

— Viu, Stela, podemos voltar por ela! Pode puxar o carro para a frente, senhor.

— A senhora é quem sabe, estamos aqui só para ajudar. Se tiver tempo, a estrada é muito boa mesmo.

Sofia, impaciente com toda aquela conversa, sorriu. Os dois homens amarraram as correntes e em poucos instantes o carro, embora estivesse todo sujo de lama, estava livre. Sofia e Stela sorriram aliviadas. Os homens, também felizes, sorriram. Stela disse:

— Muito obrigada, podem imaginar o bem enorme que fizeram. Quanto vão cobrar pelo serviço?

— O primeiro homem, demonstrando nervosismo, respondeu:

— A gente não vai cobrar nada, não, moça. A gente só está ajudando, nada mais que isso. Agora que já estão livres, continuem sua viagem e que Deus acompanhe as senhoras.

Ao ouvir aquilo, Sofia disse, demonstrando nervosismo:

— Como não vão cobrar? O senhor teve um trabalho imenso, foi buscar seu compadre que perdeu tempo e gastou gasolina para vir até aqui, precisam cobrar!

— A gente não precisa, não, dona. O que o compadre gastou com gasolina é quase nada e o tempo, a gente tem bastante. A gente só ajudou porque as senhoras precisavam. Deus já deu tanto pra gente, não é compadre?

O outro homem sorriu e balançou a cabeça, dizendo que sim e, acenando o braço, um entrou no jipe, o outro montou no cavalo e, sorrindo, foram embora. Stela e Sofia ficaram olhando-os irem embora. Quando desapareceram totalmente, Stela, sob a influência de Gusmão, disse:

— Dona Sofia, ainda acho que devíamos voltar e deixar essa história para outro dia. Já tivemos tantos avisos. Acho que o que estamos fazendo está errado e, de alguma maneira, Deus está tentando nos avisar e impedir.

— Stela, o que está acontecendo com você?

— Por que está perguntando isso?

— Desde que iniciamos esta viagem, fui notando que você está mudando.

— Mudando por quê?

— Está a todo momento me contradizendo. Você nunca foi assim, Stela! Sempre fez tudo o que mandei e quis, sem perguntar nem pestanejar. Não estou gostando de sua atitude!

— Não sei o que aconteceu, a senhora deve estar vendo coisas. Não mudei, só acho que, desta vez, a senhora está fazendo algo que não é certo.

— O que não é certo?

— A senhora quer separar a Anita do Ricardo, acho que isso não está certo. Eles dois se gostam muito, isso qualquer um pode ver. A senhora tem uma raiva de Anita, que, a meu ver, é sem motivo. A senhora parece não estar preocupada com seu filho, mas sim com um ódio que parece pessoal. Qual é na verdade o motivo de tanto ódio pela Anita?

— Não estou entendendo o que está dizendo, Stela, mas vou responder: eu não gostei da Anita desde o primeiro dia em que a vi. Ela é dissimulada, pedante e só faz o meu filho sofrer! Ela não é mulher para ele! O Ricardo merece muito mais!

— Mas foi ele quem a escolheu, dona Sofia! Nem a senhora nem ninguém tem o direito de interferir nessa escolha!

Sofia ficou irritada e disse, quase gritando:

— Você é quem não tem o direito de interferir nas minhas decisões! Só tem de cumprir o que quero e mando! Sabe que a boa vida que tem, deve-se ao motivo de ter se casado com Maurício, pois, se não fosse isso, estaria vivendo na mesma casa, onde seus pais vivem até hoje! Naquela pobreza toda! Por isso, vamos continuar essa viagem e fazer o que tem de ser feito. Quanto a você, só precisa me acompanhar e não contar a ninguém, ninguém mesmo, muito menos ao Maurício, o que viemos fazer nesta viagem

— Ele vai perguntar por que demoramos tanto.

— Invente qualquer coisa, diga que viemos até esta cidade para fazer compras. Ele vai acreditar. Diga que estava comigo, ele sabe que, se está comigo, está com Deus! — Sofia, ao dizer isso, soltou uma estridente gargalhada.

Stela estava sem saber o que falar. Sempre soube que nunca deveria enfrentar Sofia, pois, com certeza, ela usaria, como usou, sua origem humilde e sua vida de luxo de agora. Por isso, sempre fez o que ela quis, mas, agora, estava se cansando. Precisava parar com aquilo. Ficou calada, ligou o carro, acelerou e continuaram pela estradinha, rumo à casa do tal homem.

Pedro Henrique, que acompanhava toda a conversa, balançou a cabeça em sinal de desânimo e disse:

— Não adianta insistir, Gusmão. Sofia está completamente perdida e não mudará nunca! Ela é má mesmo!

— Chego a concordar com você, Pedro Henrique. Apesar de todos os avisos que teve em forma de empecilhos, não entendeu e não quis rever sua atitude. Mas, se ainda estamos aqui, se não recebemos um aviso para voltar, é porque ainda existe uma esperança. Vamos continuar ao lado delas e ver até onde vai essa loucura.

— Acho que estamos perdendo tempo, mas se acha que devemos ficar, vamos fazer isso, não é mamãe?

— Sim, meu filho. Como o Gusmão já disse várias vezes, precisamos esgotar até o último recurso.

Ficaram em silêncio, olhando para a estrada.

O trabalho

tela continuou dirigindo em silêncio, porém, agora, seus pensamentos estavam diferentes daqueles que tinha quando iniciou a viagem: *não deveria ter, desde o começo, tentado agradar dona Sofia. Somente hoje, estou percebendo como ela é má. Isso tem de terminar! Mas preciso tomar cuidado, ela, assim como está fazendo com Anita, poderá fazer contra mim. Ela tem razão, minha família é humilde e só tenho as condições de hoje por ter me casado com Maurício, mas, quando me casei, eu o amava e ainda continuo amando. Preciso me afastar dela, mas vai ter de ser aos poucos, sem que perceba, se isso for possível. Ela me sufoca!*

Sofia, por sua vez, só queria chegar o mais rápido possível e resolver aquilo que, para ela, era um tormento: ver seu filho casado com aquela mulher.

Vinte minutos depois, entraram numa rua de uma pequena vila. Assim que entraram, perceberam que devia haver três ou quatro ruas sem asfalto. As casas eram simples e pequenas, embora, a maioria dos terrenos parecesse ser grande. A rua em que estavam parecia ser a principal, porque havia alguns pontos de comércio. Perguntaram e logo foram informadas do endereço do tal homem. Seguiram as indicações e chegaram a uma das travessas da rua principal. Sofia olhou o nome da rua e o número da casa. Pararam o carro em frente a uma casa que, como as outras, também vista de fora, parecia ser pequena. Era cercada com arame onde foram plantadas várias trepadeiras.

Desceram do carro. Sofia procurou uma campainha, mas não encontrou. Bateu palmas com muita força. Logo uma senhora apareceu. Ela estava vestida com uma saia colorida e longa. Vagarosamente se aproximou. Assim que chegou ao portão, perguntou:

— Posso ajudar?

Sofia, muito nervosa, respondeu:

— Sim, temos hora marcada com o Pai Jorge.

— Acho que ele não tem ninguém marcado para esta hora.

— Tem razão, a hora estava marcada para antes do almoço, mas só conseguimos chegar agora.

— Um momento, por favor.

Assim dizendo, voltou-se e andou em direção à casa. Sofia e Stela ficaram olhando. Poucos minutos depois, ela voltou, abriu o portão e apontou com a mão para que entrassem. Stela estava temerosa, embora a aparência da casa fosse boa, não sabia o porquê, mas não estava se sentindo bem. Continuaram andando com a mulher na frente. Chegaram à porta principal da casa, a mulher abriu a porta e se afastou para que elas entrassem. Sofia estava ansiosa para falar com o homem. Tinha pressa, estavam atrasadas e longe de casa. Naquela hora, já deveria estar quase chegando a casa. Stela também estava preocupada, sabia que sua demora seria notada por Maurício e que teria de mentir. Já havia feito muito isso, mentido por causa de Sofia, mas, agora, não queria mais fazer isso. Estava cansada de ter agido daquela maneira, durante tanto tempo. Precisava e queria mudar, só não sabia se conseguiria.

Entraram em uma sala, que tinha apenas dois pequenos sofás. A mulher, com a mão, pediu que sentassem e esperassem. Em seguida, abriu e entrou em uma porta. Poucos minutos depois, voltou e, ainda calada, apontou para a porta, pedindo que entrassem. Sofia e Stela se levantaram e entraram em uma outra sala. Esta era diferente da primeira. Não havia móveis, apenas algumas almofadas espalhadas pelo chão. Havia somente uma pequena mesa coberta por uma toalha vermelha com velas de várias cores e uma espécie de peneira sobre ela. Dos dois lados da mesa, havia pequenos bancos, também cobertos por um tecido vermelho. O homem, assim que elas entraram, com a voz mansa e falando bem devagar, disse:

— Demoraram para chegar...

Stela sorriu e falou:

— Desculpe, mas a culpa não foi nossa. Tivemos muitos problemas para chegarmos aqui, quase desistimos.

O homem riu e, ainda com a voz mansa e falando devagar, disse:

— É assim mesmo que acontece com quase todas as pessoas que vêm aqui para me ver. Elas têm uma porção de problemas.

— Por que isso acontece?

Ele sorriu com malícia e, piscando um olho, respondeu:

— Alguns espíritos que não têm o que fazer tentam impedir.

Pedro Henrique, Gusmão e Maria Rita, que também estavam lá, sorriram. Gusmão disse:

— Nisso ele tem razão, sempre tentamos impedir, mas quase nunca conseguimos.

— As energias que estão aqui, embora não possamos ver, me parecem pesadas, Gusmão. Não estou me sentindo bem...

— Tem razão, Maria Rita. Vou fazer com que possam ver o que se passa aqui.

Assim dizendo, levantou as mãos para o alto e fez uma oração. Em poucos instantes, a sala toda se iluminou. Perplexos, viram vários vultos negros que se movimentavam de um lado para o outro sem parar. Pedro Henrique e Maria Rita se assustaram. Gusmão sorriu e disse:

— Não precisam se preocupar, eles não estão nos vendo. Estamos em outra energia.

— Quem são eles?

— São as companhias que foram atraídas para cá, mas depois conversaremos sobre isso. Agora, vamos prestar atenção naquilo que vai acontecer aqui.

Os três se voltaram para o homem e Sofia que conversavam. O homem disse:

— Pelo que parece, foi a senhora quem marcou a hora.

— Foi sim, estou com um problema muito grande e preciso de ajuda. Pelo que me disseram, somente o senhor poderá fazer isso.

— Depende do que deseja, nem tudo consigo fazer.

— Sei que aquilo de que preciso o senhor poderá fazer.

O homem sorriu. Estava acostumado com pessoas como Sofia. Sabia que ela, com certeza, estava lá para pedir o mal para alguém e que, para isso, faria e pagaria tudo o que fosse necessário. Sorrindo, disse para Stela:

— Se a senhora não se importar, gostaria que esperasse lá fora. Preciso conversar com esta senhora.

Stela, ao ouvir aquilo, ficou assustada. Estava ali, naquele lugar que não conhecia, sabendo o que Sofia pretendia fazer e, por isso, não queria sair dali e ficar, sozinha, do lado de fora. Nervosa, olhou para Sofia e perguntou:

— Preciso sair, dona Sofia?

Sofia, que estava ansiosa para conversar com o homem, não percebeu o nervosismo e medo de Stela. Respondeu:

— Se ele disse que precisa, acho bom que saia. Não fique preocupada, acho que não vai demorar muito, não é mesmo, Pai Jorge?

O homem sorriu e, falando mais manso ainda, respondeu:

— Não vai demorar, não senhora. Moça, pode ficar tranqüila, nada de mal vai lhe acontecer. Pode ficar na outra sala. Minha esposa vai lhe preparar um suco.

O que menos Stela queria era ficar sozinha na outra sala e, menos ainda, tomar um suco feito naquela casa, mas, diante do olhar de Sofia, sem alternativa, saiu, foi para a outra sala e sentou-se no sofá. A mulher saiu e voltou logo depois, trazendo um copo com suco. Stela, além de estar com sede, estava também com muita fome. Havia tomado café pela manhã, antes de sair de casa, mas com todo aquele atraso e a vontade de Sofia de chegar logo ali, não comeram nada durante a viagem. Mesmo assim, disse:

— Obrigada, senhora, mas não estou com sede.

A mulher, entendendo que ela estava receosa, disse:

— Não precisa ficar preocupada, neste suco só tem água, limão e açúcar. Pode tomar sem medo. Está calor e sei que a senhora está com sede.

Stela, envergonhada, disse:

— Não estou com medo nem com sede, mas, mesmo assim, para que não se ofenda, vou tomar o suco.

Pegou o copo que a mulher lhe oferecia e, temerosa, tomou.

— A mulher sorriu, pegou o copo de volta e saiu pela porta por onde havia entrado. Assim que saiu, Stela respirou fundo e ficou olhando para a porta que dava para a sala onde Sofia estava.

Lá dentro, Sofia e o homem conversavam. Ele perguntou:

— Posso saber em que posso ajudar a senhora?

Sofia sorriu e começou a falar:

— Meu filho está casado com uma mulher que não o merece. Ele sofre muito ao lado dela, mas não consegue se separar. Preciso que faça algum trabalho para que isso aconteça! Sei que pode fazer isso. Já ouvi falar muito sobre o senhor e o seu trabalho.

— Se já ouviu falar sobre o meu trabalho, sabe que consigo sem problema algum e se é isso mesmo o que quer, seu filho vai estar separado dessa mulher bem depressa.

Sofia sorriu e disse, ansiosa:

— Claro que é! O senhor não pode imaginar como foi difícil chegar até aqui! Só cheguei aqui porque a vontade que tenho de ver meu filho livre daquela mulher é muito grande!

— Vamos fazer isso...

— A pessoa que me falou a seu respeito disse que o senhor faz o bem e o mal também.

— Ela está certa, mas depende do que a senhora ache o que seja o mal.

— Não sei, não entendo nada disso.

— O mal e o bem caminham juntos. Isso a senhora mesma vai poder confirmar.

— Não estou entendendo. Como vou comprovar?

— A seu pedido, vou tentar separar o seu filho da esposa. Não é mesmo?

— Sim, esse é o meu desejo.

— Pois bem, para muitas pessoas, separar um casal pode ser considerado um mal, mas para a senhora, essa separação será um bem, não é mesmo?

— Pode ter certeza que sim! Quando isso acontecer, vou ser a mulher mais feliz deste mundo!

— Está vendo, não lhe disse que o mal e o bem caminham juntos?

— Tem razão, mas o que está me interessando mesmo é saber como esse trabalho vai ser feito.

— Sendo assim, vou consultar os Orixás, eles vão dizer o que querem.

Assim dizendo, pegou algumas conchas que estavam ao lado da peneira, começou a falar uma língua que Sofia não conhecia e a jogar as conchas sobre a peneira. Fez isso por várias vezes, depois disse:

— Já sei tudo o que é preciso fazer. Os Orixás deram a resposta.

— Sofia não entendia nada do que estava acontecendo, mas perguntou:

— O que é preciso fazer?

O homem abriu uma gaveta que havia na mesa, tirou dela uma caderneta, uma caneta e disse:

— Enquanto eu for falando, a senhora vai anotando.

Assim dizendo, voltou a jogar as conchas sobre a peneira e a falar daquele modo estranho. A cada jogada, ia dizendo o que era preciso e Sofia ia anotando. Fez assim várias vezes. Depois, parou de jogar as conchas e disse:

— Está tudo aí o que vou precisar. A senhora me traz tudo e eu faço o trabalho.

A lista era enorme. Nela havia pedidos de flores, velas de todas as cores, charutos, cigarros, cachaça, champanhe, farinha para que fosse feita uma farofa, pimenta vermelha, vários alguidares, galinhas pretas e de angola, e, por último, um bode. Sofia leu com atenção e perguntou:

— O que é alguidar? Nunca ouvi falar sobre isso.

— É um prato de barro para que as oferendas sejam colocadas.

Sofia continuou lendo a lista.

— É muita coisa, espero que o trabalho dê certo e que meu filho fique livre daquela mulher.

— Ele vai ficar, pode ter certeza, basta a senhora me trazer tudo o que está aí.

— Em quanto tempo?

— A senhora vai ver o resultado entre sete a vinte e um dias.

— O senhor tem certeza?

— Claro que tenho, já fiz isso várias vezes.

— Nunca fiz um trabalho como este, não sei onde comprar estas coisas e, além do mais, moro longe. Se eu lhe der o dinheiro, o senhor não poderia providenciar tudo?

— Eu ia lhe falar isso mesmo. Como sempre compro esse material, e tem um fazendeiro amigo meu que faz criação de bode, posso comprar tudo e a senhora só espera o resultado. Se não der certo, pode voltar, mas sei que não vai precisar fazer isso, os meus "trabalhos" sempre dão certo.

— Espero que sim, pois se conseguir separar o meu filho daquela mulher, vou ser a pessoa mais feliz deste mundo!

— Pode ficar tranqüila, vai ter o que deseja...

— O senhor sabe qual vai ser o valor?

O homem pegou de volta a caderneta que estava na mão de Sofia e, ao lado de cada item, foi escrevendo um valor. Quando terminou, somou tudo e devolveu a caderneta para Sofia que, ao ver o resultado, disse:

— Tudo isso? É muito dinheiro!

— Pode parecer, mas não se esqueça de que para um trabalho como esse dar certo, é preciso muita coisa. O mais caro de tudo, como pode notar, são os animais.

Sofia voltou a ler o valor e disse:

— Está bem, dinheiro, para mim, não é problema, mas estou notando que o senhor não colocou o valor do seu trabalho, quanto tenho de dar a mais além do que está marcado aqui?

O homem, mostrando-se ofendido, respondeu:

— Senhora, não cobro pelo meu trabalho! Ele foi um dom que Deus me deu, por isso não posso cobrar. Só preciso das coisas que estão na lista, foram pedidas pelos Orixás, a senhora mesma viu quando eles pediram, não foi?

Sofia, na realidade, não entendeu nada quando ele falava a língua estranha, mas, diante de sua reação, disse:

— Está bem, vou deixar o dinheiro. Ainda bem que, ontem, fui até o banco. A pessoa que me falou sobre o senhor disse mais ou menos em quanto ficava o seu trabalho.

— Então, por que estranhou quando viu o valor?

— Pensei que o meu fosse mais simples e que, por isso, ficaria mais barato.

— O seu trabalho, embora possa não parecer, é muito complicado, afinal estamos mexendo com duas vidas, a da sua nora e a do seu filho. Por isso, precisa ser feito com muito cuidado e muita fé e o dinheiro tem de ser dado de boa vontade; do contrário, o trabalho não vai dar certo...

— Está bem.

Dizendo isso, abriu a bolsa, tirou uma quantidade de notas e as entregou para o homem, que, sério, as colocou na gaveta e, depois, sorrindo, disse:

— Agora, a senhora já pode ir embora. Assim que sair, vou em busca de tudo o que está na lista e até a fazenda buscar os animais. Hoje mesmo, depois da meia-noite, vou fazer o trabalho.

— Assim espero.

— Pode esperar, tenho a certeza de que vai ficar muito feliz. Basta esperar até vinte e um dias.

— Se isso acontecer, vou mesmo ficar muito feliz e vou voltar e lhe trazer mais dinheiro. Pois ver meu filho separado daquela mulher não tem preço!

— Pode ficar tranqüila, vai ter o seu desejo realizado. Durante todos os anos que trabalho com isso, foram poucas as vezes que os meus trabalhos não deram certo.

Sorriu, levantou-se e caminhou em direção à porta. Sofia o acompanhou até a sala onde Stela estava esperando. Assim que entraram, ele disse:

— Lourdes, acompanhe as senhoras até o portão.

Despediram-se. A mulher deixou que elas saíssem na frente e as acompanhou.

Pedro Henrique e Maria Rita, abismados com tudo o que haviam presenciado, também iam sair, mas foram contidos por Gusmão, que disse:

— Esperem, a nossa presença aqui não está completa.

Eles não entenderam, mas ficaram aguardando.

O homem, assim que Stela e Sofia saíram da casa, voltou para o quarto onde tinha atendido Sofia. Abriu a gaveta e tirou o dinheiro, contou para ver se estava certo. A mulher, após se despedir delas, voltou para a casa e foi ao encontro do marido que, ao vê-la, começou a jogar as notas para cima e a dizer, eufórico:

— Assim que vi aquela mulher entrar, não imaginei que fosse tão fácil, Lourdes!

— Ela lhe deu todo esse dinheiro?

— Sim, a vontade de fazer mal para a nora era tão forte que, apesar de ter reclamado um pouco, nem ligou e se eu tivesse pedido, teria me dado muito mais! A mulher é uma megera, Lourdes!

— Disse a ela como ia fazer o trabalho?

— Ela não quis saber, eu disse que precisava do dinheiro para comprar o material. Ela abriu a bolsa e me deu tudo isto!

— Vai comprar o material?

— Claro que não! Vou para a cidade comprar um pouco de comida e gastar todo o resto em cachaça, depois, vou convidar algumas pessoas. Hoje à noite, vai ter uma festa danada aqui em casa!

Lourdes sorriu, pegou algumas das notas que estavam espalhadas pelo chão e disse:

— Antes, vou separar algum dinheiro para mim, quero comprar um sapato lindo que vi lá na loja.

— Pode pegar, tem muito e, de onde esse veio, tem muito mais! Essa mulher vai sustentar a gente por muito tempo!

Pedro Henrique olhou para a mãe, que, sem entender o que estava acontecendo, perguntou:

— Ele não vai fazer o trabalho, Gusmão?

Gusmão sorriu e respondeu:

— Não, Maria Rita, ele nunca faz trabalho algum.

— Por que não?

— Porque não sabe. Ele nunca aprendeu como fazer.

— Não estou entendendo. Ele não representa aquela religião que é respeitada por muitos?

— Sim, representa, mas como em toda a atividade humana, existem os bons, aqueles que exercem com carinho e seriedade suas funções, mas, também, existem aqueles que somente exploram o nome da atividade que exercem. Toda religião é boa. Todas elas ensinam um caminho para se chegar a Deus, o único problema são as pessoas que as dirigem. Aquelas que ensinam suas doutrinas. Existem, sim, como não poderia deixar de ser, pessoas honestas e que praticam sua religião com amor e fé, mas neste caso, é um exemplo típico daquilo que costumam chamar de mau caráter.

— Não estou entendendo. Como isso pode ser possível?

— Esse homem freqüentou um terreiro por algum tempo, aprendeu algumas coisas e, depois, se auto-denominou pai-de-santo.

— Ele não é?

— Não. Essa religião foi trazida da África pelos escravos. Ela é formada por rituais, obrigações, danças e oferendas. Seus seguidores devotam sua fé nos Orixás, que representam as forças da Natureza. Leva muitos anos para que uma pessoa possa se tornar Pai ou Mãe-de-Santo. Faz obrigações, oferendas e precisa ficar vários dias confinado, aprendendo a usar a magia. Isso não se aprende apenas freqüentando ou julgando-se conhecedor.

— Ele disse que ia consultar os Orixás, mas não vi luz alguma enquanto falava aquela língua estranha. Que língua era aquela, Gusmão?

— Não viu luz alguma ao lado dele, porque ela não estava lá, assim como os Orixás, tanto uma como os outros estão distantes dele. O que o ouviram dizer também nada representa. São algumas palavras que ele inventou, mas que, na realidade, nada representam. Ele as usa para enganar as pessoas.

— Mas as pessoas acreditam...

— Sim, porque pensam ser uma língua morta, desconhecida. Além do mais, como poderiam dizer se é ou não, se não a conhecem? Qual é a utilidade em se falar um idioma que ninguém conhece? Quais são os ensinamentos que ele pode transmitir?

— Tem razão, é perda de tempo... só não entendo uma coisa...

— O quê, Maria Rita?

— Como ele consegue continuar enganando as pessoas, dizendo que os trabalhos sempre dão certo e que consegue tudo o que quer?

— Os trabalhos só darão certo se estiverem programados para isso.

— Não estou entendendo.

— Vou tentar explicar. No caso de Anita e Ricardo, o trabalho que Sofia pensa que vai ser feito, poderá até dar certo, se a separação deles foi programada antes de renascerem e se eles mesmos pediram para que acontecesse, mas se isso não foi feito, nada conseguirá separá-los. Por isso, em alguns casos, os trabalhos que ele disse ter feito, deram o resultado esperado e sua fama cresceu entre aqueles que o procuram. Estes começaram a recomendá-lo a outras pessoas.

— Mesmo usando da fé das pessoas, nada lhe acontece? Nunca vai ser descoberto?

— Talvez não pela lei humana, pois sempre que a pessoa vem, até ele, reclamar que aquilo que pediu e pagou para que fosse feito não deu resultado, ele diz que a culpa foi da pessoa que não acreditou e deu o dinheiro sem vontade. A culpa é sempre dos outros, nunca dele. Não podemos nos esquecer de que a maioria das pessoas que o procuram são como Sofia, elas vêm em busca do mal e, por isso, não têm a quem recorrer. Não podem chegar à delegacia e dizer que o mal que pagou para ser feito não teve o resultado desejado. Assim, ele continua enganando as pessoas que merecem ser enganadas.

— Nunca pensei que isso pudesse existir.

— Porém, por outro lado, não é necessário que todo esse trabalho seja feito para que a pessoa possa se ligar ao mal e trazer para sua companhia espíritos que estão perdidos ou no mal.

— Não estou entendendo.

— Ele pediu uma grande quantidade de material para poder ficar com o dinheiro, mas, quando se deseja realmente fazer o mal, não é necessário nada disso, basta apenas se ter a intenção de que o mal aconteça. O pensamento e o desejo do mal, embora possam não atingir a quem for dirigido, foram feitos, e, de acordo com a Lei de Ação e Reação, voltarão para quem o desejou.

— É assim que acontece? Não é preciso fazer todas essas oferendas, acender velas?

— Não, Maria Rita, não é preciso, basta somente a vontade de fazer o mal e o retorno será cobrado. Quando pedi que olhassem a casa, foi para lhes mostrar que todas essas manchas negras que viram é resultado do que esse homem, ao longo do tempo, tem feito e vem atraindo para o seu lado. Embora, talvez não seja castigado pela lei humana, com certeza, será punido pela Lei Divina. Essas companhias que tem agora o estarão esperando no dia de sua morte física e cobrarão o seu trabalho. Não só por tê-las usado para o mal, mas, principalmente, por ter usado o nome de uma Doutrina que ensina o caminho do bem e que é respeitada por muitos que vivem no corpo físico e outros tantos que vivem no plano espiritual.

— Estou entendendo, Gusmão. Disse que não é preciso que o trabalho seja feito?

— Isso mesmo, Pedro Henrique, todo esse material que foi pedido para Sofia, poderia, sim, ser usado para que fossem feitas oferendas para o bem, para que uma doença fosse curada ou tirar alguém do desespero momentâneo, mas tudo isso pode ser conseguido se houver uma fé segura em Deus, nosso criador e Pai amoroso.

— Está dizendo que as pessoas que seguem essa religião estão perdendo tempo, fazendo tudo errado?

— Não, estou dizendo que aquele que deseja fazer o mal não precisa acender uma vela ou colocar uma farofa ou cachaça para espírito algum. Basta pensar em fazer o mal que o mal já estará feito, não contra aquele que ele deseja, mas a si próprio. Para isso, existe a Lei de Ação e Reação, que diz: tudo o que se faz de bem ou de mal, voltará na mesma quantidade para quem fez. Hoje, presenciamos aqui, Sofia desejando que um trabalho seja feito para que Anita e Ricardo sejam separados. Como vimos, esse trabalho não será feito, mas Sofia está em dívida, pois desejou ardentemente e, esse trabalho, mesmo sem ter sido feito, será cobrado. Durante toda a sua vida, diante dos crimes que cometeu, ela atraiu sobre si companhias que cobrarão por esse trabalho, tendo ele sido feito ou não.

— Sempre soube que nós mesmos atraímos para o nosso lado as companhias que queremos e escolhemos.

— Isso é verdade, Pedro Henrique. Como sabemos, o espírito, quando retorna para o plano espiritual, volta com todos os seus defeitos e qualidades. Aqueles que eram bons continuam bons. Aqueles que eram maus continuam maus, aqueles que eram depressivos continuarão em depressão. Como sabemos que os iguais se atraem, podemos deduzir que se formos bons, atrairemos para o nosso lado, espíritos igualmente bons e assim por diante. Quando uma pessoa se sente triste e deprimida, atrai para si, espíritos na mesma situação. Por isso, todo espírito, vivendo no plano espiritual ou no corpo físico, precisa ficar sempre alerta com os pensamentos que tem, para poder, assim, atrair para o seu lado, somente espíritos bons que estarão sempre dispostos a ajudá-lo quando precisar.

— Sempre soube disso, mesmo quando estava no corpo físico e conhecia muito pouco sobre a espiritualidade. Sempre me policiei para não ser injusto ou praticar qualquer coisa que fosse danosa para os demais.

— Todo espírito, quando nasce, leva consigo esses valores, todos sabem o que é certo e errado, pode-se ver isso em lares desajustados nos quais, mesmo sem uma boa educação familiar, alguns se tornam pessoas de bem.

— Com tudo o que está dizendo, Sofia está totalmente rodeada por espíritos do mal. Por que não vemos esses espíritos?

— Como já disse em outra ocasião, estamos em uma faixa de energia diferente e, se quisermos, poderemos vê-los, mas, eles, também se quisermos, não poderão nos ver.

— Infelizmente, isso está acontecendo com ela...

— Sim, Maria Rita, infelizmente, ela escolheu as companhias que quis ter ao seu lado. Agora, vamos ao encontro de Sofia e de Stela...

Escolhendo as companhias

Assim que se despediram da mulher, Stela e Sofia entraram no carro. Stela ligou o motor e saiu rapidamente. Sentia uma vontade imensa de fugir daquele local. Estava curiosa para saber o que havia acontecido e se Sofia havia pedido realmente, que aquele homem fizesse o trabalho e se ele disse que conseguiria. Dirigiu por algum tempo, calada. Queria que Sofia iniciasse o assunto, mas, ao perceber que isso não ia acontecer, perguntou:

— Como foi tudo, dona Sofia?

— Tudo o quê, Stela?

— O que a senhora falou com aquele homem?

— Aquilo que viemos fazer. Pedi a ele que fizesse o trabalho.

— Ele vai fazer?

— Claro que sim e me garantiu que entre sete e vinte e um dias, Ricardo estará separado daquela mulher.

— Ele deu certeza?

— Deu.

— Quanto ele cobrou pelo trabalho?

— Não cobrou nada...

— Como, nada?

— Nada, Stela, ele disse que recebeu um dom de Deus e, por isso, não pode cobrar.

— Estou admirada. Sempre ouvi dizer que esse tipo de trabalho era cobrado.

— Também sempre ouvi isso, mas estávamos enganadas. Ele não cobrou, só me pediu para comprar algumas coisas para que o trabalho pudesse ser feito.

— A senhora vai comprar?

— Não, disse a ele que moro longe e que teria dificuldade para retornar. Dei a ele o dinheiro para que compre tudo o que for necessário.

— Fez bem, já pensou se tivéssemos de voltar?

— Espero não precisar. Espero que ele tenha dito a verdade e que, no máximo, em vinte e um dias, tudo esteja resolvido, mas se for preciso, voltaremos tantas vezes quantas forem necessárias.

Stela sentiu um arrepio por seu corpo e ficou calada.

Embora a estrada que tomaram fosse mais longa, chegaram a casa com menos tempo, pois não houve problema algum. Eram quase quatro horas da tarde quando Stela deixou Sofia em casa e foi para a sua. Estava cansada. Aquela viagem fez com que tivesse tempo de pensar em como sua vida havia sido até ali.

Sofia também estava cansada e, embora não tenha descido do carro enquanto esteve atolado, sentia um mau cheiro insuportável. O que mais queria, naquele momento, era tomar um banho e se deitar, nem que fosse até a hora do jantar.

Entrou em casa, jogou a bolsa sobre um sofá e estava indo para o seu quarto, quando foi interrompida por Edite, sua empregada, que disse:

— Ainda bem que chegou, dona Sofia. A senhora demorou muito. Estava preocupada.

— Preocupada com o quê, Edite?

— A senhora não costuma sair e ficar tanto tempo fora de casa.

Sofia estava muito cansada para dizer qualquer coisa. Começou a subir a escada que levava para o andar superior e aos quartos. Edite, vendo que ela ia embora, disse:

— O doutor Ricardo voltou para casa.

Sofia parou, voltou-se, e, intrigada, perguntou:

— O que você disse, Edite?

— O doutor Ricardo voltou para casa.

— Como voltou para casa?

— Ele chegou hoje na hora do almoço, não disse nada, apenas almoçou e subiu para o quarto que era dele.

— Como sabe que ele voltou?

— Ele veio trazendo uma mala com roupas.

Ao ouvir aquilo, Sofia estremeceu e pensou:

O trabalho já deu resultado. Não foi preciso esperar um dia sequer! Aquele homem é muito bom, mesmo!

Emocionada, perguntou:

— Ele ainda está em seu quarto?

— Está, sim. Almoçou, foi para lá e não saiu até agora.

Sofia sorriu e, rapidamente, subiu a escada. Chegou a um corredor com várias portas, bateu e entrou em uma delas. Entrou, perguntando:

— O que está fazendo aqui, Ricardo?

— Eu não estava muito bem com Anita, tivemos uma briga e resolvi voltar para casa. Preciso de um tempo para pensar o que quero da minha vida.

— Não estavam bem, por quê?

— Ela sempre reclamou muito da maneira como a senhora a tratava e a última gota foi sua atitude no jantar. Ela ficou furiosa.

Sofia, vibrando por dentro e fingindo estar muito preocupada, perguntou:

— Por minha causa? O que fiz no jantar que a deixou tão preocupada e nervosa?

— Ora, mamãe, a senhora sabe o que fez. Tentou, o tempo todo, fazer com que Anita ficasse, perante os convidados, em uma situação difícil.

Sofia colocou no rosto um ar de surpresa e perguntou:

— Eu fiz isso, Ricardo?

— Fez, mamãe. Anita se esforçou muito para que tudo corresse bem no jantar. A senhora e eu sabemos que tudo estava perfeito, mas, como sempre, a senhora precisava encontrar uma maneira de humilhá-la.

— Você está enganado, Ricardo. Eu gosto da sua mulher, acontece que ela é ainda muito jovem e precisa aprender algumas coisas. Quando chamo sua atenção de vez em quando, é com a intenção de ajudá-la.

— Mas não tem ajudado. Desde que nos casamos, a senhora tem feito de tudo para que haja uma separação.

— Não é nada disso, filho! Só quero a sua felicidade, apenas isso...

— Sei disso, mamãe, mas algumas vezes não entendo seu modo de agir. Não entendi, até hoje, por que trata Anita de um modo tão diferente da maneira como trata Stela. Parece que a senhora sente por ela um ódio incontrolável. Parece ser pessoal...

— Trato as duas da mesma maneira. Acontece que Stela sabe que tenho mais experiência de vida e acata tudo o que falo. Anita, não. Ela está sempre pronta para me afrontar.

— Anita é uma mulher bem resolvida, teve uma boa educação, tanto familiar como acadêmica. Por isso, sabe muito bem quem é e o que quer. A senhora, muitas vezes, tentou e tenta se envolver em nossas vidas sem se importar se está machucando os nossos sentimentos. Como é de se esperar, Anita reage.

— Bem, agora tudo isso passou e está tudo bem. Você está aqui em casa e tudo voltará a ser como antes... — Sofia disse, tentando esconder sua felicidade.

— Nada está bem, mamãe. Anita deve estar sofrendo. Hoje, pela manhã, quando acordei, achei que não queria mais ficar brigando. Isso acontece desde que nos casamos e só parou no tempo em que vivemos em Portugal. Lá, nossa vida foi tranqüila. Resolvi vir até aqui para pensar um pouco. Anita quer terminar o nosso casamento, não sei se ela está certa, pois sei que nos amamos e que sentiremos muita falta um do outro.

— Com o tempo, isso vai passar, ainda bem que resolveu sair de casa, mas não se preocupe, sei que logo mais vocês vão se acertar e tudo vai voltar a ser como antes.

Sofia disse isso, colocando as mãos para trás e fazendo duas figas. Embora, no rosto, demonstrasse preocupação e tristeza, no íntimo estava feliz. Assim pensando, disse:

— Agora, vou tomar um banho e tentar dormir até a hora do jantar. Estou muito cansada. A viagem que eu e Stela fizemos foi muito cansativa.

— Foram aonde?

— A Stela descobriu que havia uma malharia na cidade próxima e que eles estavam liquidando e me convenceu a ir com ela. Aceitei e fomos. Só que furou um pneu do carro e atolamos. A estrada em que estávamos não tinha asfalto e poucas pessoas passavam por lá. Ficamos horas esperando ajuda.

— Pelo menos, a viagem valeu a pena?

Sofia, lembrando-se de Pai Jorge, feliz por Ricardo estar ali, respondeu:

— Valeu sim, meu filho! Como valeu!

Beijou Ricardo no rosto e saiu, feliz, em direção ao seu quarto.

Ricardo continuou no quarto, relembrando tudo o que havia conversado com Anita e, agora, com a mãe.

Gusmão, Pedro Henrique e Maria Rita acompanharam toda a conversa. Pedro Henrique disse:

— Não entendo Sofia, ela não está nem um pouco preocupada com o filho, só com o ódio que sente por Anita. Que ódio é esse que não entendo...

— Também não entendo, meu filho. Apesar de só ter conhecido Anita por pouco tempo, pois quando Ricardo a trouxe à minha casa para nos apresentar, eu já estava doente, sempre a achei muito gentil e carinhosa, não só com Ricardo, como comigo também.

— Digo a mesma coisa, mamãe. Ela é uma moça educada, tem uma família com condições financeiras invejáveis, é formada. Não entendo, mesmo, mamãe...

Gusmão ouviu o que eles disseram, mas permaneceu calado.

Assim que Sofia entrou no quarto, sentiu, com mais força, um cheiro desagradável que saía de suas roupas. Pensou: *embora não tenha saído do carro, o cheiro daquela água se impregnou nas minhas roupas. Tirou as roupas e jogou-as dentro de um cesto de roupas que havia em um dos cantos do quarto. Foi para o banheiro e ligou o chuveiro. Voltou para o quarto, abriu uma gaveta, tirou dela duas toalhas e, abrindo outra, roupas de baixo. Voltou ao banheiro e tomou um banho.*

O banho foi demorado e relaxante. Enquanto se banhava, continuou a pensar: *parece que, agora, está tudo bem. A melhor coisa que fiz foi ter ido até o Pai Jorge. Já havia falado nele, mas nunca pensei que fosse tão bom! Meu filho está de volta e aquela mulher vai ser afastada de nossa família para sempre... estou feliz, porque sei que, daqui para a frente, não vou ficar mais sozinha. Desde que os meninos se casaram e depois que Pedro Henrique morreu, tenho vivido aqui, nesta casa tão grande, completamente só. Mas tudo agora vai mudar. Sou mesmo uma mulher de muita sorte. Sorte, não! Escolhi o meu destino e soube lutar por ele!*

Saiu do banheiro, vestiu-se, ia se deitar quando pensou: *Stela já deve ter chegado em casa, preciso contar a ela que Ricardo está aqui em casa.*

Sentou-se na cama, pegou o telefone que estava sobre o criado-mudo e discou o número do telefone de Stela, que atendeu.

— Stela! Você não vai acreditar no que aconteceu!

Stela, irritada por ter passado o dia inteiro fora de casa e por tantos problemas, com má vontade, perguntou:

— O que, dona Sofia?

— O Ricardo!

— O que tem ele?

— Ele voltou definitivamente...

— Como, definitivamente?

— Abandonou aquela mulher, veio com uma mala e disse que vai dar um tempo no casamento, mas, pelo visto, acho que não vai ter volta!

Stela estremeceu e, preocupada perguntou:

— Por que ele fez isso?

— Não entendeu ainda, Stela?

— Entender o quê?

— Foi o Pai Jorge! Ele disse que eu precisava esperar até vinte e um dias, mas parece que o trabalho já deu certo!

— Não pode ser, dona Sofia! Ele não teve tempo para fazer o trabalho... acabamos de sair de lá...

— Não sei explicar o que aconteceu, mas o trabalho deu certo! Meu filho está aqui em casa!

Stela acabara de chegar a casa. Também se sentia suja e queria tomar um banho. Por isso, não estava em condições de conversar, disse:

— Já que a senhora acredita que o trabalho deu certo e está feliz , também fico. Agora preciso tomar um banho, estou muito cansada...

— Está bem, Stela, já tomei o meu banho e vou me deitar até a hora do jantar. Depois, conversaremos.

Desligaram o telefone. Sofia, feliz, deitou-se na cama. Ajeitou o travesseiro e fechou os olhos. O que mais queria naquele momento era dormir.

Pedro Henrique, que acompanhou todos os movimentos dela, disse:

— Não entendo, Gusmão, como ela, depois de ter passado o dia inteiro relembrando toda sua vida e todos os crimes que cometeu, consegue se deitar e dormir tranqüilamente!

— Ela se deitou e pretende dormir, mas, como não terminou de relembrar os crimes que cometeu, logo vai perceber que o sono não virá tão fácil como imaginou...

— Mais crimes? Ela cometeu outros?

— Sim, Maria Rita. Prestem atenção nas figuras que estão ao seu lado.

Eles olharam e viram vultos negros que rodopiavam em volta de Sofia, que, embora quisesse, não conseguia dormir. Em seu pensamento, com a ajuda de Gusmão, surgiu a imagem de Romeu, seu pai. Seu corpo estremeceu e, dando um pulo, sentou-se na cama.

Pedro Henrique e Maria Rita se admiraram. Ele, temeroso pela resposta que Gusmão lhe daria, perguntou:

— Ela também fez algo ao senhor Romeu?

— Ela mesma vai lhe dar essa resposta, Pedro Henrique.

Voltaram o olhar para Sofia que, sentada na cama, começou a balançar a cabeça na tentativa de afastar as lembranças que insistiam em permanecer e que ela não queria ter.

Pedro Henrique, inconformado com o que via, disse:

— Apesar de ter estado surpreso durante todo o dia com tudo o que nos contou, nunca pensei que ela pudesse ter ido além. Que pudesse fazer mal ao pai. Por quê, Gusmão? Ela já havia afastado sua mãe e o irmão, que representavam uma ameaça.

— Tem razão, mas ela precisava ter a certeza de que nada nem ninguém a prejudicaria. Vou lhes contar como tudo se passou. Fazia seis meses que Nadir havia morrido. Desde o dia do enterro, ela nunca mais foi visitar o pai e nem se preocupou com ele. Naquela manhã, você, Pedro Henrique, acordou cedo, tomou café e foi acompanhar o nascimento de um bezerro. Sofia continuou na cama por mais algum tempo, depois se levantou, tomou o café e foi até o jardim que havia na parte da frente da casa. Ela estava bem pesada, pois faltava pouco tempo para o nascimento de Maurício. Ela estava tirando algumas folhas queimadas das plantas, quando viu, vindo da direção de sua casa, um cavaleiro. Ficou olhando e, quando ele se aproximou, reconheceu o senhor Antônio, um vizinho do sítio do pai. Esperou que ele chegasse e, assim que desmontou, preocupada, perguntou:

— *Que aconteceu, seu Antônio? Nunca esteve por aqui.*

— *Estou preocupado com o seu pai, Sofia.*

— *Preocupado, por quê?*

— *Percebi que a roça dele está abandonada e que durante vários dias não o vi trabalhando. Fiquei preocupado e fui até a sua casa para ver o que estava acontecendo. Quando cheguei lá, fiquei assustado.*

— *Assustado, por quê?*

— *Ele está muito abatido, acho que não tem se alimentado bem. Está deitado e com muita fraqueza, não consegue nem se levantar. Quando perguntei por que estava daquela maneira, respondeu:*

— *Perdi minha mulher e o meu filho, Sofia está casada e bem, não tenho mais motivo para continuar vivendo. Trabalhei tanto na minha vida, mesmo assim, ela sempre foi de muita dificuldade. Lutei tanto para quê, Antônio, se, no final, terminei aqui sozinho? Acho que está na hora de eu morrer e me encontrar com a Nadir e o Gustavo.*

— Ele disse isso?

— Disse, por isso estou aqui. Acho que você devia ir até lá e tentar trazê-lo para morar aqui.

— Morar aqui?

— Se continuar do jeito que ele está, vai morrer, Sofia!

— Sofia não estava gostando daquela conversa — continuou Gusmão — mas não podia deixar que o vizinho percebesse. Demonstrando preocupação, disse:

— Obrigada por ter vindo me avisar, seu Antônio. Quando o Pedro Henrique vier para o almoço, vou com ele até lá para conversar com o meu pai.

— Faça isso, Sofia. Ele está precisando muito de você.

Ela sorriu, ele foi embora.

Assim que ele montou novamente no cavalo e se afastou, ela pensou:

Não posso trazer o meu pai para cá, pois, se conviver com o Pedro Henrique, os dois vão perceber que fui eu quem afastou as famílias e não sei se minha mãe contou alguma coisa para ele e, se contou, mesmo sem querer, ele pode deixar escapar e minha vida será destruída. Preciso evitar que se encontre com meu marido.

— Entrou em casa e pediu que Noêmia fosse chamar Tião. Como ele cuidava do jardim e dos pequenos trabalhos da casa, estava sempre por ali. Assim que ele chegou, ela disse:

— Tião, preciso que prepare a charrete. Parece que meu pai não está bem, preciso ir até lá.

— Ele está doente?

— Parece que sim, o seu Antônio veio me avisar.

— Está bem, vou agora mesmo preparar a charrete.

— Ele saiu e, logo depois, voltou trazendo a charrete. Ajudou Sofia a subir e foram para a casa de Romeu. Quando chegou à casa do pai, entrou. Não se sentia bem lá, pois fora naquela casa que envenenara o irmão e a mãe. Achava que eles poderiam estar ali, mas sabia, também, que precisava fazer aquilo. Tinha que ter a certeza de que o pai não conhecia o que havia acontecido entre ela e Osmar. Ao ver o pai deitado sobre a cama e tendo Tião como testemunha, perguntou, com a voz chorosa:

— *O que aconteceu, pai? Por que está assim?*

— *Não sei o que aconteceu, só sei que não tenho mais vontade de viver... estou cansado dessa vida, filha...*

— *Não pode falar assim, pai! O senhor é ainda muito novo.*

— *Estive pensando em minha vida e cheguei à conclusão de que não adiantou ter trabalhado tanto. Hoje, depois de uma vida tão sofrida, sem conseguir quase nada, estou sozinho. Sua mãe e seu irmão morreram de uma maneira que até agora não entendi e eu não quero mais viver. Quero morrer pra poder me encontrar com eles...*

— Ao ouvir aquilo, Sofia olhou para Tião, que prestava atenção na conversa e, pegando nas mãos do pai, disse, quase chorando:

— *Pai! Não fale assim! Eu ainda estou aqui!*

— *É isso mesmo, seu Romeu... a dona Sofia também é sua filha e gosta muito do senhor. Por que o senhor não vai viver com ela? Ela vai precisar muito do senhor, ainda mais agora que o neném vai nascer, não é mesmo dona Sofia?*

— Sofia, que não esperava por aquela intromissão de Tião, olhou para ele, sorriu e respondeu:

— *É isso mesmo, Tião. Pai, ele tem razão, vou conversar com o Pedro Henrique e o senhor pode ir morar lá em casa e quando o neném nascer, vai poder me ajudar.*

— *Não adianta, filha, você sabe que o seu marido nunca gostou da gente e nunca quis a nossa amizade. Não vai dar certo, não...*

— *O que é isso, seu Romeu? O patrão é uma pessoa muito boa. Ele vai ficar contente em saber que o senhor vai morar lá...*

Sofia ficou aflita com aquela conversa. Ela não queria o pai morando com Pedro Henrique, mas, percebendo que Tião ia continuar insistindo, disse:

— *Deixe pra lá, Tião. Meu pai é muito teimoso, mas vou falar com Pedro Henrique e ele vai convencer o meu* pai. *Agora, vá até lá fora e dê uma limpada no quintal, está tudo abandonado. Enquanto isso, vou arrumar tudo aqui dentro. Esta casa está uma bagunça, está até cheirando mal.*

— Tião saiu. Sofia ficou arrumando tudo e pensando em uma maneira de impedir que seu pai fosse para sua casa.

— Depois de limpar o quintal, Tião entrou novamente na casa. Sofia estava terminando de arrumar tudo. Ao vê-lo, ela disse:

— *Agora já está tudo arrumado. Tião, vamos para casa, vou pedir a Noêmia que prepare comida e você vem trazer para o meu pai. Está bem assim?*

— *Claro que está, dona Sofia. Seu Romeu, não se preocupe, o senhor vai ficar bem, só precisa comer direitinho e toda essa fraqueza vai embora. O senhor vai morar lá na casa grande e vai ser muito feliz, não vai mesmo, dona Sofia?*

— Sofia e Tião subiram novamente na charrete e foram embora. — Gusmão continuou falando. — Romeu continuou deitado. No caminho, enquanto voltavam, Sofia foi pensando como evitar a ida do pai para sua casa. Assim que chegaram, ela, rapidamente, foi até a cozinha e pediu para que Noêmia preparasse um prato para que Tião levasse ao pai. Como o almoço já estava pronto, ela preparou e avisou Sofia que estava em seu quarto. Assim que foi avisada, ela saiu do quarto e foi até a cozinha. Pegou o prato, foi para o lado de fora da casa. Tião, sabendo que o almoço deveria estar pronto, ficou esperando. Do alto da varanda, ela disse:

— *Tião, aqui está o prato de comida para que você leve para o meu pai. Quero que fique com ele, até que coma tudo. Você viu como ele está fraco e precisa se alimentar.*

— *Pode deixar, dona Sofia. Vou ficar com ele o tempo todo e só vou voltar quando ele comer tudinho!*

— Sofia desceu a escada e deu o prato de comida que Noêmia havia enrolado em um pano de prato. Tião pegou e, enquanto montava o cavalo, Sofia, sorrindo, disse:

— *Diga ao meu pai que, à tarde, depois que Pedro Henrique voltar do trabalho, a gente vai até lá.*

— *Vou dizer, dona Sofia. Sei que ele vai ficar muito feliz!* — *disse, rindo, e começou a cavalgar.*

— Sofia o acompanhou com os olhos, depois entrou em casa e ficou esperando por você, Pedro Henrique.

— Lembro-me desse dia, Gusmão. Assim que cheguei, ela me contou tudo o que havia acontecido, exatamente da mesma maneira como você contou, claro que omitindo a parte do medo de que o pai viesse morar conosco. Lembro-me de que, após ouvir tudo, lhe disse:

— *Você me deixou preocupado, Sofia e, se quiser, podemos ir agora mesmo buscar o seu pai.*

— *Não é preciso ser agora, Pedro Henrique. Sei que está com muito trabalho e acompanhando o nascimento do bezerro, por isso, disse ao Tião que avisasse o meu pai que iremos à tarde, quando você estiver mais tranqüilo.*

— Achando que estava tudo bem, acatei o seu desejo.

— Como não poderia deixar de ser, Pedro Henrique, você tomou a atitude certa. Por isso, à tarde, quando chegou do trabalho, a primeira coisa que disse foi:

— *Sofia, vamos, de charrete, buscar o seu pai.*

— Foi isso que aconteceu, Gusmão. Quando chegamos, notamos que estava tudo muito quieto. Quando falei sobre isso, ela disse:

— *Não lhe falei que meu pai não estava bem? Deve estar na cama. Ele não quer viver mais, Pedro Henrique. Disse que quer morrer para se encontrar com a minha mãe e com o Gustavo.*

— Entramos e, realmente, vimos o senhor Romeu deitado sobre a cama. Sofia se aproximou, dizendo:

— *Pai, estamos aqui. Não lhe disse que o Pedro Henrique ia vir conversar com o senhor?*

— O senhor Romeu não respondeu. Ela insistiu:

— *Pai, está dormindo?*

— Como ele não respondeu, me aproximei, coloquei minha mão em seu ombro e percebi que alguma coisa não estava bem. Retirei a colcha que o cobria e, desesperado, disse:

— *Parece que ele está morto, Sofia!*

— Ela, demonstrando muita dor, se aproximou, olhou para o pai e percebeu que ele estava morto realmente. Começou a chorar e, me abraçando, disse:

— *Isso não pode ter acontecido, Pedro Henrique. Hoje, pela manhã, eu e o Tião percebemos que ele estava muito fraco, mas não pensei que fosse tanto... eu fui a culpada disso ter acontecido...*

— *Por que está dizendo isso, Sofia?*

— *Eu, desde que minha mãe morreu, nunca mais vim até aqui para saber como ele estava... se tivesse vindo, teria visto que não estava bem e o teria levado para a nossa casa...*

— Eu, acreditando na sua dor, disse:

— *Você não teve culpa, Sofia! Está grávida e sem condições de sair de casa e se existe algum culpado, esse alguém sou eu que devia ter pensado nisso.*

— Ela, chorando muito, se abraçou em mim e eu, vendo o seu desespero, a conduzi para fora da casa, dizendo:

— *Vou levar você para casa e, depois, preciso ir até a cidade, comunicar ao delegado o que aconteceu. Ele precisa vir até aqui para poder liberar o corpo e, assim, podermos enterrá-lo.*

— Ela, ainda chorando, balançou a cabeça, dizendo que sim. Depois de ajudá-la a subir na charrete e de deixá-la em casa, fui para a cidade comunicar aos meus pais e ao delegado o que havia acontecido. Até hoje, quando nos contou tudo o que ela fez, custo a acreditar que ela cometeu mais um crime.

— Foi isso que aconteceu. Quando ela, na companhia de Tião, voltava para casa, foi pensando no que poderia fazer para evitar que você se encontrasse com seu sogro. Como havia usado o veneno por duas vezes e não foi descoberta, pensava: já que ninguém descobriu o que fiz com Gustavo e minha mãe, vou tentar novamente com o meu pai. Não posso permitir que ele se encontre com Pedro Henrique e, se minha mãe contou alguma coisa sobre o Osmar, ele não vai ter tempo de contar ao meu marido. Foi muito bom o Tião ter vindo e visto como o meu pai estava doente. Vai ser fácil convencer a todos de que ele morreu de tristeza...

— Ela tinha razão, Gusmão. Eu, naquele tempo, estava preocupado com a doença do meu pai, pois, apesar de todo o tratamento a que ele estava se submetendo, sabíamos que era de difícil cura. Por isso, nem eu nem ninguém poderia imaginar que ela havia feito aquilo. Tião podia jurar que o senhor Romeu estava muito doente. Sofia demonstrou um desespero e sofrimento tão grande que ninguém desconfiou. Ficou impune de mais um crime...

— A impunidade foi que a levou a praticar um crime atrás do outro, Pedro Henrique, mas seu espírito, apesar de toda a ajuda que sempre teve do plano espiritual, se negou a refletir e voltou a cometer os mesmos erros que havia cometido em encarnações passadas..

— Ela já tinha feito isso antes?

— Sim, e sempre contra Nadir, Romeu e Gustavo. Toda vez que retornava ao plano e tomava conhecimento da verdade espiritual, ela se arrependia e prometia que, na próxima vez, se lhe dessem outra chance, seria diferente, mas, como podem ver, também nesta, isso não aconteceu.

— Você disse que ela sempre se voltou contra Gustavo, Nadir e Romeu. Por que eles continuaram renascendo ao lado dela?

— Eles, assim como nós, estamos ao lado dela desde sempre. Sabemos que, um dia, ela encontrará o seu caminho. Pensando assim e pelo imenso amor que sentem por ela, insistiram, mais uma vez, em renascer ao seu lado, para tentar fazer com que ela mudasse.

— Acredita que vai chegar o dia em que ela se arrependerá realmente de tudo o que fez e encontrará o caminho?

— Sim, Maria Rita. Por isso, estamos aqui. Os próximos dias serão decisivos e se permitiram que estivéssemos aqui, é porque existe uma esperança.

— Como podemos ajudá-la, Gusmão? Não vejo um caminho.

— Com nossas orações e tentando enviar luz, estamos procurando fazer com que Sofia reflita, mas, como podem ver, isso está ficando cada vez mais difícil. A cada momento que passa, ela se deixa envolver, sempre mais, pelas energias pesadas, o que dificulta a nossa ação, mas a luz que está chegando de Nadir, Romeu e Gustavo poderão nos ajudar. Vamos ver o que vai acontecer e esperar que ela encontre o seu caminho, arrependa-se de tudo o que fez, confesse seus erros, só assim encontrará a paz e o caminho de volta. Essas energias fizeram com que nós nos afastássemos dela. Ela está envolvida pelas companhias que escolheu e, respeitando o seu livre-arbítrio, nada podemos fazer. Por isso, o espírito, encarnado ou não, tem que estar sempre alerta e prestar atenção às companhias que atrai sobre si. Noventa por cento das doenças que existem na Terra são motivadas por espíritos errantes que, se tiverem oportunidade, chegarão e ficarão por perto, fazendo que o espírito sinta o que eles sentem. Por isso, há muita depressão, maldade, ódio, vingança e todos os males que assolam uma sociedade.

— Estou entendendo o que está nos dizendo, que, em última análise, o que importa é o perdão, mas como podemos perdoar alguém que nos enganou, mentiu e cometeu tantos crimes? Se assim fizermos, não estamos, também, de uma certa maneira, permitindo que ela continue impune perante o plano espiritual?

— O perdão é a maior arma que temos para que possamos encontrar o caminho para o Pai. Por isso, se perdoarmos a todos aqueles que nos fizerem mal, não quer dizer que, se mal foi praticado, haverá impunidade. Ela pode acontecer perante as leis e justiça dos homens, mas nunca perante a justiça divina. Como existe a lei do amor e do perdão, existe, também, a lei de ação e reação. Aquela que coloca tudo em seu devido lugar. Existem as companhias atraídas que cobrarão e farão a sua justiça e, posso garantir que é pior do que qualquer castigo que possa vir por parte de Deus.

— Hoje, vivendo no plano espiritual, posso entender o que está nos dizendo, Gusmão, mas se estivesse vivendo no plano físico e presenciasse alguém, como Sofia, ficar livre, sem pagar de algum modo, impune, não sei se aceitaria da mesma maneira...

— Isso é compreensível, Pedro Henrique. O espírito, quando está vivo no plano físico, está com as energias do planeta, que são pesadas, pois os sentimentos espalhados são conflitantes. Existe a luta de todos os dias, sofrimento, dor e desesperança, por isso é difícil aceitar maldades cometidas por pessoas e vê-las impunes, mas, como existem todos esses sentimentos negativos, existem também e, todos conhecem quais são, os sentimentos de amor, caridade e a confiança de que há um Deus que a tudo vê. Por isso, o que deve fazer é lutar contra tudo o que se traduzir em mal, confiar em Deus e seguir em frente. Se assim fizer, estará atraindo, para junto de si, companhias de luz que o ajudarão a enfrentar as energias ruins que o cercam. Se cada um que acreditar deixar de fazer uma maldade, muitos caminharão para a luz, sempre bem acompanhados. Sofia escolheu suas companhias e terá de responder, não só a Deus, mas a essas companhias. Estou me lembrando, Gusmão, que foi nesse tempo que nos mudamos para a cidade.

— Sim, Pedro Henrique. Depois que o pai morreu, Sofia achou que aquele seria o momento ideal. Embora você não tenha se dado conta, ela sabia que o nascimento de Maurício estava perto. Não sabia ainda o que dizer, quando o menino nascesse antes do tempo esperado. Você havia lhe dito que um mês antes, a levaria para a cidade e para sua casa, Maria Rita. Você queria que ela tivesse toda a assistência médica, mas ela queria mais. Embora a casa da fazenda fosse grande e bonita, estava muito afastada do conforto da cidade. Sofia queria pertencer à sociedade, andar com vestidos bonitos, usar salto alto e freqüentar cabeleireiro e festas. Pensando assim, uma semana depois da morte de Romeu, ela, chorosa, se aproximou e disse:

— *Pedro Henrique, desde a morte de Gustavo e de minha mãe, já estava muito triste e não consigo entender como eles puderam morrer daquela maneira. Sofri muito, mas tinha o meu pai e sempre que olhava para o lado em que minha casa está, sabia que ao menos, meu pai estava lá. Que eu ainda tinha família, mas agora, sei que não tenho mais ninguém. Estou sozinha...*

— *Não está sozinha, Sofia...estou aqui, e tem toda a minha família que gosta muito de você...*

— *Sei que sua família gosta de mim, também gosto deles, mas, mesmo assim, não consigo tirar essa tristeza do meu coração...*

— *Deve ser por causa da gravidez. Depois que a criança nascer, vai ser diferente. Você terá mais alguém para cuidar e amar...*

— Ela, percebendo que não conseguiria convencê-lo a se mudar para a cidade, abraçou-se a você e começou a chorar, baixinho.

— Ela tinha razão, Gusmão. O que menos eu queria era ir morar na cidade. Eu adorava a fazenda e não conseguia ver a minha vida futura se não fosse ali. Nunca imaginei que ela fosse tão infeliz. Tinha tudo, não precisava se preocupar com nada. Era servida por empregadas e eu já estava procurando uma mulher para cuidar da criança que ia nascer.

— Ela sabia disso, mas precisava encontrar uma maneira de convencê-lo. Sabendo que aquele não era o momento, continuou abraçada a você e se calou. Dois dias depois de terem tido essa conversa, ela acordou durante a noite, dizendo sentir muita dor na barriga. Você se assustou e perguntou:

— *Será que é a criança, Sofia?*

— Ela, chorando de muita dor, que na realidade não estava sentindo, disse:

— *Não pode ser, Pedro Henrique, ainda é muito cedo para ela nascer...*

— *O que é então?*

— *Não sei, só sei que está doendo muito.*

— Você ficou desesperado e com muito medo. Ela, vendo o seu desespero, enquanto você andava de um lado para outro do quarto, sorriu e disse:

— *Acho que não posso ficar mais aqui. Você disse que um mês antes de a criança nascer ia me levar para a cidade, acho que a gente devia ir agora. Você sabe que tem criança que nasce antes do tempo, não sabe?*

— *Sei, claro que sei... você tem razão, não há motivo para continuar aqui. Já está amanhecendo. Assim que clarear, vamos para a cidade e você vai ficar na casa da minha mãe, até a criança nascer. Está bem assim?*

— *E você?*

— *Não posso ficar longe da fazenda, mas todas as noites eu vou para a cidade. Não quero deixar você sozinha. Acha que pode esperar até o amanhecer?*

— Ela fez uma cara de quem estava sentindo muita dor e, com a voz fraca, respondeu:

— *Acho que sim. Estou melhor.*

— *Que bom, tente dormir mais um pouco e não se esqueça de que estou aqui ao seu lado.*

— Ela sorriu, deu um beijo em você e dormiu em seguida. Antes que o dia amanhecesse, você já estava preparando o jipe para a viagem. Foi até a casa de Noêmia, que morava em uma das casas da fazenda. Contou-lhe o que havia acontecido e que ia levar Sofia para a cidade. Pediu para que ela fosse mais cedo para casa e que preparasse as roupas que Sofia queria levar. Ela, assustada, foi imediatamente.

— Foi assim que aconteceu. Fomos para a cidade e não voltamos nunca mais. Naquele dia, eu não sabia, mas o meu sonho e desejo de continuar vivendo ali, fazendo o que eu gostava, havia terminado, por todo o amor que eu sentia por Sofia.

— Sim, seu amor era imenso e ela sabia disso. Dez dias depois que estavam na cidade, Maurício nasceu. Foi uma correria, pois todos achavam que a criança tinha nascido antes do tempo. Somente Sofia sabia a verdade e, quando viu que você estava preocupado com a saúde dele, disse:

— *Não fique assim, Pedro Henrique, não importa que ele tenha nascido antes do tempo. Parece que está bem e, a cada dia que passar, vai crescer e vai se tornar um belo rapaz.*

— Ela disse isso e eu me acalmei. Nem eu nem ninguém poderia sequer imaginar que ele não fosse meu filho e que, para que a verdadeira história ficasse escondida, Sofia havia cometido tantos crimes. Além do mais, foi nessa época que, meu pai, apesar de toda a assistência que teve, não resistiu e morreu. A morte dele me abalou muito, fiquei triste por muito tempo.

— O mesmo aconteceu comigo, estava casada há trinta anos e sempre fui feliz ao lado dele.

— Isso é compreensível, Maria Rita. Vocês foram um daqueles poucos espíritos que se encontram e que apesar da longa vida juntos, continuam vivendo com amor e harmonia. Sofia percebeu que vocês dois estavam abalados e, portanto fáceis de serem conduzidos. Ela se abraçou a você, Pedro Henrique e, falando com a voz baixa e compassada, disse:

— *Pedro Henrique, depois que seu pai morreu, sua mãe está muito triste. Quase não fala e fica a maior parte do tempo no seu quarto. Estou preocupada.*

— *Já havia notado isso e não sei o que fazer. Tenho medo de que ela também venha a ficar doente. Não posso continuar muito tempo longe da fazenda. O Maurício está bem e forte. Está chegando a hora de voltarmos. Não sei o que fazer com minha mãe. Sabe que minhas irmãs moram na capital e que minha mãe se recusa a ir morar com elas.*

— *Também estive pensando sobre isso e cheguei à conclusão que devemos continuar morando aqui ao lado dela.*

— *Não podemos, Sofia! Preciso cuidar da fazenda!*

— *Você não precisa abandonar a fazenda. Pode contratar um administrador e ir lá duas ou três vezes por semana.*

— Naquele momento, senti uma dor no meu peito. Sabia que aquela decisão mudaria minha vida, que eu não queria que mudasse, pensei um pouco e disse:

— *Sofia, minha mãe pode ir morar conosco, lá na fazenda. Tendo o Maurício para cuidar, sei que, em breve, ela estará bem.*

— Ao ouvir aquilo, Sofia, embora não tenha demonstrado, ficou desesperada. Ela não queria voltar para a fazenda, muito menos levar Maria Rita. Ficou, por um pouco de tempo, sem saber o que fazer, mas não demorou muito. Logo depois, disse:

— *Não podemos fazer isso, Pedro Henrique! Sua mãe, sendo esposa de político, sempre teve muitas obrigações, tem suas amigas e compromissos e, se a levarmos embora, sei que sofrerá muito, longe da casa em que viveu toda sua vida e das pessoas que conhece. Ainda acho que o melhor seria continuarmos aqui.*

— A princípio, eu não queria aceitar, mas, sem que eu soubesse, Sofia conversava muito com minha mãe, até convencê-la de que a melhor solução seria a que ela havia pensado.

— Agora estou me lembrando daquele tempo, tem razão, meu filho. Sofia era completamente diferente. Era envolvente e muito humilde. Falava baixo e, quase nunca levantava os olhos. Qualquer pessoa que convivesse com ela, acharia que se tratava de uma pessoa boa e seria envolvida. Por isso, sem que eu desconfiasse das reais intenções dela, me deixei envolver e ser convencida. Depois disso, mais eu do que ela, o convenci, Pedro Henrique, de que ela estava certa e que seria bom que viessem morar comigo.

— É verdade, mamãe. Somente hoje estou descobrindo quem era a verdadeira Sofia. Atendendo ao seu pedido, deixei que Sofia e Maurício ficassem morando com a senhora. No começo, eu ia e voltava todos os dias, mas, com o tempo, fui me cansando e contratei um administrador.

— Sofia, quando viu que havia conseguido o que queria, ficou feliz. Usando de sua humildade e simpatia, logo conseguiu convencer você, Maria Rita, a levá-la a festas e compromissos sociais. Contratou uma cabeleireira que vinha três vezes por semana até sua casa.

— Foi mesmo, Gusmão. Ela foi muito inteligente...

— Ela agora estava feliz, morando naquela casa. Quando criança, sempre que passava por ali, ficava imaginando como seriam felizes as pessoas que moravam ali. Agora, ela não só era uma moradora, como sua dona também. Sua vida, outra vez, mudou radicalmente. Era senhora de tudo, pois, aos poucos, sem que você percebesse, foi tomando atitudes perante os empregados, as suas amizades e foi dominando a tudo e a todos. Você, Maria Rita, se transformou em uma marionete e fazia tudo o que ela desejava.

— O engraçado em tudo isso, Gusmão, é que eu não percebia. Achava Sofia inteligente e sentia muita pena por ela ter perdido toda a família e estar sozinha. Por isso, eu e Pedro Henrique fazíamos todas as suas vontades. Além do mais, depois que José Antônio morreu, achava que um pouco da minha vida havia morrido com ele. Havíamos lutado tanto para que a cidade evoluísse, ele foi um político honesto que, durante todo o tempo, só pensou no bem-estar de todos. Sempre o ajudei e, com sua morte, minha vida deixou de ter sentido.

— Esse é um grande perigo que os encarnados sofrem. Por não conhecerem a espiritualidade, quando morre alguém a quem amam, pensam que será para sempre e sofrem muito. Esse sofrimento, muitas vezes, as conduz para a depressão, que nada mais é do que a aproximação de espíritos, também depressivos, que as envolvem, fazendo que se deprimam sempre mais e se tornem presas fáceis, assim como aconteceu com você, Maria Rita.

— Sim, Gusmão, hoje sei disso, mas, naquele tempo, não tinha a menor idéia.

— Assim como você, muitos não imaginam o que realmente acontece. Sabemos que o espírito, quando desencarna, continua da mesma maneira que sempre foi, com seus defeitos e suas qualidades, não é?

— Sim, hoje sei, mas, naquele tempo, não sabia e achava que alguém que morresse se tornava poderoso, podendo assim, ajudar aqueles que ficaram. Muitas vezes, em minhas orações, pedi ajuda ao José Antônio, sem saber se ele poderia me ajudar ou não.

— O espírito, ao desencarnar, precisa seguir o seu caminho, ir em busca de entendimento e sabedoria. Lógico que não esquece daqueles que continuam encarnados e a quem amou. Se estiver bem assistido e com condições, procura, através de vibrações e enviando luz, ajudar, mas é tudo o que pode fazer, pois depende de cada espírito sua própria evolução. Porém, muitas vezes, o espírito ao desencarnar, está doente, deprimido, depressão essa que, apesar de todo o esforço da espiritualidade se transforma em suicídio. Esse espírito, por não aceitar sua condição e ajuda, fica vagando sem rumo ao lado de outros como ele. Ao encontrar um encarnado que, por qualquer motivo, esteja em depressão, aproxima-se e fica ao seu lado, causando, assim, mais depressão. Na maioria das vezes em que a pessoa sente-se deprimida e tem pensamentos destrutivos, esses pensamentos não são seus e sim, desses espíritos que têm esses sentimentos. Não sabendo e não acreditando, esses encarnados vão ficando sempre mais deprimidos, o que pode levá-los às últimas conseqüências, como demência ou suicídio. Existem também aqueles que ao voltarem para o plano espiritual e ao acordarem, sentem seu corpo igual a quando era vivo, portanto as mesmas necessidades, de se alimentar ou se drogar e se embebedar, saem à procura disso. Encontram, com facilidade, aqueles encarnados que estão pré-dispostos a esses mesmos vícios. Aproximam-se e ficam sugerindo, a todo momento, a necessidade dessas coisas. Os encarnados, sem saber e pensando que a vontade é deles, partem em busca daquilo que julgam necessitar, quando, na realidade, essa vontade não é deles, mas dos espíritos que estão ao seu lado.

— Isso tudo o que está dizendo, Gusmão, é difícil de entender, muito menos quando se está encarnado. Para isso, é preciso ser espírita e conhecer todas essas coisas da espiritualidade, pois aquele que não conhece, é quase impossível se libertar.

— Não é preciso ser espírita, pois os espíritos errantes, não escolhem por religião e, sim, pela pré-disposição de cada um. Além do mais, toda religião, não importa qual seja, ensina que se deve ficar longe dos vícios.

— Sim, é verdade, todas ensinam...

Gusmão sorriu e continuou:

— Vocês estavam felizes por ver Sofia feliz.

— Tem razão, Gusmão, mas, embora eu estivesse feliz por ela, também estava triste por ter abandonado a fazenda e a vida que vivia ali. Sentia falta de tudo, dos animais, de ver um bezerro nascer, da liberdade que sentia quando estava montado no cavalo. A vida que Sofia queria levar era completamente diferente da que eu queria.

— Embora tudo isso estivesse acontecendo com ela, não estava totalmente feliz. Queria passar pela rua, ser reconhecida e admirada e, para que isso acontecesse, só existia uma maneira: fazer parte da política da cidade. Vocês conhecem as pessoas do interior. Acham que alguma autoridade, juiz, advogado, médico e, principalmente os políticos, são pessoas admiradas e que devem ser respeitadas e até temidas. Muitos deixam de ir procurar um advogado, quando sofrem uma injustiça, por medo até de falar com ele. O temor de estar frente a frente com um juiz faz com que não lutem por seus direitos. Mal sabem eles que essas pessoas são iguais a todas as outras e que se exercem um cargo qualquer, esse cargo deve servir para o bem do povo que tanto os temem. Sofia sabia disso e, sabia também que, para conseguir o respeito e admiração de todas as pessoas, teria de pertencer a esse mundo.

— Somente agora estou percebendo como fui manipulado mais uma vez, Gusmão. Em uma tarde, estávamos sentados na varanda de casa e ela, com aquele jeito de quem não quer nada, como se o que ia dizer tinha surgido naquele momento, sorrindo, disse:

— *Pedro Henrique, estou pensando...*

— *O que está dizendo, Sofia?*

— Ela deu um sorriso e, pegando em minha mão, respondeu:

— *Desde que seu pai morreu, os políticos que restaram, além de não terem capacidade, não estão muito preocupados com o povo, somente com eles mesmos e com suas vaidades.*

— *Tem razão, meu pai era especial e, realmente, se preocupava com o bem-estar de todos.*

— *Pois é...meu pai e todas as pessoas que conheço, sempre o elogiaram muito. Por todos os lugares que ando e com as pessoas que converso, ouço falar da falta que ele faz...*

— *Isso é verdade, Sofia. Também sinto muita falta dele...*

— *Por que você não se candidata a Prefeito? Sabe que seria eleito por quase a maioria das pessoas desta cidade e, assim, poderia continuar o trabalho dele...*

— Eu me levantei e disse, nervoso:

— *Está louca, Sofia? Nunca pensei em ser político! Você sempre soube que minha felicidade era viver na fazenda com tudo de bom que ela tem. Não saberia ser um político...*

— Ela, com aquele jeitinho de sempre e com a voz mansa, disse:

— *Eu ajudo você, Pedro Henrique! Tenho uma porção de idéias que, se conseguir colocar em prática, vai ser bom para a cidade e para todos os que moram aqui...*

— Ela, sabendo que ia ser difícil convencê-lo, recorreu a você, outra vez, Maria Rita.

— É verdade, Gusmão. Uma manhã, ela, com aquele ar de menina abandonada, disse com a voz baixa e compassada:

— *Dona Maria Rita, estive pensando em quanto o seu marido faz falta não só para a senhora, mas para a cidade também.*

— *Tem razão, Sofia. Ele, além de ter sido um bom pai e marido, foi também o melhor prefeito que esta cidade teve.*

— *O nome dele sempre foi muito respeitado, não foi?*

— *Foi sim...*

— *Sobre isso estive pensando. Depois de tudo o que ele fez pela cidade, não é justo que seu nome desapareça, dona Maria Rita...*

— *Não estou entendendo o que está querendo dizer, Sofia.*

— *Estou dizendo que o nome dele deve continuar sendo lembrado e respeitado...*

— *O povo desta cidade, nunca vai esquecer o José Antônio.*

— *Sei que não vai, mas como a senhora sabe, o tempo passa, outras coisas acontecem e as pessoas vão ficando no esquecimento. Só existe uma maneira para que ele nunca seja esquecido...*

— *Qual?*

— *O Pedro Henrique poderia se candidatar e ser eleito Prefeito e continuar o trabalho do pai...*

— *Isso nunca vai acontecer, Sofia!*

— *Por que não? Ele tem capacidade...*

— *O Pedro Henrique odeia política! Nunca vai aceitar essa sua idéia!*

— *Sei que se eu falar com ele, talvez não aceite, mas, se a senhora falar, sei que vai conseguir convencê-lo, pois mesmo sem ter sido candidata ou eleita, sempre conviveu nesse meio e deve ter argumentos...*

— Eu achei aquela idéia louca, Gusmão, mas, ao mesmo tempo, achei que ela poderia ter razão, pois, se Pedro Henrique fosse eleito, poderia não só evitar que o nosso nome caísse no esquecimento como também continuar trabalhando pela cidade. Disse:

— *Não sei, Sofia, se vou conseguir convencer Pedro Henrique, mas vou tentar. Acho, sim, que ele tem condições para isso. Como você disse, ele tem capacidade e comprovou isso, administrando a fazenda, fazendo com que ela, se dedicando à criação de gado, desse muito lucro.*

— Com muito trabalho e conversa, consegui convencê-lo, meu filho. Você se candidatou e se tornou, como Sofia havia previsto, um ótimo prefeito, assim como fora seu pai.

— Embora eu não quisesse, não consegui resistir aos argumentos das duas. Como a senhora disse, mamãe, tornei-me um prefeito respeitado pelo povo da cidade e procurei não desmerecer o nome do meu pai, mas só consegui isso, justiça seja feita, pelo apoio que tanto a senhora como Sofia me deram.

— Sei disso, meu filho. Eu tinha larga experiência.

— Ser prefeito era a sua missão, Pedro Henrique e, graças a Deus, a cumpriu com galhardia. Pegou alguns projetos de seu pai que ele não tinha conseguido colocar em prática e, depois de muito pensar e conversar com outros políticos, conseguiu levar para a cidade uma tecelagem. Assim fazendo, conseguiu não só aumentar a arrecadação como dar emprego para aqueles que não se dedicavam à agricultura. Além da ajuda de sua mãe, que como ela mesma disse, tinha muita experiência. Sofia, lembrando-se daquilo que conversava com Osmar e de seus sonhos, um dia lhe disse:

— *Pedro Henrique, por que não convida os agricultores da cidade e lhes propõe trabalhar junto com a Prefeitura?*

— *Trabalhar, como?*

— A Prefeitura poderia lhes financiar a plantação e a colheita, e a distribuir tudo o que fosse colhido. No final, eles pagariam o que haviam recebido. Você poderia montar, aqui na cidade, um centro de distribuição, não só para as cidades vizinhas, como também para a capital.

— Não sei, Sofia. Essa é uma decisão que não posso tomar sozinho. Preciso pensar e conversar com os vereadores.

— Você pensou durante algum tempo, conversou com várias pessoas e viu que poderia ser feito e que, talvez, desse certo.

— E deu, Gusmão, aquela foi sim uma ótima idéia. Só que nunca imaginei que essa idéia tão genial não fosse de Sofia, mas sim, de Osmar.

— Não importa de quem tenha sido a idéia, o que importa foi que você a colocou em prática e, assim, ajudou a sua cidade e, muito, aos agricultores. Conseguiu convencer alguns, e, aos poucos, outros vieram, inclusive a família de Osmar. Em pouco tempo, a idéia correu por todas as cidades que rodeavam a sua cidade e, como elas dependiam exclusivamente da criação de gado, tornaram-se compradoras das frutas, verduras e legumes cultivados na sua. Enfim, a idéia de Osmar, transmitida por Sofia, deu certo. Todos estavam felizes com o resultado. Você e Sofia foram homenageados, festas foram promovidas pelos agricultores agradecidos. Sofia, a cada festa que comparecia e ao ser homenageada, pois você dizia em todo discurso que a idéia havia sido dela, ficava feliz e orgulhosa, mas não era o bastante, queria mais. Lembrando-se do tempo em que era criança e no quanto demorava e precisava andar para chegar à escola, o convenceu a construir escolas rurais nos lugares mais distantes e dizia:

— Assim, Pedro Henrique, todas as crianças poderão estudar ou ao menos aprender a ler.

— Eu a ouvia em tudo o que dizia, pois sabia que suas idéias, geralmente, eram boas.

— Com isso, embora não tenha sido sua vontade, Sofia, que só queria admiração, poder e ser reconhecida, conseguiu ajudar a cidade e suas crianças. Ela, por ser sua esposa, foi reconhecida e aclamada. Estava orgulhosa, tudo corria bem, além do que, um dia, ela houvera imaginado. Até hoje, muitas daquelas crianças, hoje adultas, rezam para que ela seja feliz e tenha boa saúde. Talvez seja por esse motivo que estamos aqui tentando evitar que cometa mais erros do que aqueles que já cometeu. Como já lhes disse, todos os espíritos têm um lado bom e um lado ruim, todos têm, sem exceção, erros e acertos, por isso e, mesmo que demore muito tempo, todos encontrarão o caminho da luz. Durante sua passagem por este mundo e outros, vai, mesmo sem saber, conquistando amigos e inimigos, mas, como o amor de um amigo é maior que o ódio de cem inimigos, no final, os amigos serão em maior quantidade. Como podem ver, apesar de todo o mal que fez, existem ainda aqueles que oram por ela.

— Tem razão, Gusmão...tem razão...

— Quando ela ficou grávida de Ricardo, ficou muito nervosa, pois achava que aquele não era o momento de ter uma criança, tinha muitos compromissos sociais, onde, sempre era homenageada, mas, diante de sua felicidade, não teve como evitar que ele nascesse. Maurício, desde muito cedo, foi criado por babás que ela sempre escolheu a dedo. Com Ricardo não foi diferente, porém, assim que ele nasceu e ao ver que era homem, sabia que, para continuar tendo aquela vida e continuar sendo reconhecida e homenageada, queria que ele seguisse os seus passos, porém, à medida que ele foi crescendo, percebeu que seu interesse era outro. Gostava de história antiga e moderna, e gostava, mais ainda de falar sobre ela. Sempre que lhe perguntavam o que queria ser quando crescesse, respondia professor. Toda vez que Sofia o ouvia dizendo isso, ficava irada e, nervosa, lhe dizia:

— *Você não vai ser professor, vai ser Presidente do Brasil!*

— Ele, quando pequeno, ao ouvi-la dizendo isso, chorava, depois que cresceu, sorria.

— Eu não entendia por que ela brigava tanto com ele, Gusmão e não incentivava Maurício que, desde muito cedo, demonstrou sua tendência para a política. Já na escola, brigava com professores para expor sua opinião ou para defender algum aluno que julgava ter sido injustiçado.

— Porque com seu espírito doente, por saber que ele não era seu filho, achava que não tinha o direito de seguir seus passos. Achava que, por direito, esse caminho pertencia a Ricardo.

— Estou pensando, Gusmão, se eu não tivesse vivido tudo isso, não conseguiria acreditar, pois Maurício, embora não fosse meu filho, era dela...

— Sim, mas representava seu erro e o medo de que, a qualquer momento, tudo fosse descoberto.

— Você foi eleito e reeleito muitas vezes. Quando se candidatou a deputado federal, por ser conhecido em toda a redondeza, também foi eleito e tiveram de mudar para o Rio de Janeiro. Lá, seus filhos estudaram nas melhores escolas. Sofia continuou insistindo para que Ricardo se candidatasse a algum cargo político, mas ele se recusou, estudou História. Queria, mesmo, era ser professor. Porém, Sofia não se conformava com isso. Quando ele trouxe Anita para conhecê-los, ela, de pronto, achou que poderia envolvê-la como fez com vocês e poderia ajudá-la a convencer Ricardo, mas logo percebeu que não seria possível, pois Anita não tinha ambição política nem pessoal. Ela somente queria ter uma casa com filhos e viver em paz, como em sua casa, pois seus pais se gostavam muito e ela fora criada em um lar de muita tranqüilidade. Incentivava Ricardo a ser professor, pois achava ser uma profissão dignificante.

— Será esse o motivo de ela não gostar de Anita?

— Talvez seja isso, não sei como lhe responder, Maria Rita, só sei que tudo corria bem. Sofia, apesar de Ricardo se recusar a fazer o que ela queria, continuava freqüentando festas, agora mais sofisticadas, mas nem tudo é como se deseja, você teve um infarto e morreu de repente. Aquilo, para Sofia, foi desesperador, pois, apesar de seu egoísmo e de ter se casado com você por interesse, com o tempo se acostumou a viver ao seu lado e sentiu muito sua falta, mas com o tempo, logo retornou à sua vida de festas. Por você ter sido um deputado conceituado, ela conseguiu muitas amizades que a consolaram. Quando Ricardo, apesar dela, se casou e resolveu ir morar em Portugal para conhecer a história mais de perto, visitar castelos europeus, ela se desesperou e culpou Anita por isso. Durante todo o tempo em que eles estiveram morando na Europa, ela ficou arquitetando um meio de separá-los. Sempre que pôde, culpava Anita por eles não terem tido um filho.

— Agora que ela mandou fazer esse trabalho e eles estão brigando, será que vai conseguir?

— Sabemos que não foi feito trabalho algum. Portanto, se algo acontecer, não foi por causa do trabalho. O que ela conseguiu com esse gesto foi atrair para junto de si energias pesadas que só podem lhe fazer mal. Porém, mesmo o trabalho não tendo sido feito, o desejo existiu. Por isso, tanto ela como Pai Jorge terão de responder. A cobrança virá e, normalmente, nesses casos, ela é alta.

— Chego a sentir pena dela, Gusmão.

— Sim, ela, embora não saiba ou admita, é digna de pena e necessita muito de nossas orações. Sua próxima encarnação deverá ser muito sofrida para reparar todo o mal que causou.

— Mesmo se Nadir, Romeu e Gustavo não fizerem essa cobrança?

— O aprendizado é inerente a todo espírito. A lei de ação e reação, também. O espírito precisa aprender e isso só acontecerá se resgatar seus erros. Embora eles não cobrem, o próprio espírito de Sofia cobrará, pois sabe que, usando seu livre-arbítrio, Sofia adiou sua evolução. Nunca podemos nos esquecer de que, embora Deus nos ame e queira a nossa felicidade, Ele precisa ser justo. Por isso, deixou-nos Suas leis, que devem ser cumpridas.

— Como Sofia pôde continuar vivendo com tudo o que fez, Gusmão?

— Ela nunca mais pensou na sua família e, muito menos, no que havia acontecido. Quando isso acontecia, mudava de pensamento, pensando na próxima festa ou chá da tarde que precisava comparecer.

— Você disse que os próximos dias serão decisivos. O que vai acontecer?

— Não sei, Pedro Henrique, não me disseram. Só sei que precisamos ficar aqui, até que não haja mais recurso algum para ajudá-la.

— Sendo assim, precisamos esperar e ver o que acontece.

— Isso mesmo, Maria Rita. Vamos orar e esperar em Deus que tudo se resolva da melhor maneira.

A presença do amor

Sofia, na cama, ao se lembrar do dia em que o pai morreu, arregalou os olhos, percebeu que seu corpo estava molhado, por estar transpirando muito. Sentiu o coração bater descompassado, além de dificuldade para respirar. Levantou-se e foi até o banheiro, abriu a torneira do lavatório e molhou o rosto e o pescoço. Depois, olhou para o espelho e pensou: *Stela tem razão, preciso ir ao médico. Não estou entendendo o que está acontecendo. Por que, hoje, desde de manhã, estou relembrando o meu passado? Por que não consigo esquecer? Já faz tanto tempo que tudo aquilo aconteceu. Eu não tive culpa, fui obrigada a fazer o que fiz para me defender. Preciso esquecer. Ninguém descobriu o que aconteceu e jamais descobrirá. O que importa é que meu filho está em casa e que deixou aquela mulher para sempre...*

Voltou a molhar o rosto e, quando tornou a olhar para o espelho, deu um grito assustado e pulou para trás, pois, ao invés de ver o seu rosto, viu os de Gustavo, Nadir e Romeu, que, com gestos, a ameaçavam.

Pedro Henrique e os outros acompanhavam o que ela pensava e, surpresos, viram o que ela via. Pedro Henrique perguntou:

— Por que ela está se sentindo tão mal e por que está vendo essas imagens, se Gustavo, Nadir e Romeu não estão aqui?

— Claro que não estão aqui e, sabemos, que mesmo à distância, estão tentando ajudá-la, mas o espírito pode tomar a forma que quiser e, neste momento, as companhias que ela atraiu durante todo o tempo querem que ela sinta medo das pessoas a quem prejudicou e que retorne para o plano espiritual, para, assim, poderem se apoderar de seu espírito e fazerem com ela o que acharem justo.

— Eles querem fazer justiça?

— Sim, a justiça se estende por todas os elos da criação.

— Não estou entendendo, Gusmão...

— Vou dar um exemplo. Vocês não ouviram várias vezes dizer que em penitenciarias, onde espíritos estão pagando seus crimes, até os próprios prisioneiros têm um código de honra e não aceitam alguns tipos de crimes? Quando algum preso chega acusado de um crime que eles acham terrível, tomam para si a justiça e fazem esse preso pagar de uma maneira brutal e humilhante.

— Sim, ouvimos falar.

— O mesmo acontece no plano espiritual. Quando Sofia cometeu o primeiro crime, não foi influenciada por espírito algum, somente usou do seu livre-arbítrio e escolheu fazer o que fez. Naquele momento, depois do crime praticado e, só naquele momento, foi que atraiu, para junto de si, espíritos igualmente criminosos que vagueiam sem destino e sem esperança. Esses espíritos, atraídos pela energia dela, cheia de ódio, rancor e crueldade, ficaram ao seu lado e estão até hoje. A estes primeiros, juntaram-se outros que a têm perseguido desde aí. Sofia está rodeada de energias pesadas. Somente o amor de Nadir, Gustavo e Romeu é que a tem protegido e evitado que morra e perca uma oportunidade imensa de se regenerar e de voltar ao plano, vitoriosa, com a missão cumprida. A Terra é uma escola de aprendizado sem fim. Os espíritos que a acompanham, embora estejam, também, presos a energias pesadas, guardam ainda dentro de si o amor por alguém que deixaram para trás, pode ser um pai, uma mãe, um irmão, filhos, esposas. Quando alguém, como Sofia, comete um crime contra um indivíduo que lhes faz lembrar essas pessoas, eles a ajudam, mas ficam à espreita para que, assim que ela morra, possam castigá-la de maneira muito cruel e humilhante.

— É assim que acontece? Eles, embora estejam ao seu lado, ajudando-a a cometer os crimes, não são seus amigos?

— Não são amigos dela e de espírito algum que a eles se liguem.

— Por tudo o que está dizendo, podemos concluir que estes que estão ao lado de Sofia, estão irremediavelmente perdidos?

— Não, Maria Rita. A vida no plano espiritual é quase igual àquela que se vive aqui na Terra ou em qualquer outro lugar. Na Terra, a população é formada por núcleos a que se dá o nome de família. No plano, é a mesma coisa. Fazemos parte da mesma família há muito tempo. Assim como estamos aqui, tentando ajudar Sofia, muitos outros devem estar tentando ajudar aqueles que a acompanham. Um dia, pode demorar pouco ou muito, ajudados por essa legião de amigos, todos, sem exceção, encontrarão o caminho. Para o Pai, todos são considerados como o filho pródigo de quem Jesus nos falou. Não existem pessoas más e sim espíritos doentes que precisam de ajuda. Sofia é um deles. Está doente e precisa do nosso perdão e da nossa ajuda.

— Depois de tudo o que nos contou, é muito difícil perdoar. Eu achei que estava pronto para seguir em frente, ir para esferas mais altas da espiritualidade, mas diante do que estou sentindo, acho que ainda não estou preparado, Gusmão. Acho que tenho muito a aprender.

— Todos temos, Pedro Henrique, até o espírito de maior luz que possa conhecer. Todos, não importa em que grau da espiritualidade estejamos, sempre teremos o que aprender. Você e todos os que conviveram com Sofia estão prontos para seguir o caminho. Só depende de sua escolha: querem ir realmente, deixando que ela fique para trás, perdida junto a essas companhias, que embora ela mesma tenha escolhido, sabemos que só lhe farão mal, ou preferem ficar e ajudá-la?

— Não sei, Gusmão. Talvez eu esteja sendo egoísta, mas acredito que Sofia não vai se arrepender nunca e, se isso acontecer, vai demorar muito. Não sei se vale a pena esperarmos, deixarmos de conhecer lugares de maior felicidade na espiritualidade.

— Todos temos o direito de escolher. Por isso, se resolverem partir e deixá-la para trás, ninguém vai condená-los.

Vocês sempre agiram bem. Conquistaram a luz e têm o direito de continuar. Sofia foi quem se entregou ao mal e se afastou da luz. Não precisam deixar de seguir o caminho que conquistaram, mas, antes, vamos tentar mais um pouco. Como já disse várias vezes, se ainda não fomos chamados de volta, é porque ainda resta uma esperança.

Pedro Henrique baixou a cabeça e ficou pensando. Maria Rita perguntou:

— Por que ela está se sentindo tão mal? Será que vai morrer?

— Acredito que não, Maria Rita, se fosse acontecer, eu teria sido avisado. O corpo é um reflexo do espírito. O espírito de Sofia está doente, seu corpo demonstra isso.

— O mal-estar que está sentindo é um reflexo de seu próprio espírito?

— Sim, pois embora exista o livre-arbítrio, todo espírito sabe que deve seguir o caminho do bem para poder evoluir e chegar mais perto da luz. Quando renasce, traz consigo essa certeza, mas com o passar do tempo e com o peso do corpo físico, muitas vezes se deixa levar, esquecendo tudo o que havia prometido e escolhido. Não aceita a vida que tem, como aconteceu com Sofia, e se volta para o mal, para prejudicar as pessoas que o amam.

— Está dizendo que todos precisam aceitar a vida que têm, sem reagir e tentar mudar?

— Não! O espírito nasceu para ser feliz. O sofrimento é causado pela ansiedade, pela falta de fé. Quando o espírito encontra o seu caminho, vê que tudo, como por encanto, se resolve e não entende como pôde ser tão fácil. Basta, somente, acreditar que é filho de um criador amoroso e que está sempre disposto a ajudar e a receber com muito carinho e que nunca o deixará só. O espírito encarnado, ou não, precisa sempre tentar e conseguir evoluir. No plano, procurar trabalhar e aprender sempre mais. Reencarnado, também, estudar, trabalhar e, sabendo que é livre para escolher o seu caminho, procurar sempre o melhor que a vida pode lhe oferecer, sem que, para isso, seja preciso prejudicar uma outra pessoa ou cometer um crime ou vários, como fez Sofia. Finalmente, entender que sempre está tudo certo e que cada espírito escolheu a vida que vive na Terra ou em outro lugar qualquer.

— Da maneira como fala, Gusmão, parece ser simples, mas, na realidade não é. Quando os problemas surgem, é difícil pensar que tudo está sempre certo, que fomos nós quem escolhemos passar por todos eles.

— Quando não se confia em um criador maravilhoso, realmente é difícil, mas, mesmo não acreditando nem aceitando isso, a ajuda virá. Tudo que é bom ou ruim não dura para sempre. Com o tempo, os problemas vão se resolvendo, outros vão surgindo e é assim que o espírito aprende e caminha sempre para a luz.

— Eu, agora, sei de tudo isso, mas, mesmo assim, ainda continuo achando que é muito difícil.

Gusmão sorriu.

Sofia, ainda assustada com as imagens que viu no espelho, voltou para o quarto e deitou-se. Percebeu que seu coração, embora ainda batesse descompassado, estava melhor. Pedro Henrique e Maria Rita acompanharam o olhar de Gusmão e, surpreendidos, viram Nadir e Romeu chegar. Nadir, ao mesmo tempo em que sorria, estava com um olhar triste. Gusmão sorriu e disse:

— Que bom que estão aqui. Fico feliz, pois sei que a luz que emana de vocês poderá iluminar este quarto e, se Deus quiser, o coração de Sofia.

— Ficamos sabendo de tudo o que se passou. Do esforço que fizeram para que ela não cometesse mais um engano, mas, soubemos também, que foi em vão. Ela se ligou ainda mais ao mal. Sabem que o tempo está terminando e Sofia, em breve, deixará o plano físico. Se não se arrepender e confessar todos os seus crimes, será levada para lugares em que não podemos entrar.

— Também estou feliz em vê-los. Nunca imaginei que Sofia evitou a nossa amizade. Quero que me perdoem por não ter percebido nem insistido mais para nos aproximarmos.

— Ora, Pedro Henrique. Hoje sabemos como tudo aconteceu. Sabemos, também, que fazemos parte do mesmo grupo e que, juntos, tentamos fazer com que Sofia se voltasse para o bem e para o nosso convívio. Nós fizemos o melhor que podíamos, diante da situação em que vivemos. Sofia, desde o princípio, teve proteção. Nasceu em um lar que, embora pobre, era feito de amor. Na encarnação passada, foi muito rica, teve todas as oportunidades para crescer espiritualmente, mas deixou que o orgulho e o poder a desviassem do caminho. Quando entendeu tudo o que havia feito, pediu para renascer em um lar pobre, para, assim, poder dar valor às pequenas coisas, mas, como vimos, não adiantou. Seu orgulho, ganância e desejo de poder fizeram com que estivesse aqui nesta situação. E nós, seus amigos de sempre, estamos aqui ao seu lado para tentarmos ajudá-la.

— Nadir, ela nem imagina que estamos aqui e tão preocupados...

— Tem razão, Maria Rita, ela não imagina o quanto é amada...

Olharam para Sofia que, deitada, tentava dormir. Gusmão, sério, disse:

— Precisamos ir para a casa de Stela. Sinto que ela está precisando de nossa presença.

— Podem ir, eu e Romeu vamos ficar aqui ao lado de Sofia e, assim que ela adormecer, vamos tentar conversar com ela.

— Vamos fazer isso, Nadir. Sofia não poderia estar em melhores mãos.

Nadir e Romeu sorriram. Gusmão, Pedro Henrique e Maria Rita se despediram e foram para a casa de Stela.

A ajuda da luz

Stela também chegou a casa. Assim como Sofia, estava cansada e sentia-se suja. Queria tomar um banho e descansar. Estava passando pela sala, quando o telefone tocou. Atendeu e conversou com Sofia. Depois, olhou pelo vitrô e viu que as crianças, Juninho e Dora, brincavam na piscina. Continuou andando, passou pela cozinha e notou que Clarice, sua empregada, arrumava a cozinha. Ouviu o barulho da máquina de lavar roupas, foi até a lavanderia e Maria Tereza, ao mesmo tempo em que esperava a roupa terminar de ser lavada, também passava as que estavam secas. Sorriu e pensou:

Está tudo certo aqui em casa. Posso, sem problema algum, tomar meu banho e descansar.

Sem que ninguém a notasse, foi para o seu quarto. Não viu nem percebeu, mas, desde que deixou Sofia em casa, foi acompanhada por algumas das entidades que estavam junto a Sofia e que estiveram ao lado delas durante todo o dia. Assim que entrou, sentou-se na cama e começou a pensar:

Dona Sofia, quando me telefonou, estava feliz. Será que ela tem razão, será que foi o trabalho daquele homem que separou Ricardo de Anita? Não pode ser, nós nem bem saímos dali. Ele não teve tempo de fazer trabalho algum. Mas, e se foi ele? Também, mesmo sem querer, eu participei de tudo. O que fizemos não está certo. Não tínhamos o direito de interferir dessa maneira na vida deles. A Anita não quer a minha amizade, mas, em parte, tem razão. Logo que se casou, tentou ter amizade comigo, mas, influenciada por dona Sofia, sempre a tratei com indiferença e demonstrei que queria distância. O que ela poderia fazer?

Hoje, durante aquela viagem louca, tive tempo para pensar, analisar dona Sofia e perceber como ela é egoísta e diria até que má. Como permiti que ela me envolvesse dessa maneira? Não posso contar ao Maurício o que fizemos, pois, do jeito que gosta do irmão, não me perdoaria nunca e com razão... odeio dona Sofia, queria que ela morresse!

Ela mesma estava assustada com aqueles pensamentos. Desde a primeira vez em que viu Sofia, percebeu como ela era orgulhosa e prepotente, mas como vinha de uma família humilde e gostava muito de Maurício, resolveu que, ao invés de enfrentá-la, deveria unir-se a ela e, para isso, se anulou e deixou que Sofia tomasse conta de sua vida, desde como arrumar sua casa, comprar os móveis e colocar os quadros. Aquilo sempre a irritou, mas achou melhor concordar e viveu bem até este dia.

Sempre notei a diferença entre o modo como ela trata Maurício e Ricardo. Não sei por que, mas ela faz diferença e não faz questão alguma de disfarçar. Nunca entendi por que Maurício aceitou esse tratamento. Uma ou duas vezes em que comentei, ele disse:

— Não se preocupe com isso, Stela. Minha mãe é cheia de manias. Todo o amor e carinho que ela não me deu, recebi em dobro ou mais ainda do meu pai. Ele gostava muito de mim e também não fazia questão de disfarçar. Sinto muita falta dele...

Stela, assim pensando, pegou as toalhas, entrou no banheiro e tomou um banho demorado que a renovou. Ao voltar para o quarto, viu, com surpresa, que Maurício estava deitado. Aproximou-se dele, abaixou-se e, enquanto fazia isso, perguntou:

— Já em casa, Maurício. O que aconteceu? Está doente?

— Por que pergunta isso?

— Você não costuma chegar cedo em casa... não está bem?

— Estou bem, mas, hoje, não sei porquê, fiquei com vontade de vir para casa. Sinto que alguma coisa de ruim está acontecendo ou para acontecer.

Ela deitou-se ao seu lado, dizendo:

— Credo, Maurício, nem fale uma coisa como essa. Aqui em casa está tudo bem e vai continuar assim. Não existe motivo algum para que mude.

— Não sei, Stela, mas algo não está bem.

— Está tudo bem, você deve estar muito cansado. Tem trabalhado muito...

— Tem razão, desde que meu pai morreu, tive de tomar a frente de todos os negócios. Ainda bem que Ricardo voltou e vai poder me ajudar. Ele é inteligente e está disposto a ficar aqui para sempre. Logo tomará conhecimento de como as empresas funcionam e poderei tirar umas férias longas. Vamos viajar e levar as crianças para conhecer lugares maravilhosos.

— Acho que isso não vai acontecer...

— Por que está dizendo isso?

— Assim que deixei sua mãe em casa e cheguei aqui, ela me telefonou e contou que Ricardo voltou para casa.

— Como voltou para casa?

— Não sei muito bem o que aconteceu, ela disse que, quando chegou, ele estava lá e que tinha vindo com uma mala de roupas.

— Ele se separou da Anita?

— Não tenho certeza, mas receio que sim...

— Tenho certeza de que isso tem um dedo da minha mãe! Ela, desde que conheceu Anita e sua família, quis e tentou de várias maneiras que o casamento não se realizasse. Como não conseguiu, sempre fez de tudo para que houvesse uma separação. Você está sabendo de alguma coisa, Stela?

Stela pensou por alguns segundos. Aquela era a hora de contar tudo o que estava acontecendo e aonde tinham ido, mas se calou. Sentiu medo de que Maurício não entendesse.

— Não estou sabendo de nada, Maurício. Assim como você, também percebo como sua mãe trata Anita, mas não sei nada além disso.

— Ela deve ter feito algo de muito grave para que essa separação acontecesse, Stela. Já sei, deve ter sido por causa do jantar.

— Do jantar?

— Sim, eu, você e todas as pessoas que estavam lá, percebemos como Anita ficou furiosa. O jantar estava perfeito e ela deve ter tido muito trabalho para que tudo desse certo e minha mãe, com sua grosseria costumeira, conseguiu estragar.

— Sei que o que sua mãe fez foi desagradável, mas não tão grave para que houvesse uma separação. Já presenciamos cenas muito mais fortes do que aquela.

— Tem razão, foi uma somatória de coisas. O jantar foi a gota d'água, Stela. Vamos até a casa da minha mãe.

— Fazer o que, Maurício?

— Preciso conversar com meu irmão e saber o que aconteceu exatamente e se houve qualquer interferência da minha mãe. Vou tentar fazer com que Ricardo repense e volte para casa.

— Acha que deve fazer isso?

— Não só acho, como vou fazer!

Maurício estava muito nervoso e irritado. Sentou-se na cama para se levantar, mas sentiu uma tontura e foi obrigado a se deitar novamente. Ficou branco como cera. Stela se assustou e, quase gritando, perguntou:

— O que aconteceu, Maurício? O que está sentindo?

Ele, quase sem forças para responder, disse baixinho:

— Não sei, de repente senti uma tontura muito forte.

Ela, muito assustada e nervosa, disse:

— Está vendo! Você está nervoso e provocou isso. Fique deitado, vou até a cozinha pegar um copo com água e açúcar.

Saiu correndo do quarto. Gusmão olhou para Pedro Henrique e Maria Rita e, com os olhos, fez um sinal em direção a Maurício, estendendo as mãos em sua direção e jogando jatos de luz sobre ele, gesto que foi seguido pelos outros.

Aos poucos, perceberam que a cor foi voltando ao seu rosto e ele começou a se sentir melhor. Quando Stela voltou com o copo de água, ele já estava bem. Ela, admirada, perguntou:

— Você esta bem, Maurício?

Sim, da mesma maneira que fiquei mal, também desapareceu.

— Ainda quer ir à casa de sua mãe?

— Claro que sim. Preciso conversar com o Ricardo, antes que tudo fuja do controle e essa separação seja irreversível!

— Precisa ser hoje? Você passou mal, acho que devíamos ir ao médico. Você precisa fazer alguns exames e ver qual foi a razão de ter ficado tão mal.

— Faremos isso amanhã. Hoje, preciso falar com o meu irmão! Vou tomar um banho, trocar minha roupa e, se você não quiser ir, não precisa. Vou sozinho!

— Mesmo que quisesse, não posso ir. As crianças estão brincando na piscina e logo sairão com muita fome. Preciso ficar aqui para atendê-las.

Stela mentiu, pois, se as crianças precisassem de atendimento, tanto Clarice como Maria Tereza estavam ali para isso. Na realidade, não queria estar presente quando Maurício conversasse com o irmão e ao lado de Sofia.

Pegou e entregou para Maurício toalhas e roupas. Ele entrou no banheiro, ela se deitou e ficou esperando. Antes de entrar no banheiro, Maurício disse:

— Não vou obrigá-la a fazer algo que não quer, mas gostaria muito que fosse comigo.

Assim que Maurício entrou no banheiro, Pedro Henrique e Maria Rita olharam para Gusmão e Pedro Henrique perguntou:

— O que aconteceu aqui, Gusmão?

— Vocês não viram como as entidades se atiraram sobre Maurício, quando ele disse que ia falar com o irmão?

— Sim, vimos. Elas foram com tanta força que quase o mataram.

— Foi exatamente isso que aconteceu. Elas, percebendo que Maurício poderia fazer com que a separação de Ricardo e Anita não se concretizasse realmente, tentaram evitar.

— Por quê?

— Eles estão ao lado de Sofia e querem que ela se envolva cada vez mais na escuridão. Hoje, pretendeu e pagou para que houvesse a separação, se isso não acontecer, eles terão mais dificuldade para envolvê-la ainda mais. Por isso, tentaram evitar.

— Se não estivéssemos aqui, teriam conseguido?

— Não, pois se não estivéssemos aqui, outros de nosso grupo original estariam. Maurício, assim como Ricardo, Anita e Stela, faz parte do nosso grupo original e, mesmo sem saber, está tentando ajudar Sofia e, evitando a separação estará contribuindo para que essa ajuda seja efetivada.

— Não entendo como, depois de tudo o que ela fez, ainda existam espíritos querendo ajudá-la...

Gusmão sorriu e disse:

— Estamos aqui, não estamos?

Os dois também sorriram. Maurício saiu do banheiro. Stela continuou na cama, temerosa de que ele descobrisse o que ela havia feito ao lado de Sofia.

Gusmão olhou para ele, com carinho. Maurício não imaginava como estava bem acompanhado. Gusmão disse:

— Agora podemos voltar para junto de Sofia. A vinda de Nadir e Romeu significa que eles, também, tentarão, até o último recurso, ajudar Sofia.

Tomada de decisão

Anita, em casa, após chorar muito, esperou até a hora do almoço para ver se Ricardo voltava. Como ele não voltou, decidiu: *ele não vai voltar. Escolheu a mãe. Para mim, só resta uma alternativa.*

Enquanto pensava, pegou o telefone, discou um número. Do outro lado da linha, uma voz de mulher atendeu.

— Alô!

Anita, chorando, só conseguiu dizer:

— Mãe!

— Anita? Que aconteceu, por que está chorando?

— Ricardo me abandonou...

— Abandonou, como? Para onde ele foi?

— Ontem à noite, brigamos, por causa da mãe dele. Hoje, quando acordei, ele não estava em casa. Olhei o guarda-roupa e vi que estavam faltando algumas roupas e uma mala. Deve ter ido para a casa da mãe, pedir sua bênção...

— Você, outra vez, brigou com seu marido por causa daquela mulher, minha filha? Já lhe disse tantas vezes para não ligar para qualquer coisa que ela fizesse!

— Disse muitas vezes, mãe, mas não suportei. Vou lhe contar o que aconteceu. A senhora sabe que preparei um jantar para os amigos e parentes para celebrar a nossa volta, não sabe?

— Claro que sei, você nos convidou, mas seu pai, por causa dos negócios e da época do ano, não podia se afastar daqui e combinamos que você faria um outro jantar em outra data, só para a família. Mas até agora não estou entendendo o que aconteceu.

Anita contou tudo o que havia acontecido. A briga que teve com Ricardo e a sua decisão de abandonar tudo. Contou também da reação dele, o quer fez com que ficasse com mais raiva ainda. Terminou dizendo:

— Como pode ver, mamãe, ele escolheu a mãe. Não gosta de mim e não me respeita!

— O que ele fez, realmente, é grave, mas precisa entender que se trata da mãe dele!

— Pode ser a mãe dele, mas também é uma megera e, não sei qual é o motivo, mas me odeia!

— O que quer que façamos por você?

— Preciso voltar para casa, nem que seja por um tempo, até que eu consiga refazer a minha vida...

— Claro que pode voltar! Você é nossa única filha e esta casa é sua, embora eu acredite que você não deva fazer isso. Deveria esperar seu marido voltar, porque tenho certeza de que isso vai acontecer. Precisam conversar e tentar acertar tudo. O Ricardo é um bom homem. Nunca traiu você e sempre a tratou com muito carinho. Essa briga não foi causada porque vocês não se gostam, mas por outra pessoa, por isso, acho que ainda há esperança.

— Não há mais esperança, mamãe. Ele escolheu. Não posso mais continuar morando aqui... preciso voltar para casa...

— Está bem, quer que eu converse com seu pai e peça para o Olavo ir apanhar você?

— Não precisa, mamãe. O Olavo é o motorista de casa, deve ter muito o que fazer. Eu mesma vou dirigindo, a senhora sabe o quanto gosto da estrada.

— Sei que dirige muito bem e que gosta, mas, nas condições em que está e chorando dessa maneira, acha que vai conseguir?

— Vou, não se preocupe, embora esteja chorando, estou bem. Ainda é cedo e chegarei em duas horas.

— Está bem, estarei esperando por você.

Anita desligou o telefone, olhou para o guarda-roupa, foi até ele, tirou algumas roupas que estavam penduradas, outras que estavam dobradas na gaveta, colocou em duas malas, chamou Celeste, sua empregada, que a ajudou a levar até o carro. Antes de entrar no carro, disse:

— Celeste, se o doutor Ricardo voltar e perguntar por mim, diga que não sabe para onde fui.

— Não estou entendendo, senhora. Está indo embora de casa?

— Sim, mas não se preocupe, está tudo bem.

Celeste ficou sem saber o que fazer. Era empregada deles há pouco tempo, desde que chegaram de Portugal. Sorriu, ajudou Anita a colocar as malas no porta-malas. Depois, Anita entrou no carro, com um lenço secou as lágrimas, ligou o motor, acelerou e saiu, acenando para Celeste que, com os olhos e preocupada, a acompanhou.

Duas horas depois, estava estacionando o carro na garagem da casa de seus pais. Sua mãe veio até ela, dizendo:

— Ainda bem que chegou, minha filha! Eu estava morrendo de preocupação.

Anita, assim que viu a mãe, não se conteve mais e começou a chorar em desespero. A mãe a abraçou e disse:

— Fique calma, agora está em casa. Vamos entrar, conversar e ver como vai ficar.

— Não vai ficar, mamãe, já ficou...Infelizmente, meu casamento terminou...

— Isso não pode acontecer, Anita! Você não pode se deixar vencer por aquela mulher! Você e seu marido se gostam e quando o amor é verdadeiro, nada pode separar...

— Isso é bonito de se ler em romance, mas a realidade é diferente, mamãe. Ricardo não gosta de mim de verdade. Ele é fraco e sempre foi dominado pela mãe, que o trata como se ainda fosse uma criança. Ela não entende que Ricardo cresceu e se tornou um homem e que precisa ter uma família! Ter a sua própria vida...

— Vamos entrar, Anita. Você está muito nervosa. Telefonei para o seu pai, contei o que estava acontecendo, ele já deve estar chegando. Quando ele chegar, vamos ver o que pode ser feito.

Entraram. Olavo retirou as malas do carro e entrou depois delas. Anita sentou-se em um dos sofás da sala e continuou chorando. Sua mãe, sem saber o que fazer ou falar para acalmá-la, sentou-se em outro e ficou olhando.

Alguns minutos depois, o pai de Anita chegou e, ao ver a filha naquele estado, perguntou nervoso:

— O que aconteceu, Anita? Sua mãe não soube me explicar direito:

Ela, ao ver o pai, levantou-se e começou a chorar com mais força. Tentou se acalmar, mas não conseguiu evitar os soluços que vinham do fundo do coração e saíam por sua garganta. Ele a abraçou e disse:

— Não precisa ficar assim, minha filha. Sabe que estamos ao seu lado. Só não entendi o que aconteceu de tão grave que a fez sair de casa. Você e seu marido se gostam muito. Isso qualquer um pode ver. Vamos nos sentar e você vai me contar tudo.

Sentaram-se e Anita, ainda chorando, contou tudo o que havia acontecido. Os pais ouviam, atentamente, o que ela dizia. Ela terminou, dizendo:

— Foi isso que aconteceu, papai. Gosto muito do Ricardo e sei que ele também gosta de mim, mas a dona Sofia me odeia e nunca vai aceitar o nosso casamento.

O pai se levantou e, pensando, ficou andando de um lado para outro. Depois de pensar muito, disse:

— Diante de tudo o que me contou, só me resta uma alternativa. Vou até lá conversar com o seu marido e, se for preciso, com aquela mulher também.

Anita se levantou e disse, desesperada:

— Não quero que o senhor faça isso. Não adianta mais! Ele escolheu e vai ficar com a mamãezinha! Eu estou bem, só preciso de um tempo para organizar a minha vida! Nada além disso, papai!

— Está bem, se é assim que quer, assim será feito! Só não acho certo que essa separação tenha sido por causa de outra pessoa que nada tem a ver com a vida de vocês dois. Se houvesse tido uma traição, se vocês tivessem se cansado um do outro, eu até entenderia, mas por causa daquela mulher, eu não posso aceitar! Ainda acredito que o melhor a fazer seria eu ir até lá e conversar com Ricardo. Ele é um homem educado, bem preparado profissionalmente e deve saber tomar suas decisões, sem a interferência de ninguém, inclusive a sua, Anita. Isso tudo o que aconteceu não está certo e precisamos encontrar uma maneira de remediar. Aquela mulher precisa pensar na felicidade do filho e deixá-los viver em paz.

— Também acho que deveria ser assim, mas, infelizmente, não é. Ela domina Ricardo totalmente. Não me perdoa até hoje por termos ido para Portugal, embora a idéia tenha sido dele. Ela não acredita e me culpa pelos anos que ficamos distantes.

— Parece ser impossível acontecer isso tudo que está me contando!

— Mas está acontecendo, papai. Ela me odeia! Como pode ser isso, se nunca fiz nada de mal para ela ou para o Ricardo?

O pai pensou um pouco antes de responder. Depois, disse:

— Deve haver algum motivo e precisamos descobrir qual é. Por isso, ainda acho que devemos ir até sua casa para conversar com Ricardo e com a mãe.

— Não, papai, não quero! Depois da briga que tivemos, ele foi embora de casa, o que demonstra que não quer mais viver ao meu lado. Não quero obrigá-lo a nada...

O pai se voltou para a mãe e perguntou:

— O que você acha que devemos fazer?

Ela, forçando um sorriso, respondeu:

— Também acho que deveríamos ir até lá e conversar, mas, ao mesmo tempo, acho que Anita tem razão. Ele fez a sua escolha. Assim como estamos culpando a mãe dele por interferir, também não podemos nem devemos fazer o mesmo. Eles são adultos e somente eles poderão decidir o que querem para suas vidas.

Anita e o pai olharam para a mãe e ficaram calados. Sabiam que ela tinha razão naquilo que havia dito. Depois, Anita disse:

— Acho que é assim mesmo que tem de ser, mamãe. Ele deve ter voltado para a casa da mãe e eu, para cá. Por mim, está tudo acabado, não quero mais ser humilhada por aquela megera!

— Sabe, minha filha. Desde que conheci Ricardo e sua mãe, sentia que esse casamento não daria certo.

— Por que achou isso, papai?

— Não sei, aquela mulher me pareceu ser muito perigosa...

Mãe e filha riram da expressão que ele fez. Anita disse:

— O senhor tinha razão, papai. Ela é realmente perigosa...

— Está tudo bem, minha filha. O que eu e sua mãe queremos é a sua felicidade e se não está feliz no casamento, se não houver outra maneira, por nós, tudo bem. Fique aqui em casa o tempo que precisar. Esta casa é sua...

Anita, que havia parado de chorar, abraçou-se ao pai e recomeçou a chorar. Ele, também, a abraçou, dizendo:

— Agora, vamos ver se tem algo para se comer nesta casa! Hoje não almocei direito e estou morrendo de fome.

Mãe e filha olharam, com carinho, para ele e, abraçados, foram em direção à sala de refeições.

Conversa em sonhos

Enquanto isso acontecia na casa de Anita, Maurício saiu do banheiro e terminou de se vestir e, antes de sair, perguntou:

— Não quer, mesmo, ir comigo?

Stela, que havia pensado muito enquanto ele se vestia, resolveu que o melhor seria ir com ele, para ficar ao lado de Sofia e ajudá-la em qualquer situação. Assim, poderia impedir que ele descobrisse o que elas haviam feito. Respondeu:

— Enquanto você tomava banho, pensei bastante e resolvi que devo ir com você, embora continue achando que não devíamos nos intrometer na vida de seu irmão. Ele é adulto e deve saber o que quer da vida.

— Está bem que pense assim, mas podemos ir?

Stela, que ainda continuava deitada, olhou para ele e perguntou:

— Tem certeza de que é isso mesmo que devemos fazer?

— Claro que tenho, Stela! Sei que, nessa briga do Ricardo com a Anita, tem um dedo da minha mãe e não posso permitir que isso aconteça.

— Não sei, Maurício, mas volto a dizer que a briga deles não é da nossa conta...

— Entendo sua preocupação, mas isso acontece porque você não conhece minha mãe. Não sabe como ela é na realidade! Ela, não sei o motivo, não gosta da Anita. Desde o começo, notei isso.

— Você está exagerando, não tenho nada contra sua mãe e ela sempre me tratou muito bem.

— Sei disso e até estranho, pois entre mim e Ricardo, ela sempre fez uma diferença enorme. Ele sempre foi o preferido e ela nunca fez questão de esconder sua preferência.

Stela sorriu e, com ar de deboche, disse:

— Você está com ciúmes...

— Não se trata de ciúmes, há muito tempo superei essa diferença. Exatamente por isso é que estou preocupado com Ricardo. Minha mãe sempre acreditou que ele seria dela para sempre e que nunca a abandonaria. Quando ele conheceu Anita e quis se casar, acho que minha mãe não aceitou a separação e, por isso, sente esse ódio mortal por Anita.

— Você acha isso, mesmo?

— Acho, pois não há motivo algum para que ela não goste de Anita. É uma moça culta, educada, de uma família com muito dinheiro e posses. Se ela fosse pobre, poderíamos dizer que estava com Ricardo por causa do dinheiro, mas isso não acontece. A família dela tem muito mais que a nossa. Eles se amam de verdade, por isso, vou fazer tudo o que estiver ao meu alcance para evitar essa separação.

— Está bem, não quero discutir com você, embora não tenha reclamação alguma dela.

— Claro que não, eu não sou o preferido... ela não tinha medo de me perder, até desejava...

Disse isso dando um beijo na testa dela. Piscando um olho, ajudou-a a se levantar.

Stela sorriu e, quando estava em pé, ficou nas pontas dos dedos, beijou-o com carinho e disse:

— Já que resolveu ser esse o caminho e acha que o que está fazendo é o certo, vou ficar ao seu lado.

Saíram no exato momento em que Gusmão, Pedro Henrique e Maria Rita chegavam à casa de Sofia, que dormia. Romeu e Nadir, ao vê-los, sorriram. Ela disse:

— Com a nossa ajuda, ela adormeceu. Fizemos isso porque precisamos conversar com ela e vocês sabem que isso só é possível quando o encarnado está dormindo. Seu espírito se desprende do corpo e sua visão se expande.

Sofia, embora dormisse profundamente, abriu os olhos e os viu diante de si. O primeiro que viu foi Pedro Henrique. Sorriu e, feliz, disse:

— Você está aqui? Eu estava morrendo de saudade!

Tentou abraçá-lo, mas ele evitou. Sabia que suas energias eram diferentes e que um contato físico poderia lhe fazer mal. Sorrindo e olhando para os outros, respondeu:

— Sim, Sofia, sou eu. Também sinto sua falta. Estamos aqui porque precisamos conversar.

— Conversar sobre o quê, Pedro Henrique. A não ser a saudade que sinto de você, tudo está bem.

— Não está, Sofia. Tomei conhecimento de tudo o que fez.

— Não fiz nada, além de proteger o meu filho e separá-lo daquela mulher. Ela não presta, Pedro Henrique.

— Não estamos aqui para falar de Anita ou de Ricardo. Estamos aqui para falar de você e da sua vida espiritual.

— Que conversa é essa, Pedro Henrique? Que vida espiritual? Você nunca foi dado a essas coisas.

— Nisso você tem razão, nunca fui, mas agora tomei conhecimento da verdade.

— Que verdade? — ela perguntou, com medo de ter sido descoberta.

— Que existe vida após a morte e que o espírito é eterno.

— Isso é verdade, mesmo?

— Sim, é verdade, Sofia. Como é verdade que os erros cometidos terão de ser resgatados.

— Não estou entendendo o que quer dizer...

— Sei que está entendendo muito bem e, para que entenda melhor, estou acompanhado.

Ela desviou os olhos dele e, olhando à sua volta, viu os outros, que sorriam. Ao ver os pais, sentou-se e gritou:

— Pai, mãe, o que estão fazendo aqui? Vocês estão mortos.

— Não estamos mortos, Sofia, e viemos para ajudá-la, minha filha...

— Não estão mortos, como não? Eu mesma os vi mortos e acompanhei os enterros.

— O que você enterrou foi nosso corpo físico, mas nosso espírito é eterno, por isso não pode ser morto.

— Não estou entendendo o que está dizendo. Disse que veio me ajudar. Ajudar em quê, mãe?

— Ajudá-la a retornar para o caminho da luz...

— Não sei o que está dizendo, só sei que não tive nada a ver com a morte de vocês e, por isso, podem ir embora!

— Sabemos tudo o que fez, Sofia, mas não estamos aqui para julgá-la e, sim, para ajudá-la.

— Mãe, que jeito é esse que está falando?

— Que jeito?

— Está falando certo, nem parece a mesma...

— Sou a mesma, só que, agora, não estou mais presa ao corpo, portanto, posso falar certo, como aprendi durante uma longa caminhada.

— Não estou entendendo. Quer me ajudar, por quê? O que foi que fiz?

— Você sabe o que fez. Seu tempo, na Terra, está terminando, precisa confessar o que fez, pois, só assim, poderá seguir ao nosso lado.

— Como meu tempo está terminando, o que a senhora está querendo dizer com isso?

— Estou dizendo que você vai deixar o seu corpo aqui e seguir pela espiritualidade e que depende só de você com quais companhias.

— Está dizendo que vou morrer? Isso não pode acontecer, sou muito nova!

— Para voltar, não existe tempo. O espírito renasce para aprender na escola da vida. Quando seu tempo de aprendizado termina, ele volta, assim como acontece em uma escola, quando seu tempo termina, recebe um diploma e escolhe se deseja continuar estudando ou não. Isso também acontece na espiritualidade. Quando retornamos e tomamos conhecimento da nossa situação, temos o direito de escolher o que queremos fazer para o nosso aprendizado e evolução. Podemos continuar estudando, trabalhando em equipes, nos preparando para seguir em escala de evolução e trabalhos maiores ou simplesmente não fazermos nada, somente esperando uma nova chance para reencarnar, mas isso só acontece se essa nova encarnação servir de aprendizado. Assim, como quando encarnados, pertencemos a uma família, quando desencarnados, fazemos parte de um grupo original. Do nosso grupo, todos evoluíram e estão preparados para trabalhar em uma escala superior, só resta você, Sofia, e é por isso que estamos aqui. Sabemos que, diante dos crimes que cometeu, terá de continuar muito tempo reencarnando. Mesmo assim, embora nenhum de nós precise renascer, talvez algum de nós, diante do seu arrependimento, resolva continuar renascendo ao seu lado para ajudá-la. Depende do que você desejar e decidir. Nenhum de nós pode fazer essa escolha. Ela é só sua.

— Não sei o que está dizendo! Tudo o que fiz foi para me proteger, pois sabia que, dependendo de uma palavra sua, do pai ou do Gustavo, minha vida estaria perdida! Não tenho culpa, o culpado foi o Gustavo por ter uma língua comprida, se ele tivesse feito como eu havia pedido e não comentado com a senhora que tinha me visto com o Osmar, nada daquilo teria acontecido!

— Não adianta continuar acusando os outros para se defender. Você sabe que, aquilo que fez, não era certo. Além do mais, se culpar ou procurar se defender, não adianta mais. O que fez, foi feito e nada poderá mudar. Agora, o que precisa é confessar aos seus filhos e esperar o julgamento deles, pois o de Deus, com certeza, virá. Estamos aqui para ajudá-la a tomar essa decisão.

— A senhora está louca! Não posso fazer isso! Eles não vão entender!

Voltou-se para Pedro Henrique, perguntando:

— Se eu, na época, contasse a você, me perdoaria, Pedro Henrique?

Ele, tomado de surpresa e não esperando aquela pergunta, ficou sem saber o que responder, mas ao notar que todos o olhavam para saber o que responderia, olhou, firme, para Sofia e respondeu:

— Não sei, Sofia. Hoje, aqui no plano espiritual, é mais fácil entender o que acontece quando estamos no plano físico, porém, penso que da maneira que a amava, talvez tivesse entendido e perdoado. Só sei de uma coisa, você nunca deveria ter chegado ao extremo que chegou, embora eu não seja ninguém para condená-la. Também tenho meus erros e acertos. Talvez eu não tenha prestado atenção e não tenha percebido o quanto você era infeliz.

Gusmão e os outros sorriram. Nadir disse:

— De tudo o que falou, tem razão em uma coisa, não podemos e não devemos julgar outro espírito irmão. Todos, durante nossa caminhada, cometemos erros e acertos. Por isso, existem várias oportunidades para que nossos acertos sejam multiplicados e nossos erros, corrigidos. A reencarnação é uma dessas oportunidades, pois, através dela, temos a oportunidade de reparar danos causados a nós e a outros que passaram por nosso caminho e que prejudicamos. Está em suas mãos, Sofia, a sua redenção. Maurício está chegando.

— Maurício? O que ele vem fazer aqui?

— Vem em socorro do irmão, para fazer com que ele volte para casa e seja feliz com Anita.

— Ele não pode fazer isso, mãe, não tem esse direito! Odeio aquela mulher e quero vê-la longe da minha vista e da minha família!

— Sabe que esse ódio não tem fundamento e, se ela faz parte da sua família, é porque a ela pertence e, quanto a isso, você nada poderá fazer.

— Como nada poderei fazer? Claro que posso fazer, se for preciso, vou em busca daquele mesmo veneno que usei contra vocês que queriam destruir a minha vida!

— Apesar de tudo o que falamos, teria coragem de fazer novamente?

— Claro que sim! Pois, se, daquela vez, deu certo, dará novamente! Não vou permitir que ela destrua a vida do meu filho, ele não merece!

— Sabe muito bem que esse não é o verdadeiro motivo. Sabe que, mais uma vez, está dominada pelo egoísmo e pelo medo.

— Não sei o que está dizendo! Não sou egoísta nem muito menos tenho medo. Só quero a felicidade do meu filho. Além do mais, não quero mais conversar com vocês! Mandei fazer um trabalho e ele já deu resultado. Ricardo está aqui em casa, voltou para mim!

— Não houve trabalho algum e Maurício está chegando.

— O que ele pode fazer? Não tem provas de que eu fiz alguma coisa para separar os dois.

— Ele pode muito. Por ter sido rejeitado por você durante todo o tempo, não foi envolvido por suas artimanhas e a conhece muito bem. Saberá como conversar com o irmão e, para eles, tudo ficará bem, Sofia.

— Não adianta, ele não vai conseguir! Não quero mais falar com vocês nem relembrar o que aconteceu, já faz muito tempo. Se, naquela época, nada me aconteceu, não vai ser agora que vai acontecer! Estou cansada, preciso dormir...

— Está tendo a última chance, Sofia. Maurício está chegando, por isso você vai despertar e poder contar toda a verdade. Não vai se lembrar de que estivemos aqui, só restará uma pequena lembrança e saberá que sonhou conosco. Embora não ache necessário, continuaremos aqui ao seu lado. Nós amamos você, Sofia...

Sofia, muito nervosa e assustada, ficou calada. Minutos depois, abriu os olhos e viu que estava em sua cama. Suas roupas estavam molhadas de suor e seu coração batia descompassado. Levantou-se e foi para o banheiro, pensando: *que sonho estranho... parece que vi meu pai, minha mãe e Pedro Henrique, só não recordo o que fizemos ou falamos. Pedro Henrique estava muito bonito... aliás, isso ele sempre foi, até mesmo depois de velho...*

Voltou para o quarto, trocou de roupa e desceu. Estava bem...

O confronto

Quando estava terminando de descer a escada que levava à sala, deparou-se com Maurício e Stela, que estavam acompanhados da empregada. Ao vê-los, sorriu e disse:

— Maurício, Stela! Que estão fazendo aqui?

Stela sorriu, Maurício respondeu:

— Viemos conversar com Ricardo, mamãe.

Ela, assustada, perguntou:

— Conversar sobre o quê?

— Precisamos evitar que essa separação seja definitiva, mamãe!

— Como precisamos, Maurício? O problema é deles, não nosso!

— Sei que a senhora está feliz por ter conseguido o que sempre quis e sei o quanto tem feito para que essa separação acontecesse!

Ao ouvir aquilo, Sofia, tomada de ódio, olhou para Stela com os olhos faiscando e perguntou, gritando:

— Stela, você contou a ele aonde fomos hoje e o que fizemos?

Stela empalideceu e, com os olhos, tentou dizer que não. Não pôde fazer gesto algum, pois Maurício, assim que ouviu o que a mãe disse, olhou para ela firmemente, esperando a resposta. Ela sentiu tanto medo que não conseguiu responder. Ficou calada, com os olhos arregalados e tremendo muito.

Sofia não percebeu o seu desespero e continuou olhando para ela com muita raiva. Maurício, ao ver como Stela estava, perguntou:

— O que vocês fizeram hoje, Stela?

Ela começou a chorar, com medo de que ele descobrisse o que ela, ao lado de Sofia, havia feito. Maurício, que já estava nervoso, ficou irado e voltou a perguntar, só que, agora, gritando e segurando em seu braço:

— O que vocês fizeram e aonde foram hoje?

Ricardo, que estava em seu quarto durante o dia todo, só pensando em sua vida e no que ia fazer, saiu. Estava descendo a escada, quando ouviu Maurício e a mãe, gritando. Ao ouvir o que Maurício, irado, perguntava, parou e ficou ouvindo. Sofia percebeu, pela situação de Stela, que ela não havia dito nada e tentou consertar:

— Fomos fazer compras, não foi, Stela?

Stela, nervosa, começou a chorar e não respondeu. Naquele momento, passou por sua cabeça toda a felicidade que vivia ao lado de Maurício e dos filhos. Ele sempre fora um pai e marido dedicado, mas sempre exigiu, não só dele próprio, mas dela e dos filhos, a sinceridade e acima de tudo que a verdade sempre fosse dita. Desde que as crianças eram bem pequenas, aprenderam que, acontecesse o que acontecesse, a verdade sempre teria de ser dita. Por isso, Stela pensava muito na resposta que daria. Se contasse a verdade, Maurício, além de ficar muito brabo, poderia abandoná-la e ela não poderia fazer nada, pois sentia-se culpada por ter ajudado Sofia nos seus desmandos e sabia que a teria como inimiga e, isso, não queria. Contudo, se não contasse, ele poderia descobrir e, aí sim, não haveria perdão. Por isso, continuou calada.

Maurício, diante do silêncio de Stela, voltou-se para a mãe e, com mais raiva ainda, disse:

— A atitude de Stela está demonstrando que algo aconteceu. O que foi, mamãe? O que a senhora fez para destruir o casamento de Ricardo? O que a senhora fez, mamãe?

— Não fiz nada, Maurício! Você está nervoso e não está pensando direito. Sempre foi assim, desde pequeno, quando queria saber algo, tanto fazia até conseguir. Sempre esteve ao lado daqueles que julgava serem injustiçados. Por isso se tornou um advogado e dos bons. — disse isso, tentando sorrir.

Ao ouvir aquilo, Maurício gritou mais alto:

— Não tente mudar o assunto, mamãe! Sou sim, um ótimo advogado, por isso sei que a senhora está mentindo! Sei que fez alguma coisa contra Anita! Sei que a senhora a odeia e não a quer em nossa família! Sei que quer que Ricardo fique ao seu lado para sempre! Sei que quer torná-lo político para que, como sua mãe, possa ser homenageada e convidada para festas! Sei de tudo isso, só não sei o que vocês fizeram hoje para acabar com o casamento do meu irmão e é isso que quero saber!

Ricardo, que ouvia a conversa, ao ouvir aquilo, terminou de descer a escada e, também nervoso, perguntou:

— O que você está dizendo, Maurício? O que mamãe fez para me separar de Anita?

Todos se voltaram para ele. Maurício respondeu:

— Não sei o que ela fez, Ricardo, mas tenho certeza de que fez alguma coisa e que foi ajudada por Stela! — disse, nervoso e quase gritando.

Sofia, ao ver Ricardo, ficou mais nervosa do que estava e, se aproximando dele, o abraçou, dizendo:

— Eu não fiz nada, filho! Maurício não sabe o que está falando! Sabe como ele sempre foi comigo! Parece que não gosta de mim, não me trata como mãe!

— A senhora é mesmo uma dissimulada, mamãe! Isso que está dizendo é uma maneira de fugir do assunto, claro que sempre a enfrentei, pois, desde muito cedo, percebi como manipulava a todos! Diz que eu não gosto da senhora, mas isso não é verdade. Gosto muito da senhora, é minha mãe, só não suporto suas maldades! Desconfiava de que tivesse feito algo para separar Ricardo de Anita e tive essa confirmação diante da sua atitude e da de Stela. O que fizeram hoje? — perguntou, gritando.

— Já lhe disse que fomos fazer compras!

— Está mentindo, mamãe! Fizeram alguma coisa contra Anita!

— Você está louco! Sei que me odeia e, por isso, está inventando essas coisas!

— Eu não a odeio, mas não suporto o seu modo de ser. O que fez contra Anita?

— Não vou responder a uma pergunta sem cabimento como essa e se veio aqui para me colocar contra Ricardo, pode ir embora e não volte nunca mais!

— Mamãe, para que Maurício esteja da maneira como está, deve saber de alguma coisa, senão ele não agiria assim. Conheço meu irmão e sei como ele é justo e honesto. O que a senhora fez? Aonde foi hoje?

— Ele está louco, Ricardo! Não fiz nada! Stela pode confirmar que fomos fazer compras, só isso?

Ricardo se voltou para Stela e perguntou:

— Ela está dizendo a verdade, Stela?

Stela, que chorava muito, não conseguia e não queria responder. Maurício, ao ver a atitude dela, disse:

— Está vendo, Ricardo? Stela não quer responder, pois sabe que se eu descobrisse que está mentindo, não lhe perdoaria jamais! Elas fizeram alguma coisa, por isso ficaram fora de casa quase o dia todo!

— Ele está louco, Ricardo. Ficamos fora o dia todo porque o pneu do carro furou e depois atolamos o carro e demorou muito para aparecer alguém que nos ajudasse! Não é verdade, Stela?

Stela, sem conseguir responder, apenas acenou com a cabeça, dizendo que sim.

— Em que estrada estavam para que demorasse muito para que alguém aparecesse? Pelo que sei, as estradas que levam a qualquer parte das redondezas da cidade são asfaltadas e muito freqüentadas. Portanto, se um pneu tivesse furado, logo um carro passaria e as ajudaria. Como o carro atolou, se as estradas são asfaltadas? Aonde foram, mamãe?

Sofia pensou rápido e respondeu:

— Alguém nos disse que em uma pequena vila havia uma fábrica de roupas que vendia mais barato, só que para chegar lá era preciso usar uma pequena estrada sem asfalto. Resolvemos arriscar, mas, depois, nos arrependemos. Ela, além de muito ruim, era deserta. Por isso, demorou tanto para recebermos ajuda. Foi só isso que aconteceu, não foi Stela?

Stela, ainda chorando, acenou com a cabeça.

— Está bem, mamãe, se o que está dizendo for a verdade, iremos amanhã bem cedo até essa fábrica.

Sofia, vendo que seria desmascarada, disse, gritando:

— Eu não vou a lugar algum! Não tenho nada o que esconder e muito menos do que me defender! Você é meu filho e tem de me respeitar! Está querendo fazer um inferno nesta casa e me colocar contra seu irmão e, isso, não vou permitir, Maurício! Saia desta casa e não precisa voltar nunca mais. Pode levar com você essa sua mulherzinha!

Maurício, ao ouvir aquilo, olhou para Stela e disse:

— Está vendo, Stela, como ela é? Você, no momento em que não serve mais para seus interesses, está sendo descartada, agora, é simplesmente uma mulherzinha. De hoje em diante, você se tornou uma ameaça, uma inimiga! Pense bem no que está fazendo. Eu a conheço muito bem, por isso, sei que está escondendo alguma coisa. Você também me conhece muito bem e sabe que vou descobrir aonde foram e o que foram fazer. Pense bem no que fez e no que precisa nos contar. Vou perguntar pela última vez, aonde vocês foram e o que fizeram?

Stela, que durante o dia passado ao lado de Sofia, havia mudado seu pensamento em relação a ela, pois percebeu o quanto era má e, diante da possibilidade de ver seu casamento terminar, respondeu, ainda chorando:

— Fomos até a um homem que faz trabalhos para separar casais...

Ricardo e Maurício perguntaram juntos:

— O quê?

Ricardo, desesperado, perguntou:

— Que homem, que tipo de trabalho?

Stela não respondeu. Maurício, nervoso, disse:

— Responda Stela. Que homem? Que tipo de trabalho?

— Dona Sofia ficou sabendo que havia um homem e que fazia trabalho de macumba para separar os casais. Fomos lá para que ele fizesse um trabalho e separasse você de Anita, Ricardo...

— Macumba, mamãe? Como pôde fazer isso?

Sofia, tomada de ódio, se atirou sobre ela, gritando:

— Você está mentindo, Stela! Por que está fazendo isso?

— Não posso mais continuar mentindo nem fazendo tudo o que a senhora quer, dona Sofia. Durante o dia todo, eu disse e pedi que a senhora não fizesse aquilo. Disse que Ricardo e Anita se amavam e que a senhora não tinha o direito de separá-los, mas a senhora não quis me ouvir.

— Você está mentindo! Está querendo fazer com que haja uma briga entre mim e meus filhos!

— A senhora sabe que o que estou dizendo é verdade e como ficou feliz quando chegou a casa e viu que Ricardo estava aqui.

— Você está mentindo, Stela! Você não passa de uma invejosa que sempre quis ter a minha vida e ser como eu, mas não é! É uma fraca!

Stela, ainda chorando, olhou para Maurício que, abraçando-a, disse:

— Está tudo bem, Stela. Eu sabia que estava escondendo algo, mas, felizmente e para nossa felicidade, você contou a verdade.

— É mentira, Ricardo! É mentira! Ela está inventando! Ela quer me destruir! O que mais desejo, neste momento, é que você morra, Stela!

— Ela não está mentindo, mamãe, conheço a senhora o suficiente para saber como manipula as pessoas.

— Só podia esperar algo assim de uma pessoa que veio do nada! Que não tem uma família respeitável. Que sempre foi pobre e se casou com você por causa do nosso dinheiro e posição!

— Ela pode ter vindo do nada. Sua família pode ser pobre, mas, nem por isso, deixar de ser respeitável, mas a senhora sabe muito bem o que está falando. Também veio de uma família pobre e deve ter se casado com meu pai para mudar de vida e ter um nome respeitável. Porém, mamãe, não é de Stela ou sua família que estamos falando, estamos falando do casamento e felicidade de Ricardo!

— Não tenho o que falar a esse respeito, Maurício! Ricardo, você sabe que sempre quis só a sua felicidade, não sabe?

Ricardo, atônito com tudo o que estava ouvindo, demorou um pouco para responder, depois, disse:

— Sempre soube que a senhora era possessiva e ciumenta, por isso, quando descobri que não aceitaria meu casamento com Anita ou com outra qualquer, resolvi ir embora, pois sabia que só assim poderia ser feliz! Estou decepcionado, mamãe!

— Não é verdade o que está dizendo, meu filho! Não sou possessiva, sempre quis só a sua felicidade! Agora, está tudo bem, você voltou, está aqui em casa, não se preocupe com mais nada!

— Nada está bem, mamãe! Durante o dia, pensei em tudo o que havia acontecido e na minha vida com Anita. Somos felizes, nos amamos e nos respeitamos. Depois de pensar muito, cheguei à conclusão de que ela tem razão em muita coisa! A senhora, realmente, sempre interferiu em nossa vida! Sempre quis nos separar, mas nunca imaginei que chegaria ao ponto de ir a um macumbeiro para nos separar! Estava descendo à sua procura para lhe comunicar a minha decisão, quando ouvi a discussão entre vocês e tomei conhecimento de que tudo o que sempre quis foi me separar de Anita, por um simples capricho. Agora terminou, mamãe, estou indo embora!

— É mentira, Ricardo! Eu não fiz nada disso! Stela está querendo me prejudicar!

— De qualquer maneira, mamãe, acho que devemos parar com esta discussão. Como estava dizendo, pensei muito e resolvi voltar para casa e, depois de tudo, se Anita me aceitar de volta, vamos para a capital, vou arrumar um emprego e viver feliz ao lado da mulher que escolhi para ser minha esposa e, o principal, viver bem longe da senhora!

— Você não pode fazer isso, Ricardo! Sabe que sempre quis que fosse o prefeito da nossa cidade! Você precisa ser, meu filho, dediquei minha vida toda a isso!

— Quando a senhora vai entender que eu não nasci para ser político? Quando vai entender que esse sonho é seu, não meu? Por que não realiza o seu sonho através do Maurício, ele sim, gosta, tem tendência para ser um bom político, está no seu sangue! Sei que, se eleito, vai ser igual ou melhor que o papai e o vovô!

— Ele não pode ser o prefeito nem melhor do que seu pai e seu avô, quem tem de ser é você, Ricardo!

— Já disse que só ele tem condições para isso, mamãe. Está no sangue! Ele é igual ao papai e ao vovô, nasceu para isso!

— Ele não pode ser prefeito nem igual ao seu avô ou seu pai, ele não tem o sangue deles! Você tem, meu filho!

Ela mesma, ao ouvir o que disse, se calou, assustada. Não entendia como havia dito aquilo, mas não teve tempo para reagir. Maurício, que estava abraçado a Stela, largou-a e foi para junto de Sofia. Pegando, com força, em seus braços, perguntou:

— O que a senhora está dizendo? Não tenho o sangue deles? O meu sangue é de quem?

Sofia, sabendo que havia falado muito, disse, quase chorando:

— Não ligue para o que falei, Maurício. Estou nervosa e nem sei do que estou falando. Claro que você tem o sangue da família! Inventei isso para que o Ricardo não fosse embora. Ele não pode me abandonar! Vivi minha vida em função de vê-lo no meio político, sendo aplaudido e homenageado.

Maurício, transtornado, começou a sacudi-la e a dizer:

— Não, mamãe, não queira desconversar! A senhora disse com todas as letras que não tenho o sangue do meu pai e nem o de meu avô, quero saber de quem é o meu sangue?

— Eu falei bobagem, Maurício, claro que você tem o sangue deles!

— Por estar nervosa e descontrolada, foi que disse um pouco de verdade! Eu quero saber de toda a verdade, mamãe, de quem é o meu sangue?

— Estou nervosa, não quero falar mais nada! Ricardo, não quero que você volte para aquela mulher! Precisa continuar aqui!

Ricardo, também atônito com o que acabara de ouvir, disse:

— Estou indo embora, mamãe, só que, antes, assim como Maurício, quero saber de toda a verdade.

— Não existe verdade alguma! Será que vocês não entendem que eu não sabia o que estava dizendo?

— Não adianta querer escapar, a senhora precisa e vai ter de contar, mamãe!

Sofia, vendo que não teria como escapar daquela conversa, que ela não queria, chorando, desesperada, saiu correndo, subiu a escada e foi para o seu quarto. Entrou, trancou a porta e jogou-se em sua cama. Ficou pensando: *como pude fazer uma besteira dessa? O que vou fazer agora? Não posso contar a verdade, ficaria desmoralizada para sempre! Preciso encontrar uma maneira de contar sem que para isso precise contar o que realmente aconteceu. Como vou fazer isso? Pedro Henrique, você precisa me ajudar...*

Ao ouvir aquilo, Pedro Henrique sorriu e balançou a cabeça de um lado para outro, não conseguindo acreditar naquilo que ela pensava. Olhou para Gusmão, que, também sorrindo, com tristeza, disse:

— Sei o que está pensando, Pedro Henrique. A maioria dos encarnados acredita que, depois da morte, adquirimos poderes para ajudar, quando, na realidade, isso não acontece, ainda mais no caso de Sofia, que deseja sua ajuda para esconder os seus crimes. Podemos, sim, ajudar, intuindo bons pensamentos, nada além disso. A decisão pertence a cada um.

— Sei disso, Gusmão, por isso, sorri. Hoje, conheço Sofia e sei do que é capaz, estou preocupado com Maurício. Ele não está entendendo o que aconteceu. Sofia foi imprudente, ele nunca deveria conhecer a verdade dessa maneira...

— Não se preocupe com Maurício, ele é um espírito iluminado e, também, renasceu para ajudar Sofia.

Maurício e Ricardo seguiram Sofia. Stela ficou parada, sem saber o que fazer, pois jamais poderia ter imaginado que Maurício não fosse filho de Pedro Henrique. Assim que eles chegaram à porta de Sofia, Maurício começou a bater com força e a gritar:

— Mamãe, abra essa porta, não adianta, mais cedo ou mais tarde vai ter de me contar toda a verdade!

Sofia ouvia o grito, desesperado, de Maurício e sabia que ele tinha razão, pois não importava quanto tempo demorasse, ela sabia que teria de contar tudo. Por isso, embora ele continuasse a bater, ela não respondia. Ricardo, entendendo a gravidade e recebendo muita luz de todos os amigos espirituais que estavam lá no momento, segurou no braço do irmão, dizendo:

— Não adianta insistir, Maurício, você a conhece e sabe que não vai abrir a porta. Vamos descer e conversar mais um pouco.

— Não posso ir embora, Ricardo! Preciso saber da verdade! Você ouviu o que ela disse? Não tenho o mesmo sangue que o papai!

— Ouvi o que ela disse, mas não adianta você ficar aqui. Ela não vai abrir essa porta. Vamos até o meu quarto. Preciso pegar a mala que trouxe. Depois vou para casa e queira Deus que Anita esteja lá e me receba de volta. Venha, meu irmão.

Segurou o braço do irmão com tanto carinho que ele, sabendo que Sofia não ia abrir a porta, o acompanhou. Assim que entraram no quarto, Ricardo começou a recolher algumas peças de roupa que estavam espalhadas. Maurício se deitou na cama e, chorando, disse:

— Desde criança, sempre senti que mamãe não gostava de mim. Muitas vezes, cheguei a pensar que não era filho dela, mas papai era tão carinhoso comigo e eu logo esquecia. Quando adolescente e até depois de adulto, continuei tendo essa sensação, mas logo desviava o pensamento. Sempre notei a diferença de tratamento que existia entre nós. Hoje, entendo. Não sou filho de papai, mas será que sou dela?

— Claro que é, Maurício! Você se parece com ela, muito mais que eu.

— Foi essa semelhança que fez com que eu desviasse os maus pensamentos. Por ela, tinha a certeza de que era seu filho. Sendo assim, se eu não sou filho de papai, o que aconteceu e quando? Sempre soubemos que, quando se casaram, ela era muito jovem. Será que o papai sabia que eu não era filho dele? Quem é o meu pai verdadeiro?

— Nada disso importa, Maurício.

— Como não, Ricardo? Claro que importa!

— Não conhecemos a história verdadeira, mas você mesmo disse que papai era carinhoso com você. Preciso confessar que, muitas vezes, percebi essa diferença e senti ciúmes.

— Será que se ele soubesse que eu não era seu filho, teria me tratado da mesma maneira?

— Claro que sim, ele era um bom homem, honesto e muito justo. Apesar de tudo, quero lhe dizer que essa conversa que tivemos com a mamãe não mudou em nada o que sinto por você e só posso lhe agradecer por todo o tempo em que esteve ao meu lado, me defendendo e ajudando. Gosto muito de você, meu irmão. Graças a você, consegui ver quem mamãe é realmente. Volte para sua casa. Um outro dia, voltaremos aqui e a obrigaremos a contar toda essa história. Você está nervoso e sabe que o nervosismo não ajuda em uma discussão.

Pedro Henrique sorriu e mandou um beijo para os dois, que, parecendo sentir, sorriram. Ricardo continuou falando:

— Pode parecer egoísmo, mas preciso voltar para casa e tentar convencer a Anita a me perdoar. Ela sempre teve razão, eu é quem nunca quis acreditar que minha própria mãe queria a minha infelicidade.

Maurício, recebendo muita luz, sorriu e disse:

— Tem razão, meu irmão. Precisa ir rápido para sua casa. Eu vou para a minha, mas a conversa com a mamãe não terminou.

— Claro que não, Maurício. Quero estar presente na próxima conversa, também quero conhecer toda a história. Depois do que aconteceu hoje, ela não vai ter escapatória, precisa contar tudo o que aconteceu.

Ricardo fechou a mala e saíram. Desceram a escada. Stela estava lá, esperando pelo marido. Percebeu que o clima entre os dois estava bom. Sorriu e, em silêncio, se abraçou a Maurício, que beijou sua testa.

Os três saíram. Sofia, que estava na janela do quarto, viu quando entraram em seus carros. Assim que os carros desapareceram na alameda, voltou para a cama, continuou chorando e tentando encontrar uma maneira de contornar aquela situação que ela mesma havia criado.

Já estava escuro, quando Ricardo estacionou o carro e entrou correndo em casa. Precisava ver Anita, beijá-la e pedir que o desculpasse por ter ido embora. Assim que entrou na sala, chamou:

— Anita! Anita!

Quem apareceu em uma das portas da sala foi Celeste, que disse:

— A patroa não está em casa, senhor.

— Como não está em casa, para onde ela foi?

— Não sei, ela não disse. Só sei que saiu com duas malas.

— Duas malas? Então ela foi embora de casa?

— Receio que sim, senhor.

Ricardo ficou desesperado, foi para o seu quarto em busca de algum bilhete, pois, sempre que saíam, deixavam um bilhete dizendo onde estariam. Mas naquela noite, foi diferente, ele não encontrou bilhete algum. Sentou-se na cama e, sem tentar evitar, começou a chorar. Sabia que, se Anita tomara aquela atitude, devia ter pensando muito, por isso, sabia, também, que seria muito difícil convencê-la a voltar. Desesperado, chorava e pensava: *como fui deixar isso acontecer? Como nunca acreditei quando ela dizia que minha mãe a odiava? Não tinha como acreditar, pois não havia motivo algum.*

Sem saber o que fazer, entrou no quarto e saiu dele, várias vezes. Foi até o jardim, caminhou e voltou. Pensou na conversa que tivera com sua mãe e Maurício, também naquilo que ela havia dito. Sentou-se em um dos bancos que havia no jardim: *tudo aquilo que minha mãe disse é uma loucura. Depois que acertar a minha situação com Anita, vou visitar minha mãe, mas sem o Maurício. Talvez assim ela me conte toda a verdade. Agora, preciso me preocupar com Anita. Ela só pode ter ido para a capital, para a casa dos pais. Hoje está tarde, não gosto de dirigir à noite, ainda mais nervoso como estou, mas amanhã, bem cedo, vou para lá.*

Levantou-se, foi para o quarto. Deitou-se e ficou relembrando sua vida com Anita e de como havia sido feliz: *ela é uma mulher maravilhosa, não posso perdê-la...*

Maurício e Stela também chegaram a casa. Durante todo o caminho de volta, ele permaneceu calado. Stela sabia em que ele estava pensando, com certeza, no mesmo que ela. *Nunca imaginei que ele não fosse filho do senhor Pedro Henrique. O que será que aconteceu? Dona Sofia sempre se mostrou como uma mulher honesta e austera. Sempre condenou qualquer tipo de traição de suas amigas. A não ser...que Maurício tenha sido adotado...não, não pode ser...ele é o espelho dela. O que será que aconteceu?*

Estacionaram e entraram em casa. As crianças estavam na sala de televisão. Maurício se aproximou e as abraçou com carinho. Mesmo sem querer, começou a chorar. Estava perdido com tudo o que havia acontecido. Abraçado ao filho, pensava: *se eu não pertenço àquela família, de onde vim, onde estão os meus pais? Não, como Ricardo falou, filho da minha mãe eu sou, pois, infelizmente, me pareço muito com ela, mas...então...o que aconteceu? Quem é e onde está o meu pai?*

— O senhor está me machucando, papai...

Só aí Maurício percebeu que estava apertando o filho. Afastou-se e disse, rindo:

— Sabe que nem percebi. É que gosto muito de vocês, por isso, apertei tanto.

— O senhor está chorando? Está com alguma dor?

— É mesmo, papai, está chorando? O que aconteceu?

Maurício percebeu que estava deixando os filhos assustados. Afastou-se, dizendo:

— Estou sim, com muita dor de cabeça, mas vou tomar um comprimido e vai passar. Agora, continuem assistindo à televisão.

Saiu da sala, foi para o seu quarto e se deitou. Stela o seguiu, aproximou-se e deitou-se ao seu lado. Ele a abraçou, dizendo:

— O que está acontecendo em nossa vida, Stela?

— Sei que sou culpada de muita coisa, Maurício, não devia ter me deixado levar por sua mãe. Acontece que, desde o casamento de Ricardo, vi como ela tratava Anita e não queria que fizesse o mesmo comigo. Por isso, fiz, sempre, sem discutir, tudo o que ela pediu.

— Não precisa me dizer o poder que minha mãe tem sobre todos. Ela é pior do que eu pensava. Nunca imaginei que poderia ir a um macumbeiro com a intenção de destruir o meu irmão, mas o pior de tudo foi ela ter me contado que eu não era filho do meu pai. Não consigo entender nem aceitar isso. Meu pai foi um homem maravilhoso. Sempre dedicou muito amor, não só a ela, mas a mim e ao Ricardo também. Por isso, eu sempre quis ser igual a ele, tratar minha mulher e filhos da mesma maneira. Hoje, fico sabendo que minha vida foi toda feita de mentiras. Será que meu pai conhecia toda essa história? Será que ele sabia que eu não era seu filho? Pois, se sabia, nunca deixou transparecer qualquer diferença entre mim e Ricardo.

— Nem eu pensei que ela chegasse a tanto. Hoje, durante a viagem em que tudo deu errado, tive tempo para pensar e ver como ela é egoísta e má. Tinha decidido que nunca mais ia fazer o que ela me pedisse. Tinha decidido evitar, ao máximo, me encontrar com ela. Não imaginei que toda essa história existisse e pudesse vir à tona. Quanto ao seu pai, não precisa se preocupar, ele gostava muito de vocês e, principalmente, de você, Maurício, e é isso o que importa. Somos felizes, nossos filhos são crianças boas e com saúde. Vamos continuar a nossa vida e fazer de conta que nada disso aconteceu. Ricardo e Anita se amam, sei que conseguirão se acertar. Sua mãe, infelizmente, vai ter de continuar sua vida sozinha.

— Não posso fazer isso, Stela! Preciso saber de toda a verdade! Quero saber, se não sou filho do meu pai, sou filho de quem?

— Isso não importa, Maurício. Você teve um pai maravilhoso que o criou com todo o carinho que possa existir neste mundo...

— Importa, sim, Stela. Vou tentar dormir e amanhã, bem cedo, vou até a casa de minha mãe e, sozinhos, ela vai ter de me contar toda a verdade.

— Está bem, se é assim que quer, precisa fazer. Agora, como você disse, vamos tentar dormir.

Stela foi para a sala onde as crianças assistiam à televisão, levou-as para os seus quartos, beijou-as e voltou para o quarto. Maurício estava com os olhos fechados. Ela sabia que ele não estava dormindo, mas sabia também que ele não queria conversar, deitou-se, fechou os olhos e tentou dormir.

Sofia, em seu quarto, também chorava e pensava: *não encontro uma explicação plausível, que possa convencer*

Maurício e Ricardo. Não posso dizer que ele é adotado, não acreditariam, pois ele é muito parecido comigo. Não posso dizer que traí Pedro Henrique, eles não me perdoariam, como eu mesma nunca me perdoei. O que vou fazer? Fiz tanto para esconder esse segredo e, agora, ele vem à tona, somente por minha culpa. O que vou fazer?

Nadir e Romeu permaneciam ao seu lado. Pedro Henrique e Maria Rita, junto de Maurício, e Gusmão e Matilde, que retornou, ao lado de Ricardo.

Depois que Maurício se acalmou e Ricardo decidiu ir em busca de Anita, todos se reuniram novamente. Gusmão disse:

— Esta vai ser uma longa noite. O melhor a fazer é ajudá-los a dormir. Assim, poderemos conversar com todos ao mesmo tempo.

Foi o que fizeram. Durante o sono, todos se encontraram e conversaram. Mesmo dormindo, Sofia continuou negando tudo o que havia feito. Na visão dela, não havia cometido crime algum, só havia se defendido. Disse:

— Só fiz tudo aquilo para me proteger, para me salvar...

— Você cometeu três assassinatos, Sofia. Não se arrepende disso?

Olhou para Nadir que perguntava e respondeu:

— Não, mãe, sinto muito, mas eu precisava resguardar o meu segredo. O Gustavo já havia contado para a senhora que poderia, mesmo sem querer, comentar com o pai, que poderia, mesmo sem querer, comentar com alguém e minha vida estaria destruída e isso eu não podia permitir...

Gusmão sorriu e disse:

— Sempre haveria um caminho, Sofia, mas você escolheu o mais fácil.

Sofia balançou os ombros e disse:

— Foi o único caminho que encontrei e faria novamente.

— Está bem, Sofia. Fez com consciência, sabendo que estava errado, agora, vai ter de arcar com as conseqüências do seu ato. Agora, durma. Ela adormeceu.

O reencontro

No dia seguinte, antes das oito horas, Maurício acordou. Stela, que estava preparando as crianças para irem à escola, ao vê-lo, disse admirada:

— Já está acordado? Ainda é cedo.

— Sabe que não consegui dormir bem, Stela. Preciso ir até a casa de minha mãe. Ela vai ter de me contar tudo o que aconteceu. Enquanto isso não acontecer, não vou poder retornar à minha vida normal.

— Está certo, acho que precisa fazer isso mesmo, mas ainda é muito cedo. Ela não deve ter se levantado, ainda mais hoje, porque, assim como você, também não deve ter dormido bem.

— Sei que, talvez, quando chegar lá, ela esteja dormindo, mas não faz mal, vou esperar. Enquanto isso, vou conversar com Maria José, ela trabalha há muito tempo lá em casa e pode saber de alguma coisa.

— Acha prudente conversar com ela? Será que ela sabe de alguma coisa?

— Não sei, mas não custa tentar. Desde que me conheço por gente, ela sempre esteve lá.

— Você acha que deve fazer isso?

— Sim, não existe outro caminho. Preciso saber de tudo.

— Sendo assim, só posso concordar, mas você não vai até a empresa?

— Depois que conversar com minha mãe. Antes disso, não tenho condições de tomar decisão alguma.

Ele se voltou para sair. Ela perguntou:

— Não vai tomar café? A mesa já está colocada.

— Não estou com vontade. Tomo café na casa de minha mãe.

Ele beijou-a no rosto e saiu.

Stela ficou pensando em tudo o que estava acontecendo, mas não por muito tempo, precisava atender às crianças. Voltou aos seus afazeres.

Como havia imaginado, quando chegou à casa de Sofia, Maurício abriu a porta e percebeu que tudo estava em silêncio. Foi para a cozinha, onde sabia estar Maria José. De fato, ela estava lá, preparando o café. Ao vê-lo, estranhou:

— Maurício, o que está fazendo aqui tão cedo?

— Preciso conversar com minha mãe.

— Ela ainda está dormindo.

— Sei disso, mas, na realidade, vim conversar com você.

— Comigo? Quer falar sobre o quê?

— Você está trabalhando para minha mãe há muito tempo, preciso saber se, quando veio trabalhar para ela, eu já havia nascido.

— Sim, você e Ricardo também. Eram ainda muito pequenos. Por que quer saber?

— Você não pode negar que ouviu a nossa conversa, ontem à tarde.

Ela abaixou a cabeça. Ele continuou:

— Não precisa se preocupar. Diante da distância entre a sala e a cozinha, ouviria mesmo que não quisesse.

— Desculpe, Maurício, mas não consegui evitar.

— O que achou de tudo o que ouviu?

— Não posso dar opinião, sou apenas a empregada da casa.

Maurício riu. Sabia que ela não podia interferir, muito menos opinar em um assunto como aquele. Ela não tinha família e já estava em idade avançada, se saísse dali, não teria para onde ir ou trabalhar. Ele respeitou.

— Está bem, não precisa ficar nervosa. Se, quando veio para cá, eu já havia nascido, não deve saber de coisa alguma.

— Realmente, não sei nada a respeito desse assunto, mas sei que seu pai era um homem muito bom e que gostava muito de vocês. Vivia sempre brincando com os dois e nunca percebi diferença alguma. Dona Sofia estava muito nervosa, Maurício, não deve dar atenção para aquilo que ela falou.

Maurício sorriu e disse:

— Está bem, Maria José. Estou com fome, posso tomar café?

— Claro que sim. Pode ir para a sala que vou levar.

— Não, prefiro tomar aqui mesmo na cozinha. Assim, enquanto minha mãe não se levanta, podemos ficar conversando. Lembra-se de quantas vezes fizemos isso, antes que eu me casasse?

Ela, com um olhar saudoso e um sorriso, respondeu:

— Claro que me lembro. Sinto muita falta daquele tempo. Você acordava sempre atrasado e precisava sair correndo para a faculdade, não tinha tempo de esperar que eu arrumasse a mesa e tomava café aqui mesmo.

— Também sinto saudade daquele tempo, embora, hoje, esteja feliz com Stela e com as crianças.

Maria José sorriu e disse:

— Sente-se aí, vamos relembrar os velhos tempos.

Ele obedeceu, ela preparou e o serviu com o mesmo carinho de sempre. Depois de terminar de tomar o café, ficaram conversando.

Sofia acordou, olhou para o relógio e se assustou: *quase nove horas? Como dormi tanto? Logo esta noite que pensei que não conseguiria dormir...*

Levantou-se, vestiu-se e desceu. Estava com fome. Saiu do quarto e foi para a sala de refeições. Estava passando pela sala, quando ouviu a campainha. Sabia que Maria José estava na cozinha e que demoraria para chegar. Resolveu abrir a porta. Assim que abriu, empalideceu e seu coração começou a bater com mais força.

— Bom-dia, Sofia.

Ela, quase sem conseguir falar, disse:

— Bom-dia...Osmar...

— Posso entrar?

Ela, desajeitada, se afastou para que ele entrasse. Ele, pisando firme e com o rosto crispado, entrou. Ela apontou um sofá para que ele se sentasse. Depois, disse:

— Posso saber o que significa essa sua visita, Osmar?

— Posso até dizer, mas você sabe qual é o motivo.

— Como sei?

— Minha filha abandonou seu filho e voltou para casa. Não suportou sua perseguição. Por que fez isso, Sofia?

Ela, fingindo não entender, perguntou:

— Fiz o quê, Osmar?

— Quando conheceu Anita, tratou-a muito bem, e até parecia ter gostado da escolha de seu filho, até o dia em que fomos convidados para um almoço de confraternização, para que as famílias se conhecessem. Daquele dia em diante, tudo ficou diferente e você fez o possível e o impossível para que o casamento não se realizasse e, não conseguindo evitar, continuou fazendo tudo o que estava ao seu alcance para que eles se separassem. Estou aqui para lhe dar os parabéns, você conseguiu. Estão separados, o que você ganhou com isso? Assim como minha filha, sei que Ricardo também está sofrendo. Era isso o que queria, Sofia?

Ela, ainda surpresa com a visita dele, respondeu:

— Não sei do que está falando. Disse que estão separados, eu não sabia disso.

— Claro que sabe, Sofia. Só não entendo por que me odeia tanto? Nunca lhe fiz mal algum, a não ser ter dado a você todo o meu amor.

— Não entendo o que está dizendo. Você se casou...

— Como não entende? Quase destruiu minha vida! Quase me levou à loucura! A minha sorte foi que conheci Beatriz que, com seu amor, me apoiou e me ajudou. Quando me casei com ela, logo no começo, percebi que tinha sido a melhor coisa que poderia ter feito. Somos felizes, Sofia. Minha filha é uma moça maravilhosa, gosta do seu filho e só não foram mais felizes por sua culpa.

Sofia, que desde o dia anterior estava descontrolada, começou a gritar:

— Por minha culpa? Por minha culpa? Tudo o que acontece de ruim nesta família é por minha culpa? E você não tem culpa alguma? Você quase destruiu meu casamento!

— Como quase destruí seu casamento?

— Você, contando para todos que ia se casar, sabia que eu não suportaria perdê-lo e fez aquilo só para me afrontar!

— Você está louca, Sofia? Nunca pensei em afrontá-la. Depois que me abandonou e se casou, o que queria que eu fizesse? Graças a Deus, Beatriz apareceu em minha vida e me ensinou que amor não é loucura, como aquilo que eu sentia por você, mas, sim, o que tenho com ela, tranqüilidade e paz.

— Para você, falar em tranqüilidade e paz é fácil, mas para mim, não! Carreguei, durante todos esses anos, o fruto daquela estupidez que cometi. Nunca consegui me esquecer de você nem do que fiz!

— Que fruto? O que está falando, Sofia?

— Um filho, Osmar! Um filho que me faz lembrar de você todos os dias!

— Um filho? Como pode ser?

— Naquele tempo em que nos encontramos, você sabia que meu marido estava na capital, atendendo ao pai que estava doente, não sabia?

— Claro que sabia. Você disse que, assim que ele voltasse, pediria a separação e ficaríamos juntos. Eu, como sempre, acreditei em você e quase terminei o meu casamento, que estava marcado.

— Eu não queria que você se casasse, só quando minha mãe falou a respeito do seu casamento foi que descobri que gostava de você e que não suportaria vê-lo casado com outra.

— Sim, e quase me convenceu a desmanchar o casamento e a ficar com você, mas isso não aconteceu. Assim que seu marido voltou, você não quis mais me ver e continuou com ele.

— Eu não podia abandoná-lo! Ele me dava segurança e eu sabia que, ao lado dele, poderia ter tudo com o que havia sonhado.

— Sim, demorou muito para que eu a entendesse, Sofia. Você sempre foi má, egoísta. Quase morri de tristeza, e só não morri porque tive ao meu lado uma mulher de verdade e que, realmente, gostava de mim. Não mude de assunto, que história é essa de filho?

— Quando meu marido voltou, percebi que estava grávida e, fazendo as contas, descobri que não podia ser filho de Pedro Henrique, ele era seu filho, Osmar.

— Por que não me contou?

— Não podia, Pedro Henrique nem ninguém desconfiou. O menino nasceu e eu tive de passar o resto da minha vida guardando esse segredo. Você não pode imaginar o que tive de fazer para que isso acontecesse...

— Não posso acreditar que tenha feito isso, Sofia, escondendo que eu tinha um filho!

— O que queria que eu fizesse, que gritasse para o resto do mundo que havia traído meu marido? Queria me ver na rua da amargura?

— Não, Sofia, somente queria ter tido o direito de saber.

— Agora sabe, o que vai fazer?

— Vim até aqui para lhe pedir que se afaste da vida de nossos filhos. Eles se gostam e não podem ficar separados, mas agora, diante do que me contou, preciso conversar com Maurício. Ele precisa saber que sou seu pai e que só tomei conhecimento disso agora.

Sofia, prevendo o que estava para acontecer, gritou, desesperada:

— Você não vai fazer isso! Minha vida já está uma confusão e você não vai piorar as coisas. Prometo que, se não disser nada ao Maurício, nunca mais me intrometo na vida de sua filha e ela poderá ser feliz ao lado de Ricardo.

— Você não mudou, Sofia. Está tentando me chantagear, mas não vai conseguir! Agora que me contou esse absurdo que fez, escondendo que eu tinha um filho, não posso ficar sem tomar uma atitude. Assim que sair daqui, vou procurar Maurício e lhe contar toda a verdade.

— Você vai me destruir, Osmar!

— Não, vou acertar uma situação. Você mesma, Sofia, durante toda sua vida, plantou o que está colhendo.

— Não pode fazer isso, não pode! Fique sabendo que, se fizer isso, do que depender de mim, sua filha ficará longe da minha família! Não quero o seu sangue misturado com o nosso!

— Você pensa tão pequeno, Sofia. O sangue não tem nada a ver com sentimentos. Sinto pena de você e agradeço a Deus, todos os dias, por tê-la afastado de mim e da minha vida.

— Você não pode conversar com Maurício, Osmar! Ele não vai entender!

— Posso e vou fazer. Só preciso descobrir o endereço dele ou o local em que trabalha. Sabe que, por sua causa, mesmo sendo cunhado de minha filha, nunca tive contato com ele.

— Nunca lhe darei o endereço dele! Fique longe da minha família!

— Não posso, Sofia, ela, mesmo contra sua vontade, está misturada, começou com Anita casando-se com Ricardo e, agora, com Maurício sendo meu filho. Não precisa me dar o seu endereço, vou procurar e sei que vou encontrar.

— Não precisa procurar, estou aqui.

Sofia e Osmar se voltaram e viram Maurício que, com os olhos molhados, dizia aquilo. Ao vê-lo, Sofia gritou:

— Maurício, o que está fazendo aqui?

— Cheguei cedo, mamãe. Precisava conversar com a senhora para descobrir toda a verdade, mas agora não é mais preciso, ouvi tudo.

Osmar, que só tinha encontrado com Maurício duas vezes, a primeira, no almoço de confraternização entre as famílias e, depois, no dia do casamento de Ricardo e Anita, aproximou-se dele, dizendo:

— Maurício, perdão, eu não sabia...

— Eu sei. Ouvi tudo o que conversaram. Como havia dito, cheguei cedo e estava na cozinha tomando café, quando a campainha tocou. Vendo que Maria José estava ocupada, vim abrir a porta, mas a senhora, mamãe, chegou primeiro. Ao perceber que se admirou com quem havia chegado, resolvi esperar e fiquei na outra sala, ouvi tudo.

— Você não ouviu direito, meu filho! Osmar é um velho amigo, praticamente nos criamos juntos.

— Não precisa continuar mentindo, mamãe! Eu ouvi tudo! Só não entendo por que me odeia tanto, por uma culpa que não tenho! A senhora é mentirosa e dissimulada! Não consigo entender como pode haver alguém assim, tão egoísta e má. Estou indo embora e nunca mais voltarei a esta casa!

Ele, nervoso, estava se voltando em direção à porta, quando Sofia, desesperada por ter sido descoberta, gritou:

— Você não pode fazer isso, Maurício, está enganado! Eu não o odeio, só queria protegê-lo. Por isso, nunca contei a verdade...

— Não precisa continuar mentindo, mamãe! A senhora sempre quis proteger a si mesma! Adeus!

Estava saindo, quando Osmar disse:

— Espere, Maurício, precisamos conversar.

— Sei que essa conversa deve existir, senhor Osmar, mas não pode ser agora, não tenho condições. Qualquer dia desses, depois que eu conseguir assimilar tudo o que aconteceu, eu mesmo vou procurá-lo e poderemos conversar. Sei que, assim como eu e meu pai, o senhor também foi uma vítima dessa mulher má e sem coração.

Sofia estava desesperada, sem saber o que fazer. Osmar, entendendo o que estava se passando na cabeça de Maurício, disse:

— Estarei esperando a sua decisão. Infelizmente, não pude acompanhar o seu crescimento nem estar ao seu lado nos momentos difíceis que, como todo adolescente, deve ter passado, mas ainda é tempo, poderemos nos conhecer melhor e tentarmos recuperar o tempo perdido. Estou feliz por ter um filho como você.

— Não se preocupe com isso, embora o senhor não estivesse presente, meu pai nunca deixou que eu sentisse falta de carinho. Ele foi um homem muito bom e me deu todo o apoio de que precisei. Precisamos conversar, sim, mas, como já disse, não pode ser agora. Entrarei em contato. Só agora, percebo o motivo de ter gostado de Anita, assim que a vi. Ela é minha irmã!

— Ela também gosta de você, Maurício. Sempre disse isso, mas, como é o seu desejo, vamos deixar essa conversa para outro dia.

Pedro Henrique e os outros também estavam ali, assim como os vultos com energias pesadas que rodeavam Sofia e estavam saltitando de um lado para outro. Assim que Maurício caminhou em direção à porta, Sofia deu um grito. Levou a mão ao coração, dizendo:

— Meu braço e meu coração estão doendo, acho que vou desmaiar.

Maurício, com ódio e sem parar, se voltou e disse:

— Tomara que morra!

Foi embora. Sofia, que não estava mentindo, deu um grito de dor e caiu. Osmar, desesperado e sem saber o que fazer, gritou:

— Maurício, ela desmaiou!

Maurício, embora já tivesse saído, estava a uma distância que podia ouvir Osmar, mas não parou. Entrou no carro e foi embora. Maria José, que estava no mesmo lugar de onde Maurício ouviu toda a conversa, entrou correndo na sala e, gritando, perguntou:

— O que aconteceu com ela, senhor?

— Não sei, ela disse que o braço e o coração estavam doendo e depois desmaiou, só não caiu porque a segurei. Chame uma ambulância, ela precisa de ajuda!

Maria José, desesperada, foi até a mesinha onde estava o telefone, procurou em uma agenda o número de um telefone e discou. Em seguida, voltou para junto de Osmar, que havia colocado Sofia em um sofá e disse:

— Eles estão vindo, senhor! Meu Deus do céu, o que será que ela tem?

— Não sei, mas acho que ela está tendo um ataque no coração.

Eles não podiam ver, mas Pedro Henrique e os outros, sim. Aqueles vultos que acompanhavam Sofia por muito tempo, ao vê-la desesperada e sem controle sobre si, lançaram-se sobre ela e começaram a bater. Alguns deles batiam na cabeça, outros por todo seu corpo. Um deles, transpassando o corpo dela, segurou com força seu coração e apertou sem parar. Em poucos minutos, ela deu o último suspiro. Seu espírito foi arrancado do corpo com violência e levado. Pedro Henrique tentou impedir, mas, devido às energias pesadas que a envolviam, não conseguiu. Gusmão, vendo o desespero dele, disse:

— Não adianta, Pedro Henrique, ela está sob o controle das energias que atraiu para si e nada podemos fazer.

— Nada?

— Ao menos por enquanto, não. Estivemos ao seu lado durante todo o tempo, intuindo-a para que confessasse todos seus crimes, mas ela se recusou. Podia ter feito uma outra escolha, para isso tinha seu livre-arbítrio, portanto, por ora, nada pode ser feito.

Pedro Henrique, muito nervoso, olhou para Osmar que, tocando no pescoço de Sofia, disse:

— Ela está morta, quando a ambulância chegar, nada mais poderá ser feito.

Maria José aproximou-se, ajoelhou-se perto de Sofia e começou a chorar.

Gusmão, sabendo que nada mais poderia ser feito ali, disse:

— Nada mais temos para fazer aqui. Precisamos ir até os outros.

Todos concordaram e desapareceram.

A reconciliação

Anita só conseguiu dormir quando já era de madrugada, embora tivesse tentado desesperadamente. Pela manhã, ao acordar, voltou a se lembrar de tudo o que havia acontecido e da atitude que havia tomado. Naquele momento, sentia que talvez tivesse exagerado. Ficou pensando: *eu devia ter um pouco mais de paciência e entender que dona Sofia é sua mãe e que deve ser difícil, para ele, ter de escolher. Vou me levantar e voltar para casa. Vou propor a ele que nos mudemos para cá. Aqui, ele poderá dar aula em uma faculdade, que é o que sempre desejou. Uma ou duas vezes por mês, poderemos visitar dona Sofia, mas apenas visitar. Fazendo isso, evitaremos que ela se intrometa em nossa vida. É isso mesmo que vou fazer. Ele deve estar na casa dela e, se for preciso, vou até lá.*

Levantou-se, vestiu-se e desceu indo em direção à sala de refeições. Enquanto caminhava, pensava: *sei que papai e mamãe talvez não entendam essa minha atitude, mas gosto muito de Ricardo e se não fosse por causa de sua mãe, sei que viveríamos muito bem.*

Entrou na sala que estava vazia. A mesa estava colocada para um só lugar, o que significava que seus pais já haviam tomado café. Foi até a cozinha, onde Dora estava junto ao fogão. Perguntou:

— Dora, meus pais já tomaram café?

— Sua mãe, sim, mas seu pai, não.

— Por que não?

— Quando me levantei, estranhei que na hora de sempre ele não estivesse pronto para o trabalho, depois sua mãe me disse que ele havia ido viajar.

— Viajar, para onde?

— Não sei, ela não me disse.

— Onde está minha mãe?

— Deve estar em seu quarto.

— Obrigada, vou até lá.

— Não vai tomar o seu café?

— Daqui a pouco, agora, preciso conversar com minha mãe.

Foi até o quarto da mãe, que estava deitada. Entrou, perguntando:

— Para onde o papai foi, mamãe?

— Conversar com a mãe de Ricardo.

— Por quê, mamãe? Eu disse a ele que não queria!

— Também disse, mas ele insistiu e não pude evitar.

— Ele não vai conseguir fazer com que ela mude de idéia. Ela, em relação a mim, é intransigente, me odeia!

— Talvez ele consiga muito mais do que imagina, Anita.

— Como assim? Não entendi. Dona Sofia é uma mulher de difícil convivência, sente-se a toda poderosa e não vai permitir interferência de estranhos.

— Eles não são estranhos, Anita, se conhecem há muito tempo.

— O que está dizendo? Se conhecem? Não pode ser!

— Não só eles, mas eu também conheço Sofia. Sempre soube que ela era sonhadora, que queria muito da vida, mas nunca pensei que se tornaria uma pessoa tão arrogante e poderosa. O poder, minha filha, corrompe qualquer pessoa.

— Como a conhecem, mamãe?

— Quando crianças, morávamos na mesma cidade. Eu morava na cidade, ela, no campo, em um sítio ao lado do de seu pai. Freqüentávamos a mesma escola. Embora pobre, Sofia nunca aceitou essa situação. Eu gostava do seu pai, mas ele só tinha olhos para ela. Quando crescemos, eles ficaram noivos, seu pai chegou a construir uma casa para eles, mas faltando pouco tempo para o casamento, Sofia conheceu Pedro Henrique, o filho do prefeito, que se apaixonou por ela. Sem pensar muito, pois ele representava tudo com o que ela havia sonhado, desmanchou o casamento com seu pai e se casou com o filho do prefeito. Seu pai ficou arrasado, dava até dó de ver. Eu, ao contrário, quando soube, fiquei feliz por saber que ele não havia se casado. Depois de algum tempo, me aproximei dele e começamos a namorar. Seu pai, embora nunca tenha escondido o grande amor que sentia por ela, fazia de tudo para que eu fosse feliz. Marcamos o nosso casamento e, depois de alguns dias, ele ficou diferente. Quase não vinha me ver e, quando vinha, ficava distante, sempre parecendo pensar em outra coisa. Eu percebi, mas o amava e tinha muito medo de perdê-lo. Sempre que vinha a minha casa, eu achava que era para desmanchar o noivado. Isso durou mais de um mês. Eu já havia me conformado que não haveria casamento, quando, um dia, ele chegou com os olhos vermelhos de tanto chorar. Estava desalinhado, com a barba por fazer.

— O que aconteceu, mamãe?

— Ele me contou que, enquanto o marido de Sofia estava viajando, ela o procurara e o convencera que só gostava dele e que, assim que seu marido voltasse da viagem que estava fazendo, ia pedir a separação. Seu pai acreditou e se deixou envolver por ela, mas assim que Pedro Henrique voltou, ela nunca mais quis ver seu pai e ele ficou naquele estado. Ele me pediu perdão.

— O que a senhora fez, mamãe.

— Pode imaginar, Anita. Perdoei, nos casamos e viemos morar aqui na capital. Seu pai tinha a idéia de se tornar um distribuidor de alimentos. Com a ajuda de meu pai, ele conseguiu realizar o que pretendia e, hoje, é muito bem sucedido. A nossa vida continuou, nunca mais soubemos de Sofia. Havia muito trabalho para ser feito. Algum tempo depois, você nasceu e nos dedicamos inteiramente à sua criação e educação. Nunca mais, não sei o porquê, tivemos outro filho, mas não nos importamos, você preenchia nossas vidas e não sentíamos falta de outra criança.

Anita se abraçou à mãe e a beijou com carinho. Beatriz continuou:

— Nunca mais soubemos de Sofia. Você cresceu, se tornou essa linda moça que é, só nos deu alegria. Tudo caminhava bem, até o dia em que você chegou feliz em casa, dizendo:

— *Mamãe, conheci um moço maravilhoso. Ele me pediu em namoro e quer conhecer a senhora e o papai.*

— A princípio ficamos apavorados, pois, para nós, embora tivesse vinte anos, era ainda uma criança, mas diante de sua felicidade, só pude dizer:

— *Que bom, minha filha. Quem é ele?*

— *Estudamos juntos, a única coisa que sei é que mora em uma cidade do interior cujo nome não sei, mas isso não importa, o que importa é que fico muito feliz ao lado dele!*

— Vendo a sua felicidade, eu disse:

— *Tem razão, minha filha, nada disso tem importância, só mesmo a sua felicidade.*

— Lembro-me desse dia, mamãe. Eu estava muito feliz. Ricardo era carinhoso, fazia todas as minhas vontades.

— Contei a seu pai e ele, como não poderia deixar de ser, ficou apavorado, pois também achava que era muito cedo para que você se casasse, mas eu o convenci de que você estava feliz e isso era o que importava. Você trouxe Ricardo para nos conhecer, e, diante de um rapaz que, além de bonito, era inteligente e educado, não tivemos opção, o aceitamos de coração e ele começou a freqüentar nossa casa. Nunca falamos sobre nomes ou sobrenomes. Para nós, nada interessava, só a maneira como a tratava. Depois de algum tempo de namoro, ele nos pediu autorização para levá-la até a cidade onde sua família morava. Sem discutir, aceitamos. Ele disse que sairiam bem cedo, almoçariam e voltariam em seguida, estariam em casa naquele mesmo domingo. Vocês foram e, quando voltou, você estava entusiasmada:

— *Mamãe, a viagem foi maravilhosa! A família de Ricardo me recebeu muito bem! A mãe dele, assim que me viu, disse que eu era a moça com quem ela havia sonhado para o filho. Estou tão feliz!*

— Também fiquei feliz em ver sua felicidade. Contei ao seu pai e ele, nervoso, disse:

— *Não estou gostando dessa história, Anita é ainda muito jovem para se casar...*

— Eu, sorrindo, o abracei, dizendo:

— Ela tem a mesma idade que eu tinha quando me casei com você...

— Ele me olhou e não soube o que dizer. Eu continuei:

— O que importa é que ela está feliz, Ricardo é um bom moço e pertence a uma família que parece ser boa também.

— O que você sabe sobre a família dele? Não sabemos nem o seu sobrenome!

— Nomes não importam, Osmar. O que importa é a felicidade de nossa filha, nada além disso.

— Ele me abraçou, dizendo:

— Tem razão, e, embora eu não quisesse, parece que ela está feliz.

— Está sim.

— Vocês continuaram estudando e namorando. Quando terminaram a faculdade, Ricardo nos disse:

— Agora que terminamos a faculdade, acho que chegou a hora de nos casarmos.

— Eu e seu pai nos assustamos, mas diante dos seus olhos, que irradiavam tanta felicidade, só pudemos concordar. Assim que seu pai concordou, Ricardo disse:

— Já conversei com a minha família e eles querem conhecê-los, minha mãe vai preparar, dentro de quinze dias, um almoço. Ela achou melhor que seja em um sábado, para que possam ter tempo de conhecerem a cidade.

— Estávamos tão assustados com a idéia do seu casamento, de vê-la sair de casa, que não nos preocupamos em perguntar que cidade era. Apenas com a cabeça, concordamos. Ricardo queria que fôssemos no carro dele, mas seu pai não concordou. Achou melhor que fôssemos no nosso, pois, se alguma coisa não desse certo, poderíamos voltar a qualquer hora. Depois de muita discussão, Ricardo concordou e fomos em dois carros. No dia marcado, Ricardo estava, bem cedo, com o carro parado aí em frente. Nós, diante de sua ansiedade e nossa também, já estávamos preparados. Descemos, levando, cada um, uma pequena maleta. Ficaríamos lá só por uma noite, portanto não precisaríamos de muita roupa. Fomos ao encontro de Ricardo e, antes de entrarmos no carro, seu pai disse:

— *Ricardo, até agora não sabemos o nome da cidade onde sua família mora.*

— Ele disse o nome da cidade. Eu e seu pai nos olhamos, íamos dizer que conhecíamos a cidade, que havíamos nascido e sido criados ali, mas diante da surpresa, ficamos calados e seguimos viagem. Quando entramos na cidade, muitas lembranças surgiram. É uma cidade agradável, que continua como sempre, com um povo pacífico e feliz. Algumas coisas estavam mudadas, mas era quase tudo igual como quando a deixamos. Seguimos o carro de Ricardo. Ele entrou pela rua principal e rodeou a praça que conhecíamos muito bem. Quando ele entrou pelo portão e pela alameda que levava até a casa de Sofia, eu e seu pai paramos. Seu pai disse:

— *Não pode ser, Beatriz, ele não pode ser o filho de Sofia.*

— Eu sorri, toquei em sua mão, dizendo:

— *Parece que sim, Osmar. O destino está fazendo uma brincadeira conosco.*

— *Não podemos aceitar esse casamento, Beatriz!*

— *Do que tem medo, Osmar? Que o seu amor por Sofia retorne?*

— *Não é nada disso, Beatriz, eu a conheço e sei como é má e egoísta, assim que souber que Anita é nossa filha, vai transformar a vida dela em um inferno!*

— *Você está exagerando, Osmar. Já se passou muito tempo. Nada do que aconteceu deve ter importância, éramos jovens, cada um seguiu o seu destino. Além do mais, Anita tem Ricardo, que a protegerá. Vamos entrar, cumprimentar Sofia com todo carinho e relembrar os bons tempos.*

— *Está bem, tomara que seja como está dizendo.*

— Ricardo estacionou o carro em frente à porta de entrada da casa. Logo ela se abriu e apareceram, Sofia, Maurício, Stela e as crianças. Assim que nos viu, ela sorriu e se aproximou. Fingindo não nos conhecer, disse:

— *Estou muito feliz em que tenham aceitado o meu convite. Entrem, por favor.*

— Ela fingiu não reconhecê-los, por que, mamãe, e se ela não os reconheceu, mesmo?

— Isso era impossível, Anita. Ninguém muda tanto. Apesar de mais velhos, tínhamos, como temos, os mesmos traços.

— Também nos apresentamos e ela, estendendo o braço em direção à sala, e se afastando para que entrássemos, disse:

— *Sejam bem-vindos à minha casa. Entrem, por favor. Este é Maurício, meu outro filho, sua esposa Stela e seus filhos.*

— O que aconteceu depois?

— Ela foi amável, e tentou nos deixar à vontade. Você e Ricardo não perceberam, nem mesmo, quando, após o almoço, seu pai disse:

— *Desculpem, mas precisamos ir embora.*

— *Tão cedo, não vieram para ficar?*

— *Sim, Ricardo, mas me lembrei de que deixei algo pendente na empresa, preciso voltar para resolver.*

— Por que papai fez isso?

— O clima estava insuportável. Embora Sofia tenha tentado fazer com que nos sentíssemos à vontade, isso não foi possível. Por isso, a melhor solução que seu pai encontrou foi aquela. Saímos dali o mais rápido que podíamos. Ricardo pediu e nós concordamos que você ficasse mais um dia. No carro, enquanto seu pai dirigia, percebi que estava preocupado, mas me calei. Em dado momento, ele disse:

— *Esse casamento não vai dar certo, Beatriz...*

— *Por que está dizendo isso?*

— *Sofia demonstrou com o olhar que vai fazer o possível e o impossível para evitar que se realize e se, mesmo assim, se realizar, não vai durar.*

— *Ainda acho que está exagerando, Osmar. Mesmo que Sofia queira prejudicar Anita, o que não acredito, Ricardo gosta muito de nossa filha e vai protegê-la.*

— *Tomara que esteja certa, mas estou preocupado.*

— Seguimos a viagem em silêncio.

— Eu, nem por um minuto, desconfiei de que isso estivesse acontecendo. Por que não me contaram?

— Não achamos ser necessário. Você estava muito feliz e não queríamos que se preocupasse.

— Os meses que se seguiram, foram todos dedicados à preparação do casamento. Eu e seu pai estávamos preocupados, só ficamos tranqüilos, quando Ricardo nos comunicou a sua intenção de ir para Portugal. Sabíamos que a distância seria grande e a saudade também, mas, aquela viagem seria a única chance de que vocês fossem felizes no casamento, pois, a mesma distância que haveria entre nós, haveria também entre Sofia.

— Agora estou entendendo a mudança em relação a mim, mamãe. Só agora percebo que a mudança se deu depois daquele almoço. Eu não entendia qual era o motivo de tanto ódio que ela sentia por mim, agora entendo. No final das contas, ela conseguiu o que queria, estou separada de Ricardo. Estou sofrendo e sei que ele também está.

— Não, Anita, seu casamento não vai terminar. Você e Ricardo foram destinados um para o outro. Estão passando por um momento difícil, isso não podemos negar, mas tenho certeza de que não será definitivo.

— A senhora acredita nisso, mamãe?

— Claro que sim. Vocês se amam, isso qualquer um pode ver. Tenho certeza de que seu pai, determinado como saiu daqui, vai conseguir afastar Sofia da vida de vocês para sempre.

— Ele não vai conseguir isso, mamãe. Dona Sofia é a mãe de Ricardo e ele não vai querer ficar longe dela para sempre!

— Eu não disse que ela vai ficar longe de vocês, mas sim, da sua vida. Ela não vai mais interferir.

— Tomara que a senhora esteja certa, mas não tenho tanta certeza. Dona Sofia é ardilosa, a senhora sabe muito bem disso. Sei, sim, mas, também conheço o seu pai. Ele vai conseguir.

Estavam conversando, quando Dora bateu à porta e entrou, dizendo:

— Anita, o Ricardo está aí.

Anita começou a tremer e perguntou:

— Aqui?

— Sim e pediu que eu viesse avisá-la. Parece que está muito nervoso.

— O que faço, mamãe?

— Vá ao encontro de seu marido, a vinda dele até aqui é o sinal de que seu casamento não terminou.

Anita sorriu, beijou a mãe e desceu a escada, correndo. Ricardo, que estava sentado em um sofá na sala, ao vê-la chegando, levantou-se e, antes de dizer qualquer coisa, a beijou apaixonadamente. Beatriz, que desceu atrás de Anita, sorriu e, com um sinal, fez com que Dora a seguisse até a cozinha.

Quando terminaram de se beijar, Ricardo, ainda abraçado à Anita, disse:

— Por que veio embora?

— Foi você quem saiu de casa. Eu fiquei sem saber o que fazer. Não podia continuar, sozinha, naquela casa. Vim até aqui para poder pensar.

— Sei que errei, mas fui levado pelo impulso, mas no final foi bom.

— Bom, por quê?

— A minha ida até a casa de minha mãe fez com que eu tivesse tempo para pensar em todo o tempo em que estamos juntos e em como somos felizes. Estando lá, sozinho, descobri que amo você e que não quero ficar um minuto sequer separado. Você ainda me aceita de volta?

Anita, depois de tudo o que a mãe contou, não tinha mais dúvida alguma da maldade de Sofia. Sabia que Ricardo a amava, assim como ela a ele. Disse, com lágrimas nos olhos:

— Claro que lhe perdôo e o aceito de volta. Também descobri que não quero ficar separada de você.

— Só queria lhe fazer um pedido.

— Qual?

— Queria vir morar aqui na capital. Meu pai tem muitos conhecimentos e pode, com facilidade, arrumar uma faculdade em que possa dar aula. Não precisamos morar aqui, podemos alugar uma casa, mas quero ficar perto dos meus pais.

— Não posso fazer isso, Anita. Sabe que só voltamos de Portugal, porque Maurício está querendo entrar para a política e precisa de minha ajuda para continuar com as empresas. Em nossa cidade, poderei fazer isso e ainda dar aula na faculdade. Além do mais, sei que não é para estar perto de sua família que quer vir morar aqui, é por causa da minha mãe, não é?

Anita baixou os olhos, sem saber o que responder. Ricardo continuou:

— Não precisa mais se preocupar com minha mãe. Ontem, Maurício esteve lá em casa e discutimos muito com mamãe. Você não vai acreditar, mas ela mandou fazer um trabalho em um macumbeiro, para nos separar.

Ricardo contou tudo o que havia acontecido. Terminou, dizendo:

— Maurício está determinado a descobrir quem é seu pai.

— Não posso acreditar que tudo isso aconteceu, muito menos de que Maurício não seja filho do seu pai. Deve ter sido uma confusão e vocês entenderam errado...

— É verdade, Anita. Quando minha mãe falou, ela estava muito nervosa por ter sido descoberta e perdeu o controle.

Estavam, ainda conversando, quando o telefone tocou. Como Anita estava perto da mesinha, atendeu. Do outro lado, Osmar disse:

— Anita, está tudo bem aí em casa?

— Sim, papai, está tudo bem. Ricardo acabou de chegar.

— Ele está aí?

— Sim.

— Preciso conversar com ele.

Anita, sem entender, passou o telefone para Ricardo que atendeu:

— Senhor Osmar, sei que deseja falar comigo, mas, antes, preciso lhe dizer que estou aqui para conversar com Anita e levá-la de volta para a nossa casa.

— Estou feliz em saber isso, mas quero conversar sobre outro assunto.

— Pois não, do que se trata?

— Estou aqui na casa da sua mãe e precisamos conversar.

— Na casa da minha mãe? O que está fazendo aí?

— Vim conversar com ela a respeito de vocês. Ela me atendeu, depois da nossa conversa, que foi longa, ela se sentiu mal e teve um ataque do coração. Acredito que seja bom que venha logo.

— Ataque do coração? Como isso foi acontecer?

— Ela ficou muito nervosa, Maurício estava aqui.

— Maurício estava aí? Não estou entendendo, como ela está?

— Não está bem, por isso é melhor que venha logo.

— Estou indo agora mesmo.

— Venha, sim. Por favor, chame Beatriz, preciso falar com ela.

— Está bem.

Anita, ao ver a gravidade da conversa, foi até a cozinha e chamou a mãe. Ela estava chegando, quando Ricardo, tremendo muito, lhe entregou o telefone. Ela atendeu. Osmar, disse:

— Não diga nada a Ricardo, mas Sofia faleceu.

Ela levou um susto e teve de se sentar.

— Como isso aconteceu, Osmar?

— Eu estava aqui e Maurício, o irmão de Ricardo, também. Ele ouviu toda a conversa, mas é uma longa história, quando chegar eu lhe conto. Agora, não deixe Ricardo desconfiar do que aconteceu realmente e venha, com eles, para cá.

Arrumaram-se e saíram rapidamente.

A reação de Maurício

Maurício saiu descontrolado da casa de Sofia. Estava totalmente fora de si com a descoberta que havia feito. Ouviu Osmar chamando, mas não deu atenção. Não queria conversar com aquele homem, que mal conhecia, com quem havia encontrado duas ocasiões, no almoço em família e no casamento de Ricardo e que, agora, lhe era apresentado como pai. Entrou no carro e começou a dirigir sem rumo. Precisava pensar, colocar sua cabeça e seus sentimentos no lugar.

Estacionou o carro junto ao rio que cortava a cidade. Desceu, sentou-se na grama que acompanhava toda a extensão da margem e ficou olhando a água que, tranqüilamente, passava. Seu coração batia descontrolado. Enquanto olhava a água, pensava: *como minha mãe pôde fazer uma coisa como essa? Como conseguiu esconder, durante tanto tempo, que eu não era filho do meu pai, a quem amei e ainda amo de todo o meu coração? Como posso chegar para um desconhecido e chamá-lo de pai? Não. Está tudo errado!*

Pedro Henrique e Maria Rita estavam ao seu lado, sentados, um de cada lado, na mesma grama. Pedro Henrique, sentindo toda a dor de Maurício, disse:

— Não precisa ficar assim, Maurício, você é meu filho amado. Não importa que sangue tenha, no momento em que me foi apresentado por filho, eu o aceitei e, agora, depois de tudo o que descobrimos, nada mudou. Embora não saiba, nossa amizade vem de muito tempo. Não importa o sangue que corre nas veias, pois, um dia, ele vai voltar para a terra, o que importa são os laços de amor adquiridos durante tanto tempo.

Vá para sua casa, não fique mais se lastimando. Ainda não sabe, mas tem um longo dia pela frente. Sua mãe está, agora, na companhia daqueles que escolheu e nada poderemos fazer por ela. Vá para casa, meu filho. Você tem ainda, pela frente, uma longa jornada e eu, sempre que possível, vou estar ao seu lado.

Enquanto falava, ele e Maria Rita jogavam luz branca sobre Maurício que, aos poucos, foi se acalmando e pensando: *depois de tudo, só restou algo de bom. Anita é minha irmã e estou muito feliz por isso. Agora, preciso ir para casa. Stela deve estar preocupada. Vou passar lá só por um instante, contar tudo o que aconteceu e, depois, vou para a empresa. Ainda bem que Ricardo voltou para me ajudar.*

Levantou-se, entrou no carro, ligou e acelerou.

Enquanto isso, a ambulância chegou, mas logo foi constatado que mais nada poderia ser feito por Sofia. A ambulância a levou para que fosse providenciado um atestado de óbito. Depois que levaram Sofia, Osmar disse para Maria José:

— Precisamos avisar Ricardo e Maurício. Por favor, telefone para a casa de Maurício e, depois para Ricardo. Preciso avisar minha esposa e Anita do que aconteceu.

Maria José, estava transtornada e triste, pois vivia ao lado de Sofia já há muito tempo e acostumara-se a seu modo de ser. Sabia que ela era determinada e arrogante, mas, mesmo assim, gostava dela e dos meninos, como chamava Maurício e Ricardo. Era carinhosa com eles e também recebia muito carinho deles, pois, devido aos afazeres e compromissos sociais de Sofia, praticamente, fora ela quem os criara.

Telefonou para a casa de Maurício e quem atendeu foi Stela. Soluçando, perguntou:

— Stela, o Maurício esta aí?

— Não, Maria José, ele saiu cedo para ir aí, falar com a dona Sofia. Ele não está aí?

— Esteve, mas já foi embora.

— Que aconteceu, Maria José? Você está chorando?

— Estou, aconteceu uma desgraça, Stela...

— Que aconteceu, Maria José?

— Dona Sofia morreu...

— Meu Deus do céu, o Maurício matou a mãe?

Maria José, embora abalada, não pôde conter um sorriso e respondeu:

— Não, Stela, não foi ele. Quando saiu, ela estava começando a passar mal. O médico esteve aqui e disse que ela teve um ataque do coração...

— Não pode ser, ela é ainda muito nova, embora, ontem, quando estivéssemos no carro, ela se sentiu mal, mas não pensei que fosse tão grave.

— Algumas vezes, ela passou mal aqui em casa e eu sempre lhe disse que deveria ir consultar um médico, mas ria e deixava para o dia seguinte. Acho que ela tinha algum problema no coração há muito tempo.

— Não sei onde Maurício está e você me deixou preocupada. Eles brigaram?

— Foi muito mais que uma briga, Stela.

— Ela disse a verdade para ele?

— Não, mas ele descobriu.

— Você ouviu a conversa, não adianta dizer que não, sei que ouve tudo o que se diz naquela casa.

— Sim, ouvi e posso lhe garantir que fiquei confusa e abalada.

— O que foi que ouviu Maria José?

— O que ouvi é muito grave, por isso, somente Maurício pode lhe contar. Não quero me intrometer nessa história.

— Está bem, Maria José, não vou insistir. Agora, preciso encontrar Maurício. Para onde terá ido?

— Não, sei. Antes de telefonar para você, telefonei para a empresa, mas ele não estava lá.

— Acho melhor ficar aqui em casa e esperar que ele volte. Depois, iremos para aí.

— Tudo bem, mas venha logo.

Desligaram o telefone. Stela estava surpresa e nervosa. Nunca havia imaginado que, um dia, passaria por uma situação daquela.

Maria José desligou o telefone, olhou para Osmar e disse:

— Maurício não está em casa.

— Para onde terá ido?

— Não sei, Stela também está preocupada. Ele saiu daqui tão nervoso. Será que fez alguma loucura?

— Não, senhor, isso ele não fez. É um menino que tem a cabeça no lugar. Deve estar andando por aí, pensando na vida. Vamos esperar, sei que, a qualquer momento, ele vai aparecer.

— Tomara que sim, também estou agoniado com essa falta de notícia. Agora, vou telefonar lá para casa. Depois, você pode telefonar para Ricardo.

— Está bem.

Osmar pegou o telefone e falou com Beatriz e lhe contou tudo o que havia acontecido. Depois, colocando o telefone no gancho, disse:

— Não precisa telefonar para Ricardo, ele está lá em casa e já estão vindo.

— Graças a Deus...

— O senhor está muito nervoso e abalado, vou lhe preparar um café.

— Faça isso, por favor. Estou, mesmo, muito nervoso e abalado. O dia, hoje, foi de muitas surpresas e revelações.

— Desculpe, senhor, estou nesta casa há muito tempo. Ajudei a criar os dois, por isso, os considero como filhos. Embora dona Sofia fosse de convivência difícil, eu gostava dela.

Osmar, com os olhos distantes, disse:

— Eu também... eu também gostava muito dela. Ela era uma mulher especial...

— Só tinha um defeito.

— Qual?

— Por se sentir toda poderosa, achava que era a dona da verdade e isso não existe. Ninguém é dono da verdade e poderoso, só Deus e, mesmo assim, Ele, de vez em quando, leva umas rasteiras do diabo e perde muitas almas...

Osmar, ao ouvir aquilo, não conseguiu evitar um sorriso e, com a cabeça, concordou com Maria José.

Ela saiu, foi para a cozinha preparar um café. Precisava também preparar o almoço, pois sabia que, em breve, todos estariam ali e, por mais tristes que estivessem, precisavam comer.

Osmar levantou-se do sofá em que estava sentado e olhou à sua volta. A sala era imensa, com móveis, cortinas de boa qualidade e quadros de pintores famosos. Enquanto olhava tudo, pensava: *estou me lembrando de Sofia, quando criança e nas conversas que tínhamos. Ela sonhava com este mundo, onde houvesse dinheiro, fama e poder. Não imagino o que fez para conseguir, mas conseguiu muito mais do que havia sonhado, porém o que adiantou ter vivido sob uma mentira e com medo de a qualquer momento, ser descoberta, se, o fim de todos nós é só um, a morte. Para que tanta ambição, tanto desejo de poder?*

Voltou a sentar-se no sofá e continuou pensando: *quando vi Maurício pela primeira vez, naquela manhã de sábado, jamais poderia pensar que ele fosse meu filho. Embora não o conheça, me pareceu ser um homem de bom caráter e gostava muito do pai. Estranho...tenho um filho de cuja existência nunca soube, como Sofia teve a coragem de me esconder isso? Preciso contar para Beatriz e tomara que entenda. Naquela época, eu lhe disse que Sofia havia me procurado e que quase caí na tentação. Hoje, ela vai entender que eu não consegui resistir e a traí. Qual vai ser sua reação? Minha vida está uma loucura...*

Enquanto isso, Maurício, acompanhado por Pedro Henrique e Maria Rita, chegou a casa. Assim que o viu entrando, aliviada, Stela correu para ele e o abraçou, chorando.

Ele estranhou e, depois do abraço, afastando-se dela, perguntou:

— Por que está chorando assim, Stela?

— Maria José telefonou e disse que você saiu de lá muito nervoso. Onde você estava, Maurício?

— Estava andando por aí sem rumo e, depois, fui até a margem do rio. Fiquei sentado na grama, vendo a água passar e pensando. Depois do que descobri, só tinha isso para fazer, pensar...

— O que descobriu?

— Que minha mãe foi uma mentirosa e traidora!

— Como assim?

— Ela traiu o meu pai com o pai de Anita. Eu sou filho dele, Stela!

— O quê?

— Isso mesmo, sou filho do pai de Anita, ela é minha irmã!

— Não pode ser, eles se conheciam e sua mãe nunca nos disse?

— Ela não disse, provavelmente, por temer ser descoberta! Ela é má, Stela, e eu a odeio!

— Não fale assim, Maurício, ela é sua mãe...

— Contra sua vontade! Mesmo sendo minha mãe, não posso me esquecer de toda maldade que fez!

— Precisa perdoar...

— Nunca, Stela, nunca! Quero que morra e que vá para o inferno!

— Não fale assim, Maurício, você pode se arrepender...

— Não sei se, algum dia, vou me arrepender, mas, neste momento, é o que estou sentindo.

— Sente-se, preciso lhe contar algo grave que aconteceu, depois que saiu da casa de sua mãe...

— O que aconteceu, Stela! Fale logo!

— Depois que você saiu, sua mãe passou mal e não resistiu. Não sei muito bem da história, mas parece que ela sofreu um ataque no coração e não resistiu.

— O que está dizendo, Stela? Minha mãe morreu?

— Sim, foi por isso que Maria José telefonou procurando por você.

Maurício, ao ouvir aquilo, começou a rir sem conseguir se controlar. Stela ficou apavorada com aquela atitude e, nervosa, disse:

— Pare com isso, Maurício, a situação não é para riso!

Ele, embora quisesse, não conseguia parar de rir.

Stela, percebendo que ele estava fora de si, pegou em seu braço e o sacudiu com violência.

Maurício parou de rir e disse, muito nervoso:

— Até a hora da morte, ela conseguiu escolher! Sabia que tinha muito que contar, por isso, preferiu morrer! Ela não presta mesmo!

— Não fale assim, Maurício! Ninguém escolhe a hora da morte!

— Você não conhecia dona Sofia! Ela escolheu, pode ter certeza disso!

— Está fora de si e não sabe o que está falando. Precisamos ir até lá.

— Eu não vou! Vá você!

— Não pode deixar de ir! Ela é sua mãe!

— Não quero ir, não posso chegar lá e demonstrar uma dor que não estou sentindo! Eu a odeio e não é por ter morrido que vou esquecer de tudo o que me fez! Quero que ela queime no fogo do inferno!

— O que vou dizer para as pessoas e, principalmente, para Ricardo?

— Diga o que quiser, eu não me importo, ou melhor, diga a verdade, que ela não prestava!

— Você está descontrolado e não posso deixá-lo assim, também não vou...

— Faça o que quiser, Stela. Eu vou para o meu quarto, neste momento, só quero dormir!

Stela, sabendo que ele não ia mudar de idéia, disse:

— Está bem, faça isso e, se conseguir dormir, eu vou até lá.

Maurício, calado, caminhou em direção ao quarto. Entrou, deitou e tentou dormir. Stela o acompanhou e, depois de vê-lo instalado, saiu.

Depois de um tempo, voltou para o quarto e percebeu que ele havia dormido realmente. Sorriu e saiu.

Conhecendo a história

Ricardo, Anita e Beatriz chegaram e foram recebidos por Osmar que continuava ali:

— Que bom que chegaram, estava ansioso e sem saber o que fazer.

— Que aconteceu, seu Osmar? Como minha mãe está?

— Sinto muito, Ricardo, mas ela não resistiu.

Ricardo empalideceu e perguntou, desesperado:

— Está dizendo que ela morreu?

— Infelizmente...

— Não pode ser, qual foi o motivo?

— De acordo com Maria José, ela teve alguns problemas, mas não quis ir ao médico. Teve um ataque no coração e não resistiu.

— Onde ela está?

— Foi levada para que seja decretada morta e possamos obter o atestado de óbito.

— Quero ir até onde ela está, preciso vê-la!

— Eu estava esperando que você ou Maurício chegassem para providenciarmos toda a documentação necessária. Podemos ir?

— Maurício ainda não veio?

— Não, ele estava aqui e assim que saiu, ela começou a passar mal, tentamos encontrá-lo, mas não conseguimos.

— Onde ele está?

— Não sabemos, deve estar andando por aí.

— Por que faria isso? O senhor sabe qual é o motivo?

— Acredito que sim, mas, agora, não é momento para conversarmos sobre isso. Vamos ao encontro de sua mãe, depois teremos muito tempo para conversarmos, eu, você e Maurício.

— O que temos para conversar que só pode ser entre nós?

— Não precisa ser só entre nós. Anita, Stela e Beatriz também podem e devem participar, pois o assunto interessa a todos nós.

— Continuo não entendendo.

— Sei disso, mas agora não temos tempo. Depois, conversaremos.

Saíram, e, quando voltaram, já haviam providenciado tudo. O corpo de Sofia chegaria logo mais.

Como não podia deixar de ser, a notícia se espalhou e, em uma cidade pequena como aquela, todos ficaram sabendo e se apressaram em comparecer. A maioria das pessoas nunca havia entrado naquela casa e, movidas pela curiosidade, queriam ver como era por dentro. Além do mais, quando esposa do prefeito, ela havia feito coisas boas para a cidade e para o povo também.

O corpo chegou e foi velado. Houve muito discurso e homenagem para aquela que fora a benfeitora de tantos. Todos estranharam a falta de Maurício e, quando perguntavam por ele, Stela respondia:

— Ele está muito abalado e o médico lhe deu um remédio para que dormisse.

Todos que a ouviam se convenciam de que ela estava dizendo a verdade, menos Osmar e Maria José, ambos sabiam dos sentimentos dele para com Sofia.

No dia seguinte, logo depois que o enterro foi realizado, as pessoas se despediram. Como Maurício não quis comparecer, Stela pegou as crianças pelas mãos e foi para sua casa. Osmar, Beatriz, Anita e Ricardo foram para a casa de Sofia, que era maior que a deles e poderia abrigar a todos. Assim que chegaram, Osmar disse:

— Agora que está tudo terminado e que sua mãe está descansando em paz, Ricardo, precisamos conversar e esclarecer alguns pontos.

— Acredito que isso que temos para conversar tem alguma coisa a ver com Maurício e foi a causa de ele não ter comparecido ao enterro.

— Tem, sim, Ricardo, por isso precisamos conversar todos juntos.

— Parece que ele não quer conversar com ninguém...

— Sei disso, mas é importante. Como preciso voltar para a capital, precisa ser hoje. Depois do almoço, iremos até a casa dele e, querendo ou não, ele precisa conversar conosco.

Beatriz, adivinhando e temendo o que ia ouvir, perguntou:

— Precisa ser hoje, Osmar? Não podemos deixar para um outro dia?

— Não, Beatriz, precisa ser hoje. As coisas estão confusas e Maurício deve estar sofrendo muito.

— Está bem, sendo assim, faremos como você quer.

Assim fizeram, depois do almoço, foram para a casa de Maurício. Quem os recebeu foi Stela que, ao vê-los, disse:

— Que bom que vieram. Maurício não está bem. Desde ontem, quando chegou da casa de dona Sofia, entrou no quarto e não saiu mais. Estou preocupada, ele não se alimentou, apenas bebeu água. Ricardo, talvez você consiga tirá-lo do quarto.

— Vou tentar, Stela. Precisamos conversar, para isso, Anita e seus pais estão aqui.

Ela sorriu e não quis dizer que sabia do que se tratava. Acompanhou Ricardo até o quarto de Maurício e entrou, dizendo:

— Maurício, Ricardo está aqui e quer conversar com você.

Maurício abriu os olhos e, olhando para o irmão, começou a chorar.

— Ela morreu, Ricardo! Ela morreu!

— Sim, Maurício, infelizmente isso aconteceu. Estamos todos arrasados por ter sido tão inesperado. Sei que sua dor, assim como a minha, é profunda, mas precisamos reagir. Temos a vida toda pela frente. Precisa se levantar dessa cama, meu irmão...

— Minha dor? Você acha que estou assim porque estou sentindo dor? Não, Ricardo, estou assim porque não consigo tirar de meu peito o ódio infinito que sinto dela, de todas as suas mentiras e de sua traição! Eu a odeio, quero que queime, para todo o sempre, no fogo do inferno!

— O que está falando, Maurício?

— Ela foi uma mentirosa, Ricardo, ela traiu nosso pai e você não imagina com quem!

— Maurício, você não está bem. Precisa ver um médico...

— Estou bem, Ricardo. Ontem descobri que ela havia traído o papai com o pai de Anita!

— O quê?

— Isso mesmo, e dessa traição, eu nasci. Sou filho dele, irmão de Anita!

— Não pode ser verdade, Maurício, você deve estar enganado!

— Não estou, Ricardo, ouvi os dois conversando! Não sabiam que eu estava lá!

Ricardo colocou as mãos na cabeça, depois sobre o joelho e ficou dizendo:

— Não pode ser... não pode ser...

— Não poderia ser, mas é, Ricardo!

Ricardo levantou a cabeça e, encarando o irmão, disse, nervoso:

— Não sabemos como tudo isso aconteceu. Precisamos saber de toda a história, agora entendo por que o pai de Anita fez questão de vir até aqui para que, juntos, conversássemos. Ele está querendo nos contar toda a história. Além do mais, mamãe está morta e deve estar no céu...

Maurício, ao ouvir aquilo, levantou-se e perguntou, gritando:

— No céu? No céu, Ricardo? Não, ela não pode estar no céu, pois se isso acontecer é porque não existe justiça! Ela deve estar e vai ficar por toda a eternidade no inferno! No céu?

Pedro Henrique e Maria Rita, que continuaram ao lado de Maurício o tempo todo, jogavam luzes sobre os dois. Pedro Henrique disse:

— Acalmem-se, meus filhos. Todo esse ódio só pode atrair energias pesadas sobre vocês. Sofia está, neste momento, recolhendo o que plantou, está ao lado das companhias que escolheu. Além do mais, entre os espíritos que vivem aqui na Terra ou ao redor dela, não existe nenhum bom o suficiente para viver no paraíso celestial nem ruim o bastante para queimar eternamente no fogo do inferno. Estamos todos caminhando rumo à perfeição. Alguns mais na frente outros mais atrás, mas todos caminhando. Acalmem-se...acalmem-se... Aos poucos, eles foram se acalmando. Maurício foi até o banheiro, lavou o rosto e voltou dizendo:

— Está bem, Ricardo. Acho que tem razão, se o pai de Anita veio até aqui é porque está querendo nos contar o que realmente aconteceu. Vou descer e vamos ouvi-lo.

— Assim que se fala, meu irmão. Sabe que essa notícia que me deu em nada vai mudar o que sinto por você. É meu irmão querido que sempre me defendeu em todos os momentos de que precisei. Vamos descer.

— Estou há muito tempo nessa cama. Preciso tomar um banho, trocar de roupa para me apresentar diante das pessoas que estão me esperando. Vá na frente, descerei em seguida.

Ricardo sorriu e saiu do quarto. Quando chegou à sala, onde todos estavam acomodados, disse:

— Ele está bem, vai descer em seguida.

Stela sorriu e os outros respiraram aliviados.

Quinze minutos depois, Maurício apareceu. Estava com os cabelos molhados, com uma camisa rosa e calças pretas. Olhando para ele, com outros olhos, Osmar percebeu como ele se parecia com Sofia. Era o seu retrato. Assim que chegou, disse:

— Desculpem a demora, mas, como todos sabem, eu não estava bem.

Osmar se levantou, estendeu a mão, dizendo:

— Entendo tudo o que está sentindo. Sei que está confuso e querendo saber como tudo aconteceu e é por isso que estou aqui. Vou lhes contar toda a história.

— O senhor tem razão, estou mesmo muito confuso...

— Sente-se. Vou começar desde o início.

Maurício sentou-se e Osmar começou a falar. Contou tudo, desde o início, de quando era criança, dos sonhos de Sofia, e do amor que sentia por ela. Contou do início do namoro, da casa que construiu para eles, de quando Sofia, querendo se casar com Pedro Henrique, desmanchou o noivado, de como ele ficou arrasado e como conheceu Beatriz. Contou também do reencontro que teve com Sofia ao qual não resistiu e se entregou totalmente a ponto de querer desmanchar seu casamento que já estava marcado. Enfim, contou tudo em detalhes e terminou dizendo:

— Eu, depois que me casei, fui embora para a capital e nunca mais pensei em Sofia. Nas poucas vezes em que me lembrava dela, afastava o pensamento. Era feliz com Beatriz, ela havia me feito conhecer um amor verdadeiro, sem paixão ou ilusão. Anita nasceu e completou a minha felicidade. Essa tranqüilidade continuou até o dia em que, por uma brincadeira do destino, você, Ricardo, e Anita se conheceram, se apaixonaram e quiseram se casar. Nós viemos almoçar na sua casa e me deparei com Sofia. Eu não sentia nada mais por ela, mas ao ver que ela fez de conta que não nos conhecia, senti medo por aquilo que poderia fazer contra minha filha. Pensava que ela poderia fazer algum mal para Anita, porque a conhecia e sabia que ela era vingativa e que nunca havia aceitado o meu casamento. Nunca imaginei que seu ódio era por outro motivo, o medo de que eu descobrisse que você, Maurício, fosse meu filho. Fruto daqueles encontros que tivemos, quando o marido dela teve de viajar e ela não queria que eu me casasse.

Anita, ao ouvir aquilo, levantou-se, gritando:

— O que o senhor está dizendo, Maurício é seu filho? Meu irmão?

— Sim, Anita. Eu não sabia, mas não posso negar que estou feliz em saber que tenho um filho que, apesar de Sofia, é um homem de bem.

Anita olhou para Maurício, que olhava para ela e disse:

— Por isso que sempre gostei de você...

Ele também se levantou e a abraçou, dizendo:

— Também sempre gostei muito de você. Não imaginava que fosse minha irmã. Mas sabia o quanto gostava de Ricardo, e isso já era o suficiente para que eu a defendesse de todas as maldades que minha mãe quis fazer e fez contra você.

— Vamos esquecer tudo isso, Maurício. Ela morreu e deve, agora, estar tendo de justificar aquilo que fez. Ricardo me contou tudo o que ela fez para tentar nos separar. Sei que foi até a um macumbeiro, mas de nada adiantou, porque o nosso amor é maior do que tudo. Ele me contou também que foi para nos defender que você descobriu que não era filho de seu pai, mas não me contou que era filho do meu...

— Eu não sabia! Fiquei sabendo agora, há poucos minutos, quando fui até o quarto dele.

Stela, vendo Anita e Maurício abraçados e felizes, pensou:

E eu que ajudei dona Sofia a quase destruir essa felicidade...

Osmar olhou para Beatriz, dizendo:

— Você vai conseguir me perdoar, Beatriz? Naquela época, eu lhe disse que havia resistido a Sofia, mas estava mentindo. Eu não resisti e me entreguei àquele louco amor que julgava sentir por ela.

Beatriz, que continuava sentada, olhando Maurício e Anita abraçados, disse, emocionada:

— Eu sempre soube dos seus sentimentos para com Sofia. Quando me disse que havia se reencontrado com ela, deduzi que algo de mais grave pudesse ter acontecido, mas eu o amava e lhe perdoei, por isso, não precisa pedir perdão, isso já aconteceu naquele tempo e não me arrependo porque você foi um marido e pai perfeito, só me trouxe felicidade.

Sem que ninguém esperasse, cada um foi se levantando e se abraçando. Logo, estavam todos unidos em um abraço fraterno e feliz.

Stela, emocionada e sentindo-se culpada por quase ter estragado toda aquela felicidade, disse:

— Está na hora do lanche. Se me derem licença, vou até a cozinha para providenciar.

Ela saiu e ninguém percebeu seu mal-estar. Estavam tão felizes que, naquele momento, nada mais importava.

Gusmão e os outros também estavam lá e sorriram felizes. Gusmão disse:

— Ao menos, esses encontraram o caminho.

Amigos eternos

Assim que Sofia morreu, Gusmão convocou uma reunião com todos que faziam parte do grupo de Sofia e disse:

— Sofia não conseguiu sua reabilitação. Infelizmente, nesta encarnação, perdeu uma oportunidade maravilhosa, mas, mesmo assim, continua sendo nossa companheira. Entretanto, não seria justo interrompermos nossa jornada por sua causa. Por isso, pedi a todos que viessem aqui para que, cada um, possa decidir o que deseja. Cada um de nós, com muita dedicação e trabalho, conquistou a sua luz e pode continuar para esferas mais altas, onde terá a oportunidade de aprender mais e servir melhor. Todos sabemos que o espírito é livre para decidir e que nada nem ninguém pode aprisioná-lo, portanto, cabe a cada um escolher o que achar melhor para si.

Gusmão, ao mesmo tempo em que dizia isso, sabia que alguns, durante várias encarnações e reencarnações, haviam convivido com espíritos de outros grupos e que desejavam continuar ao lado dos novos amigos. Não se admirou, pois, quando alguns lhe disseram que desejavam continuar a jornada, mas que estariam presentes para ajudar Sofia sempre que precisasse.

Após decidirem quem continuaria a jornada, Nadir disse:

— Eu, como mãe de Sofia, sei que não tive a força necessária para orientá-la e ajudá-la como seria o esperado de uma mãe. Por isso, desejo ficar ao seu lado e esperar o tempo que for necessário para renascer como sua mãe novamente e tentar, mais uma vez.

Gusmão sorriu e disse:

— Sabe que não precisa fazer isso, Nadir. Você a educou da maneira como sabia e como podia. O seu único desejo sempre foi de que ela fosse feliz e, se Sofia não conseguiu, foi por causa da ganância e do desejo de poder. Sabemos que ela terá de renascer e lutar contra esses sentimentos. Você poderá ajudá-la, mas ela, só ela, poderá escolher o caminho a seguir.

— Sei disso, Gusmão, mas, mesmo assim, quero tentar.

— Está bem, mas preciso lhe lembrar que não estará ao seu lado como mãe.

— Por que não?

— Sofia teve uma família que a amou, mas ela, diante de seus sentimentos, os afastou de maneira violenta. Por isso, provavelmente, na próxima encarnação, não terá família, e sentirá muita falta e essa falta lhe causará muita dor e sofrimento.

— Sei disso, Gusmão, mas, mesmo assim, se não puder vir como mãe, sei que posso ser bem próxima dela e, assim, ajudá-la de alguma maneira.

Gusmão sorriu, dizendo:

— Está bem, Nadir. A escolha só pode ser sua.

— Eu também, Gusmão, desejo continuar ao lado dela.

— Tem certeza disso, Pedro Henrique? Assim como a Nadir, você também não precisa, pode continuar sua jornada.

— Não, Gusmão, preciso ficar ao lado dela, porque, se não fizer isso, embora esteja em uma esfera superior, não poderei ser feliz. Isso só acontecerá quando ela estiver ao meu lado.

O mesmo disseram Romeu e Gustavo.

Dois meses se passaram desde a morte de Sofia. Em uma manhã, Anita sentiu-se mal e foi ao médico que lhe pediu um exame de sangue. Após alguns dias, acompanhada por Ricardo, voltou ao médico e ele lhes disse:

— Dona Anita, tenho uma boa notícia para lhe dar.

— Qual, doutor?

— Depois de tanto tempo e de eu ter-lhe dito que a senhora não tinha motivo algum para não engravidar, finalmente aconteceu!

— Aconteceu o quê, doutor?

— A senhora está grávida!

Anita olhou para Ricardo. Ele, sorrindo, abriu os braços e, juntos, choraram de felicidade. Eles ficaram felizes, mas, muito mais Nadir, por estar voltando para ajudar Sofia, novamente, a encontrar o caminho da luz.

Anita, chorando e rindo ao mesmo tempo, olhou para Ricardo e falou, emocionada:

— Vai ser uma menina, Ricardo!

— Não importa se for menino ou menina, Anita, o que importa é que está chegando!

— Tem razão, mas sei que vai ser uma menina e que se chamará Paula!

— Está bem, Anita, o que importa é que estou muito feliz!

— Eu também, Ricardo... eu também.

Sofia, desde o dia da sua morte, não foi mais encontrada por seu amigos. Suas companhias não permitiam. Ela foi perseguida pelo remorso e via, diante de si, Gustavo, Nadir e Romeu que, parecendo monstros, a perseguiam. Sentiu fome, frio e um terror constante. Tentava esconder-se em grutas escuras, mas não adiantava, os monstros criados por ela e suas companhias a perseguiam sem trégua.

A princípio, tentava se justificar, como fazia quando estava viva e, fugindo de um lado para outro, gritava:

— Não foi minha culpa! Eu precisei fazer tudo aquilo! Vocês queriam me destruir!

Porém, com o tempo, foi reconhecendo que havia cometido vários crimes, que havia afastado de sua vida seu irmão e os pais. Aqueles pensamentos e o arrependimento eram insuportáveis.

Quase vinte anos se passaram desde o dia da morte de Sofia. Gusmão e todos aqueles que sempre estiveram ao seu lado se recusaram seguir para esferas mais altas, o que os impediria de participar de equipes de socorro, onde poderiam aprender muito mais. Queriam, como já havia acontecido em outras vezes, continuar ao lado dela, dando-lhe mais uma oportunidade. Continuaram com os mesmos trabalhos que faziam até então e esperando até o dia em que ela fosse resgatada e preparada para uma nova encarnação. Nadir foi a primeira a renascer, mesmo antes de Sofia ser resgatada. Precisava renascer antes, para que, quando Sofia renascesse, ela já fosse adulta e pudesse cuidar dela com muito carinho. Pedro Henrique, sempre que podia, vinha visitar seus filhos. Ricardo e Anita tiveram mais três filhos. No total, quatro. Três meninos e só uma menina, a quem deram o nome de Paula. Maurício e Stela continuaram vivendo. Ele se tornou um político respeitado na cidade, continuando assim, com o nome da família. Ele nunca chamou Osmar de pai, mas, desde aquele dia em que toda a verdade foi revelada, tornaram-se grandes amigos e passaram a conviver e a se conhecer.

Enfim, todos continuaram a sua jornada, com acertos e erros, mas sempre caminhando.

Em uma tarde, Gusmão chamou Pedro Henrique e assim que ele chegou, disse:

— Chegou uma luz nos sinalizando a localização de Sofia. Estou formando uma equipe para resgatá-la. Você quer ir conosco?

— Claro que sim, Gusmão. Sabe que isso é o que mais tenho desejado por muito tempo.

Gusmão sorriu e disse:

— Sabia que sua resposta seria essa. Amanhã, iremos em busca dela.

Pedro Henrique sorriu feliz e, levantando os olhos, agradeceu a Deus.

Como o combinado, no dia seguinte bem cedo, Gusmão e mais espíritos amigos, entre eles, Pedro Henrique, partiram em direção ao vale, onde Sofia se encontrava. Foram recebidos por um dos muitos espíritos que trabalhavam ali e encaminhados até ela. Enquanto caminhavam, Pedro Henrique que, diferente dos outros, nunca havia estado lá, ficou assustado e ao mesmo tempo com pena daqueles que ali viviam. O lugar era escuro, úmido e malcheiroso. Os espíritos que estavam lá, tinham sinais de demência, gritavam e choravam muito. O barulho era ensurdecedor. Depois de andarem por quase cinco minutos, encontraram Sofia. Ela estava completamente diferente daquela Sofia que haviam conhecido. Descarnada, com roupas sujas e cheirando mal. Chamava e pedia perdão aos pais, Gustavo e Pedro Henrique. Chorava desesperada, só repetindo:

— Perdão...perdão...perdão...

Pedro Henrique, ao vê-la, se aproximou e ajoelhando-se na sua frente, disse, emocionado:

— Sofia, sou eu, Pedro Henrique, estou aqui para tirá-la deste lugar.

Ela olhou para ele, ouviu sua voz, mas não o reconheceu e tentou fugir, mas foi impedida por ele e pelos outros que o acompanhavam e, após receber muita luz branca, desmaiou. Pedro Henrique pegou-a em seus braços e iniciaram o caminho de volta. Ele, embora tenha descoberto tudo o que ela havia feito, não guardava rancor e, enquanto caminhava com ela nos braços, pensava: *foi apenas um aprendizado, Sofia, da próxima vez, será melhor.*

Sofia foi tratada durante algum tempo. Desmemoriada, teve dificuldade para entender o que estava acontecendo. Sentia medo e, a todo instante, queria fugir, mas Pedro Henrique e seus outros amigos estavam ali para ajudá-la.

Aos poucos, foi entendendo o que estava acontecendo e, sentindo-se culpada, embora não tivesse sido julgada e condenada pelos assassinatos dos pais e do irmão, sabia que precisava resgatar seus crimes.

Depois de algum tempo, já com todas as suas faculdades restabelecidas, foi chamada por Gusmão.

Após ter sido relembrada de todos os acertos e erros cometidos, Gusmão lhe disse:

— Agora, Sofia, está em suas mãos, a maneira como deseja renascer e viver. Estamos aqui e faremos o que desejar para seu aperfeiçoamento.

— Eu não sei, Gusmão. Entendo que minha nova encarnação não vai ser fácil, farei o que desejarem.

— Sabe que teve todas as condições para ter uma encarnação perfeita. Teve uma família que a amou e que fez tudo para a sua felicidade, mas não lhe deu valor, assim como marido e filhos que estiveram sempre ao seu lado, mas se deixou levar pela ganância e pelo desejo de poder e reconhecimento. Na próxima encarnação, se concordar, não terá mãe, pai, irmãos, nem marido nem filhos.

Sofia, ao ouvir aquilo, baixou a cabeça e ficou relembrando de como havia sido sua vida, mas permaneceu calada.

Gusmão continuou:

— Sabe que aqui programamos uma linha de conduta, mas que tudo, de acordo com o correr dos acontecimentos, pode ser mudado.

— Não estou entendendo.

— Você renascerá e será entregue a uma instituição. Será criada por estranhos e, quando crescer, não terá marido ou filhos. Precisa saber que isso, para você, será muito triste e que poderá, algumas vezes, se revoltar. Tudo isso está previsto, mas, dependendo do seu comportamento e de sua vontade de ajudar e trabalhar não só pelo seu próprio bem, mas para o bem de outros, alguma coisa poderá ser mudada.

Ao ouvir aquilo, Sofia perguntou, surpresa:

— O que for programado aqui poderá ser mudado?

— Sim, Deus é um Pai maravilhoso que só quer o nosso bem. Ele pode até nos mandar algum tipo de castigo, fazendo que sintamos falta daquilo que desprezamos, mas nunca nos desampara e está disposto a nos receber, em Seus braços, a qualquer momento. Por isso, se seguir uma vida reta, tentando evitar cometer os mesmos erros anteriores, tudo o que for programado aqui poderá ser mudado.

— Quer dizer que poderei voltar a ter uma família, pais, irmãos, marido e filhos?

— Sim, tudo vai depender do seu comportamento.

Sofia sorriu:

— Seria mais fácil se eu me lembrasse do que fiz, assim poderia evitar.

— Sei que seria, mas não haveria mérito algum. O esquecimento é necessário para que o espírito possa merecer sua luz.

— Espero que, desta vez, eu consiga...

— Também esperamos, Sofia, e lembre-se, de que, embora vá nos esquecer, estaremos sempre ao seu lado.

Epílogo

aria Clara, seguindo o conselho de Solange, foi até o orfanato conversar com a Irmã Maria Paula. Assim que chegou e, após se abraçarem, Maria Paula, perguntou:

— O que aconteceu, Maria Clara?

— Por que está perguntando isso, Irmã?

— Você só vem me procurar quando está com algum problema...

— Não fale assim, sabe que sempre volto para vê-la, mas tem razão, estou com um problema.

— Qual é dessa vez, não venha me dizer que é o de sempre.

— É sim, o mesmo de sempre. O Claudinei, assim como todos os outros, me abandonou...

— Outra vez?

— Sim, outra vez... acho que, definitivamente, não vou conseguir ter uma família. Por que isso acontece comigo, Irmã?

— Não sei. Eu também não me casei, não tive filhos e nem por isso sou infeliz.

— Sei disso, mas, pelo menos, teve pais que já morreram, mas ainda tem irmãos e sobrinhos a quem pode visitar e por quem pode ser visitada. Eu não tenho ninguém, Irmã...

— Tem razão, minha família é maravilhosa.

— Estive conversando com umas amigas e uma delas disse que pode ser coisa de reencarnação. Eu devo ter tido uma família para quem não dei valor. A senhora acredita nisso?

Maria Paula ficou pensando por um instante e, depois, respondeu:

— Não sei, Maria Clara. Sabe que sempre fui católica e que dediquei minha vida ao apostolado de Cristo, mas, diante de tudo o que tenho visto, aqui neste orfanato, às vezes, chego a pensar que deve, mesmo, existir reencarnação, porque não encontro respostas para tanta coisa que vejo. Tanta criança abandonada, sem o carinho de uma mãe... dá o que pensar...

— Também estive pensando muito a esse respeito.

— Tem outra coisa, Maria Clara, até hoje, não consigo entender a felicidade que senti, quando a peguei no colo em frente ao portão do orfanato. Muitas crianças passaram por aqui. Gostei de todas e me dediquei com carinho, mas com você foi diferente. Será que é coisa de outra encarnação? Será que nos conhecemos antes?

— Não sei se acredito nessas coisas, Irmã, mas, se for verdade, a senhora deve ter sido minha mãe.

— Devo ter sido mesmo.

Riram e se abraçaram.

O tempo passou, Maria Clara procurou aprender tudo sobre reencarnação e, aos poucos, foi se conformando em ser só. Passou a dedicar, ainda mais, suas horas de folga a ajudar a Irmã Maria Paula no orfanato. Estava, sempre que podia, ao lado das crianças dando-lhes amor e carinho.

Em uma tarde, enquanto trabalhava, sentiu uma dor de dente muito forte. Assim que terminou o expediente, foi ao dentista. Quando chegou, havia várias pessoas esperando. Sentou-se e ficou esperando a sua vez. Logo depois que chegou, entrou um rapaz que se sentou ao seu lado. Ela olhou para ele e sorriu.

Depois de algum tempo, ele disse:

— Não entendo o que aconteceu. Hoje, do nada, meu dente começou a doer.

— O meu também. Achei estranho porque nunca deixei de cuidar dos meus dentes.

— Nem eu... é estranho mesmo. De qualquer maneira, estou feliz por ter vindo.

— Por quê?

— Porque pude conhecê-la. Meu nome é Pedro Henrique. Qual é o seu?

Ela sorriu e, pegando na mão que ele lhe oferecia, respondeu:

— Maria Clara.

— Parece loucura, Maria Clara, mas assim que a vi, me pareceu que já a conhecia há muito tempo, como isso é possível?

Ela, lembrando de tudo o que havia estudado sobre reencarnação, sorriu e respondeu:

— Talvez tenha sido em outra vida, não é?

— Sim, tem razão, talvez tenha sido em outra vida...

Gusmão e Matilde, que estavam ali, sorriram. Gusmão disse:

— Sofia está tendo outra chance, Matilde.

— Sim, Gusmão, Deus é mesmo um Pai amoroso e justo. Tomara que, desta vez, ela consiga...

Fim

*Leia, a seguir,
o 1º capítulo
do próximo
relançamento.*

Novo relançamento

É preciso algo mais

Elisa Masselli

Sumário

Prefácio

A violência está espalhada por todo o mundo. Na maioria das vezes, liga-se à droga, seja ela qual for. Todos conhecem os motivos sociais que levam muitas pessoas para o caminho das drogas. Entretanto, eu não estava satisfeita.

Aprendi com a espiritualidade que tudo está sempre certo e que a Lei é justa. Talvez, por isso, muitas vezes tenho me perguntado, o porquê de as drogas existirem. Por que Deus permite isso?

Em uma manhã, ao acordar, estava novamente com o início de um novo livro. Como das outras vezes, eu não sabia nada sobre a história, apenas, que era sobre um rapaz envolvido com drogas.

Fiquei entusiasmada, pois, finalmente, teria do Mundo Espiritual a resposta que eu tanto ansiava.

Comecei a escrever. Como os outros livros, este também teve suas paradas, às vezes de dias. Fui conhecendo a história de Arthur, apaixonando-me por ela, mas esperava o momento em que minhas dúvidas seriam respondidas. Até que, um dia, finalmente, tal momento chegou.

A resposta foi dita de modo simples, como só o é no Plano Espiritual. Quando terminei de ler, estava encantada e pensei:

"Até pode ser verdade. Recebi a resposta de que realmente tudo está certo e que a Lei é realmente justa."

Desejo que a história de Arthur sirva como consolo para todos aqueles que direta ou indiretamente estejam envolvidos com drogas. Que todos pensem que, em algum lugar, alguém pode estar dizendo:

"Estou esperando por você."

Ofereço este livro para:

Olívia, minha mãe,
Que foi o meu início;
Olívia, minha neta,
Que é a minha continuação.

Um rapaz normal

Como em todas as manhãs, Arthur acordou com sua mãe colocando a mão sobre seu ombro e dizendo baixinho:

— Arthur, acorde. Já está na hora! Seu pai está terminando de tomar banho e logo estará tomando café. Hoje, você não vai sair novamente sem se alimentar.

Ele abriu os olhos, queria se virar na cama e continuar dormindo, mas ela voltou a dizer:

— Não adianta se virar, sabe que está na hora!

— Já vou, mamãe! Já vou!

— Está bem. Vou descer. Não esqueça que precisa se levantar!

— Pode ir tranqüila, já estou levantando.

— Ele disse isso, mas voltou a se virar.

Ela colocou novamente a mão em seu ombro:

— Vamos, Arthur, não volte a dormir!

Ele abriu os olhos e, sentando na cama, disse:

— Pronto, já acordei.

Ela sorriu:

— Olhe lá, estou descendo.

Ela saiu do quarto. Arthur olhou à sua volta. Seu quarto era grande e arejado. Dormia em uma cama confortável, tinha seu próprio armário, onde guardava suas roupas. Havia, também, uma estante para guardar livros. Ao lado de sua cama, seu irmão Leandro dormia tranqüilamente. Em um dos cantos, havia uma escrivaninha e sobre ela um computador. Arthur olhou para ele pensando:

Você é minha maior alegria. Fiquei ontem até muito tarde tentando executar aquele programa! Vou aprender tudo sobre você e programas. Em pouco tempo, dominarei todos os seus segredos. Minha avó teve uma ótima idéia, quando, no meu aniversário, me deu você de presente. De todos os presentes que ganhei até hoje, e foram muitos, você foi o de que mais gostei. Faltam só dois anos para eu terminar o segundo grau. Mesmo contrariando a vontade do meu pai, não vou fazer Direito, vou ser cientista de computador. Quero aprender tudo a seu respeito...

Levantou, foi para o banheiro tomar banho. Enquanto se banhava, ia pensando:

O dia do meu aniversário está chegando. Vou fazer dezesseis anos. Papai quer me dar uma festa em família, mas eu não quero, hoje não se usa mais isso. Os jovens comemoram o aniversário em barzinhos e danceterias. Vou ter que convencê-lo. Não será fácil, mas tenho que tentar.

Olhou para um relógio que havia no banheiro. Sua mãe o colocou ali, exatamente para que ele não perdesse a hora:

— Estou atrasado! Preciso me vestir depressa!

Foi para o quarto, antes olhou no espelho:

— Essas espinhas! Meu rosto está todo tomado por elas! Como a Mariana vai me notar?

Vestiu a roupa e, rapidamente, dirigiu-se à sala de refeições. Seu pai estava terminando de tomar o café. Disse:

— Atrasado como sempre! Novamente não vai tomar café! Não posso esperar por você. Vou lhe dar dinheiro. Com ele, poderá tomar um lanche na cantina. Vamos embora?

— Vamos sim! Tchau, mamãe!

— Tchau, meu filho, vão com Deus...

Já lá fora, entrou no carro, seu pai saiu dirigindo. Arthur estava acostumado, todas as manhãs era a mesma coisa. Assim que o carro saiu, ele olhou para o rádio, no mesmo instante em que seu pai o ligou e colocou em uma estação que transmitia notícias.

O pai continuava dirigindo, comentando as notícias que ia ouvindo. Arthur sempre respondia, mas naquele dia, em especial, estava com seus pensamentos voltados para Mariana.

Só a conheci há alguns meses. Ela veio transferida de outra escola. Não existe menina mais bonita. Até agora, nunca havia me interessado por menina alguma, pois só me preocupava com meus estudos.

O pai interrompeu seus pensamentos, dizendo:

— Em que está pensando, Arthur?

— Estou pensando no meu aniversário.

— É, está chegando. Continua ainda com aquela idéia de não o comemorar em família?

— Estava pensando justamente nisso, papai.

— Não acho uma boa idéia. Você é ainda muito criança.

— Ora, papai! Não sou mais criança! Vou fazer dezesseis anos, já estou quase terminando o primeiro ano do segundo grau. Logo farei cursinho para entrar na faculdade!

— Tem razão, não é mais uma criança. Vou pensar sobre o assunto.

Parou de falar, pois uma notícia no rádio chamou a sua atenção. Arthur voltou seu pensamento para Mariana.

É, nunca me preocupei com garotas, mas desde que a vi, senti algo diferente. Ela é mesmo muito bonita, mas nunca irá me notar. Não enquanto eu tiver estas espinhas. Sei que embora não seja feio, também não sou bonito.

Em seu rosto, um sorriso formou-se:

Está resolvido! Vou convidá-la para a minha festa, quem sabe conseguirei falar com ela...

Chegaram em frente à escola. Ele deu um beijo no pai, desceu de um lado da rua, teria que atravessá-la. Seu pai sorriu, dizendo:

— Não esqueça, estarei aqui ao meio-dia em ponto.

— Não esquecerei! Fique tranqüilo.

O pai foi embora, ele ficou olhando o trânsito, precisava esperar para poder atravessar. Estava ali, olhando de um lado para outro, quando viu do outro lado da rua uma aglomeração. Atravessou correndo e foi para lá. Como os outros, queria saber o que estava acontecendo. Assim que chegou perto, perguntou a um amigo:

— O que está acontecendo?

— Esse rapaz foi pego roubando aquele carro!

Ele olhou para onde o amigo apontava, viu um rapaz que devia ter a mesma idade que a sua. O rapaz estava de cabeça baixa, muito sujo e algemado. Ao seu lado, havia um policial e um homem que, muito nervoso, gesticulava e dizia:

— Esse marginal estava roubando o rádio do meu carro!

O policial tentava acalmá-lo:

— Fique calmo, senhor. Ele agora está preso e será encaminhado.

— Espero que seja mesmo e que fique preso por muito tempo!

Arthur não entendia o porquê, mas sentia muita pena dele. O rapaz estava assustado e, com os olhos muito vermelhos, chorava. Arthur olhava para ele sem parar. O rapaz, parecendo perceber a sua insistência, por um segundo levantou a cabeça e seus olhos se cruzaram. Arthur sentiu uma emoção estranha. Em seguida, o rapaz voltou a baixar a cabeça. Arthur continuou ali, olhando para ele, quando ouviu uma voz atrás, dizendo:

— Que país é este, que não cuida de seus jovens?

Arthur se voltou e viu que era o professor de Ciências quem estava falando.

— Por que o senhor está dizendo isso?

— Porque o que está vendo aqui é fruto de uma sociedade injusta! De um mau governo!

Antes que Arthur dissesse qualquer coisa, o policial colocou o rapaz dentro da viatura e afastou-se, juntamente com o proprietário do carro. A aglomeração foi se desfazendo. Arthur se dirigiu para a escola.

Todos iam comentando sobre o acontecido. Arthur ouvia as pessoas conversando, mas não conseguia esquecer o rosto do rapaz, nem aquele olhar.

A primeira aula foi de Português. A segunda seria de Ciências. O professor entrou. Estava com um semblante muito sério. Sentou em sua cadeira, olhou para a classe, perguntando:

— Quem viu o que aconteceu agora há pouco lá fora?

Quase todos levantaram a mão. Ele continuou:

— Alguém pode me dizer o que significou aquilo?

Alguns responderam, mas Arthur ficou calado, só via na sua frente o rosto assustado do rapaz. Ele não entendia. Perguntava-se:

Como uma pessoa pode chegar a uma situação igual àquela? Que será que lhe aconteceu?

O professor continuava falando:

— O que viram lá fora é o produto da miséria existente neste país! É o fruto do mau governo que aqui existe! Governo que não se preocupa com o bem-estar do povo! A miséria está tomando conta de tudo e de quase todos, não há qualquer pessoa para mudar esse estado de coisas.

Todos olhavam para ele, sem entender muito bem o que dizia. Ele continuou:

— Vocês todos aqui não imaginam o que seja a pobreza! Todos são bem nascidos, podem freqüentar uma escola cara como esta, mas a maioria do povo brasileiro não tem o que comer e muito menos escola!

Os alunos começaram a discutir sobre o assunto. Arthur ouvia um e outro, mas não se esquecia do rosto do rapaz...

O professo continuou falando:

— Os nossos governantes não se preocupam com o bem-estar do povo. Só estão preocupados com seus próprios interesses ou com um modo de conseguir ganhar mais dinheiro!

Ficou falando por muito tempo. Naquele dia, praticamente, não deu aula. Só falou sobre o assunto.

A aula terminou. Outros professores vieram, mas nenhum deles tocou no assunto. Arthur prestou atenção às aulas. Tinha isso por norma, achava que se prestasse atenção quando o professor ensinava, teria mais facilidade para aprender.

Quando as aulas terminaram, foi para o lugar do encontro com o pai. Em seguida, ele chegou. Sorrindo, abriu a porta. Arthur entrou. O pai, embora estivesse dirigindo, notou que ele estava muito calado:

— Que aconteceu, Arthur? Parece que tem alguma preocupação.

— Aconteceu algo pela manhã que me impressionou muito. O professor de Ciências comentou na aula.

— Que foi que aconteceu?

Arthur contou todo o acontecido. O pai ouvia em silêncio. Quando Arthur terminou de falar, ele estava furioso:

— Este professor é um idiota! Vou falar com a diretoria da escola! Que fruto de pobreza nada! São pessoas que nascem marginais! Nada, além disso! Você não tem que ficar preocupado dessa maneira! É um menino estudioso, que sempre se esforçou para aprender! Eu fui um menino pobre e nem por isso me tornei um bandido! Estudei e hoje sou um advogado bem sucedido. Se você tem tudo, se pode estudar em uma escola como a sua, é porque também estudei muito e posso dar a você e a seu irmão o melhor!

Chegaram a casa. Entraram. Arthur continuava calado. Foi para o seu quarto, olhou à sua volta, ouvia a voz do professor, dizendo:

— *Enquanto vocês têm tudo, outros, e são muitos, não têm nem o que comer!*

Trocava de roupas e pensava:

O professor tem razão. Realmente, tenho tudo, aquele rapaz deve ser muito pobre, por isso estava roubando, devia estar com fome.

Após terminar de se vestir, foi para a sala almoçar. Seu irmão, Leandro, quatro anos mais novo do que ele, estava sentado diante de um prato com batatas fritas. Odete, a mãe, fazia isso para evitar que eles roubassem batatas um do outro, mas não adiantava. Eles continuavam. A uma pequena distração, lá se iam as batatas. Arthur sentou, mas para surpresa do irmão, não tentou roubar suas batatas. Permaneceu calado. Sua mãe estranhou:

— Arthur, o que você tem?

— Não tenho nada, só estou pensando em algumas coisas.

Nesse exato momento, Álvaro, o pai, entrava na sala:

— Está preocupado porque presenciou uma cena que o impressionou.

— O que foi?

Arthur contou. Quando terminou, ela perguntou:

— No que está pensando?

— No rosto daquele rapaz, que parecia tão assustado, e em tudo aquilo que o professor disse. Será que existe mesmo toda aquela pobreza? Será que as pessoas roubam por não terem o que comer?

Álvaro, interrompendo a conversa, respondeu:

— Já lhe disse várias vezes que a pobreza não tem nada a ver com a marginalidade! Não tem que ter sentimento de culpa por ter comida e boa escola. Trabalho muito para isso. O que tem a fazer é estudar o máximo que puder para que, amanhã, seus filhos possam ter uma vida igual ou melhor do que a sua!

— Espere, Álvaro! Sabe que dou aula na periferia e vejo muitas crianças com fome e, às vezes, sem um agasalho. A pobreza existe sim!

— Não estou negando isso, só estou dizendo que ela não é a culpada da marginalidade. Quer ver uma coisa? Iracema, você mora na favela, não é?

Iracema era a empregada da casa, já estava com eles há muito tempo, desde que Arthur tinha seis anos e Leandro, dois. Ela ficava ali durante a semana. Só ia para sua casa na sexta-feira à tarde, e voltava no domingo à tarde, pois morava longe e precisava tomar duas conduções. Assustada com a pergunta de Álvaro, respondeu:

— *Moro lá, sim sinhô.*

— Todos lá são bandidos?

— *Não, dotô! Tem muita família boa que mora lá. Eu mesma vim do interior com meu marido, porque lá não tinha trabaio. Assim que nóis chegou, ele morreu, fiquei com cinco filhos. Nenhum deles, graças a Deus, é bandido, não!*

— Estão vendo? Imaginem se todos os pobres fossem bandidos! O que seria do mundo? Existem pessoas que já nascem com o instinto da maldade.

— Mas você não pode negar que se todos tivessem as mesmas oportunidades, poderia ser diferente...

— Oportunidades existem aos montes, temos que procurá-las. Quando jovem, com quatorze anos, por necessidade de ajudar minha mãe, que era viúva, comecei a trabalhar como faxineiro em um escritório de advocacia e, hoje, além de ser um bom advogado, tenho o meu próprio escritório!

— Você teve sorte, pois seu patrão se interessou por sua educação. Ele gostou de você e o encaminhou!

— Sorte? Não foi sorte! Desde o primeiro dia em que cheguei ao escritório, sempre me interessei em aprender tudo. Ficava vendo os advogados discutindo algum caso. Prestava atenção e ia encontrando as soluções. Lia muito os Códigos. Sempre fui e sou, até hoje, muito interessado.

— *Dotô! O sinhor me dá licença? Já que o dotô tá dizendo isso, quero aproveitá esse momento para pedir uma coisa. Posso?*

— Claro que pode, o que é?

— *O dotô já me ouviu falar sobre o meu filho Jarbas, não já?*

— Sim, parece que ia prestar o vestibular para Direito, não é isso?

— *Isso mesmo, ele passou no vestibulá, só que agora não tem dinheiro pra pagá a faculidade. Quiria vê se o dotô não arranjava um emprego pra ele lá no seu escritório? Pra ele pode continuá estudando!*

— Quantos anos ele tem?

— *Vai fazê vinte e quatro anos em dezembro.*

— Só agora prestou o vestibular?

— *Lá onde a gente morava, era muito pobre, num tinha escola. Também ele é o maior dos meu filho, precisava ajudá o pai no trabalho. Quando chegamo aqui, ele tinha doze anos. Coloquei ele na escola pra podê aprendê a leitura.*

— Ele não fez nem o primário?

— *Não, foi por isso que meu marido quis vim pra cá, pra que us mininos pudesse estudá. Quando o pai morreu, ele teve que pará de estudá e começô trabaiá pra me ajudá criá os otro. Depois de um tempo, eu e otro filho menor que ele, começamo trabaiá também, aí ele foi estudá di noite. Não parô mais. Diz sempre que vai sê adivogado.*

— Parece ser um rapaz com muita boa vontade, mande-o lá no escritório, conversarei com ele. Está vendo, filho? Esse moço é pobre, mas se for honesto e interessado, terá toda a minha assistência. Não gosto de marginal! Tanto é, que no meu escritório, tramito por todas as varas, menos a criminal, nunca vou defender um bandido!

— *Obrigada, doutô!*

— Que é isso? Você está há tanto tempo conosco que já a considero como se fosse da família! Farei tudo o que puder para ajudar seu filho.

Iracema foi para a cozinha, sorrindo intimamente. Sabia que seu filho nunca a iria decepcionar:

— *O meu filho vai sê um dotô! Ele sempre estudô muito!*

Terminaram de almoçar, Odete e Leandro saíram. Ela dava aula, à tarde, em uma escola na periferia e, antes de ir trabalhar, deixava Leandro na dele. Álvaro foi para o escritório. Arthur ficou um pouco na sala, assistindo à televisão, depois foi para o seu quarto. Estava estudando um programa novo de computador. Com esse programa, poderia fazer qualquer tipo de trabalho relativo a números.

Sentou em frente ao computador, começou a estudar. De repente, a imagem de Mariana surgiu na sua frente:

Ela é tão bonita, parece ser muito meiga, mas nunca me notará. Ao menos enquanto eu tiver com todas estas espinhas em meu rosto, com esta voz que não está nem grossa nem fina. Quem sabe na festa eu consiga me aproximar. Será que ela vai comparecer à minha festa? Tomara que sim.

Levantou, olhou pela janela. O dia estava lindo. Voltou a se lembrar do rapaz.

Por que será que chegou àquele ponto? Será que é mesmo muito pobre? Por que será que existem pobres no mundo?

Voltou para o computador, continuou estudando o programa.

No dia seguinte, na hora do almoço, Álvaro, ao chegar a casa, disse:

— Iracema, seu filho esteve hoje no escritório. Conversei muito com ele e gostei. Percebi que ele tem muita vontade de estudar e, pela sua perspicácia, será um bom advogado. Ele vai começar a trabalhar no escritório. A princípio, ajudará na limpeza e irá ao fórum para levar e buscar papéis. Disse a ele que vou testá-lo por um mês. Se ele mostrar interesse pelo trabalho, pagarei a sua faculdade e darei mais algum dinheiro para que se mantenha. Ele será um ótimo advogado! Vou fazer com ele o mesmo que um dia alguém me fez.

— Obrigada, *Doutô*! Tenho certeza que o *Dotô* não vai se *arrependê*.

— Não vou não! Também tenho certeza!

O tempo passou. Faltavam poucos dias para a festa. Arthur estava ansioso para que a hora chegasse. Todavia, seus pais não se conformavam com aquele negócio de festa só para amigos em uma danceteria.

Arthur tentava convencê-los:

— Papai, mamãe, hoje as coisas mudaram, todos os meu amigos estão fazendo assim, não posso ser diferente!

Odete abraçou seu filho:

— Sei que você está certo, mas não pode impedir que estranhemos. Gostaria de uma festa aqui em casa para toda a família, como fazíamos quando você era criança. Nós não poderemos comparecer a essa sua festa. Logo, você tem que concordar com o fato de isso nos deixar descontentes.

Arthur beijou sua mãe, dizendo:

— Dona Odete... dona Odete. Seu filho cresceu, não é mais uma criança, já sou quase um homem completo, olha a minha voz!

Ela o beijou novamente:

— Tem razão, meu filho, preciso me acostumar, mas, para os pais, um filho sempre será uma criança. Estou muito orgulhosa do filho que tenho! Precisamos saber o que vai querer como presente!

Arthur ficou pensando por um instante. Depois, disse pausadamente:

— Presente? Presente...eu queria um par de tênis importado.

Álvaro os interrompeu:

— Por que importado? Os nacionais são muito bons! São iguais a qualquer outro!

— Ora, papai! Todos os meus amigos estão usando tênis importados!

— Está bem, quanto custa?

— Mais ou menos oitenta dólares...

— Oitenta dólares?! É muito dinheiro!

— Sei que é, mas tenho tanta vontade de ter um...

— Ora, Álvaro, não é tão caro assim, se vai fazer o nosso filho feliz! Ele merece. É um bom aluno, não nos dá trabalho algum...

— Está bem, vamos, à tarde, comprar, mas use os tênis só de vez em quando. Eles terão que durar muito!

— Prometo que vão durar muito! Eu adoro os dois!

— Nós também o adoramos, meu filho. Seu pai, embora pareça um durão, na realidade não passa de um meloso e muito orgulhoso do filho!

— Quem disse que sou durão? Estou, sim, muito orgulhoso de você, meu filho. Feliz aniversário!

— Obrigado, papai. Tenho também muito orgulho do senhor! É o melhor pai do mundo!

Álvaro passou a mão nos cabelos de Arthur, num gesto carinhoso. Depois de muito pensar, disse:

— Está bem, meu filho. Já que tudo está mudando, preciso aceitar essas mudanças. Pode fazer a sua festa onde quiser.

Arthur levantou e abraçou o pai:

— Obrigado, papai. Não se preocupe, não vai acontecer nada demais. Só vou reunir meus amigos.

— Está bem, acredito nisso.

Naquela mesma tarde, saíram para comprar o tênis. Arthur escolheu e comprou aquele de que mais gostou. Depois, foram tomar um lanche.

Daquele dia em diante, Arthur se dedicou à preparação da sua festa. Fez contato com a danceteria, marcou o dia, enviou convites para seus primos, primas, colegas da escola de natação e do curso de computação. Estava ansioso, pois teria a oportunidade de ficar ao lado de Mariana, talvez tivesse coragem de se aproximar dela e puxar conversa.